風の影 上

カルロス・ルイス・サフォン
木村裕美 訳

集英社文庫

もっとふさわしい称賛に値すべき、ジョアン・ラモン・プラナスへ

風の影（上）

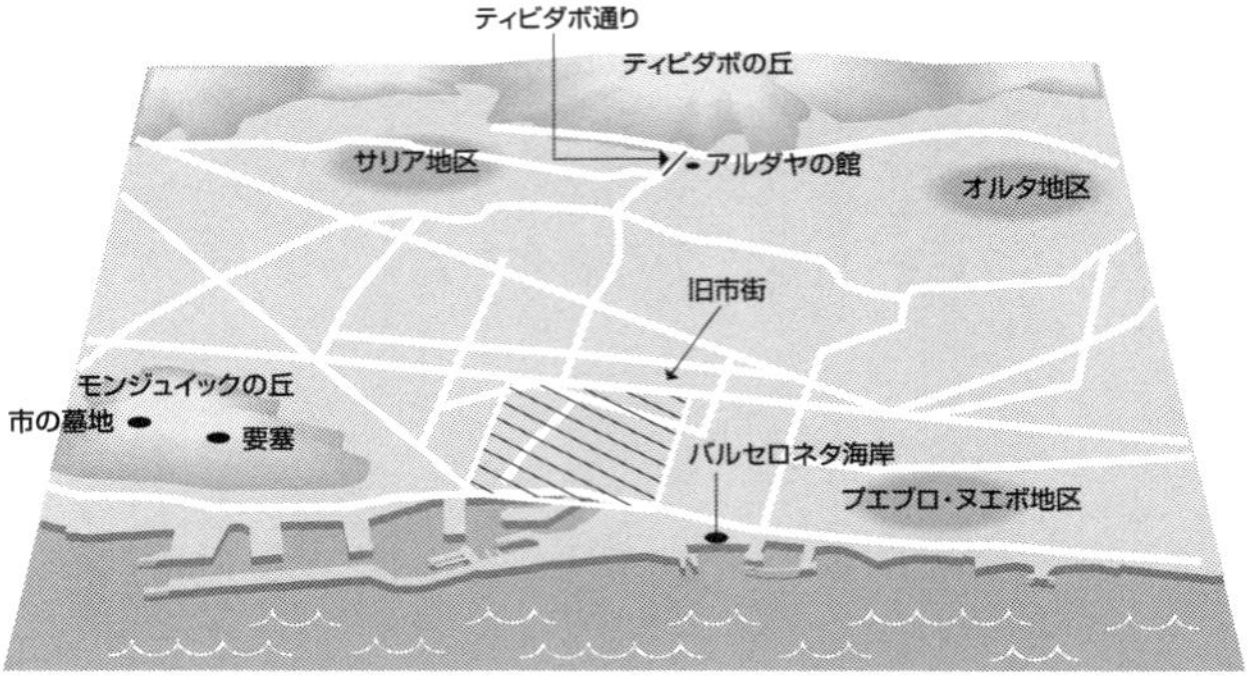
ティビダボ通り
ティビダボの丘
サリア地区
アルダヤの館
オルタ地区
旧市街
モンジュイックの丘
市の墓地
要塞
バルセロネタ海岸
プエブロ・ヌエボ地区

バルセロナ 俯瞰図

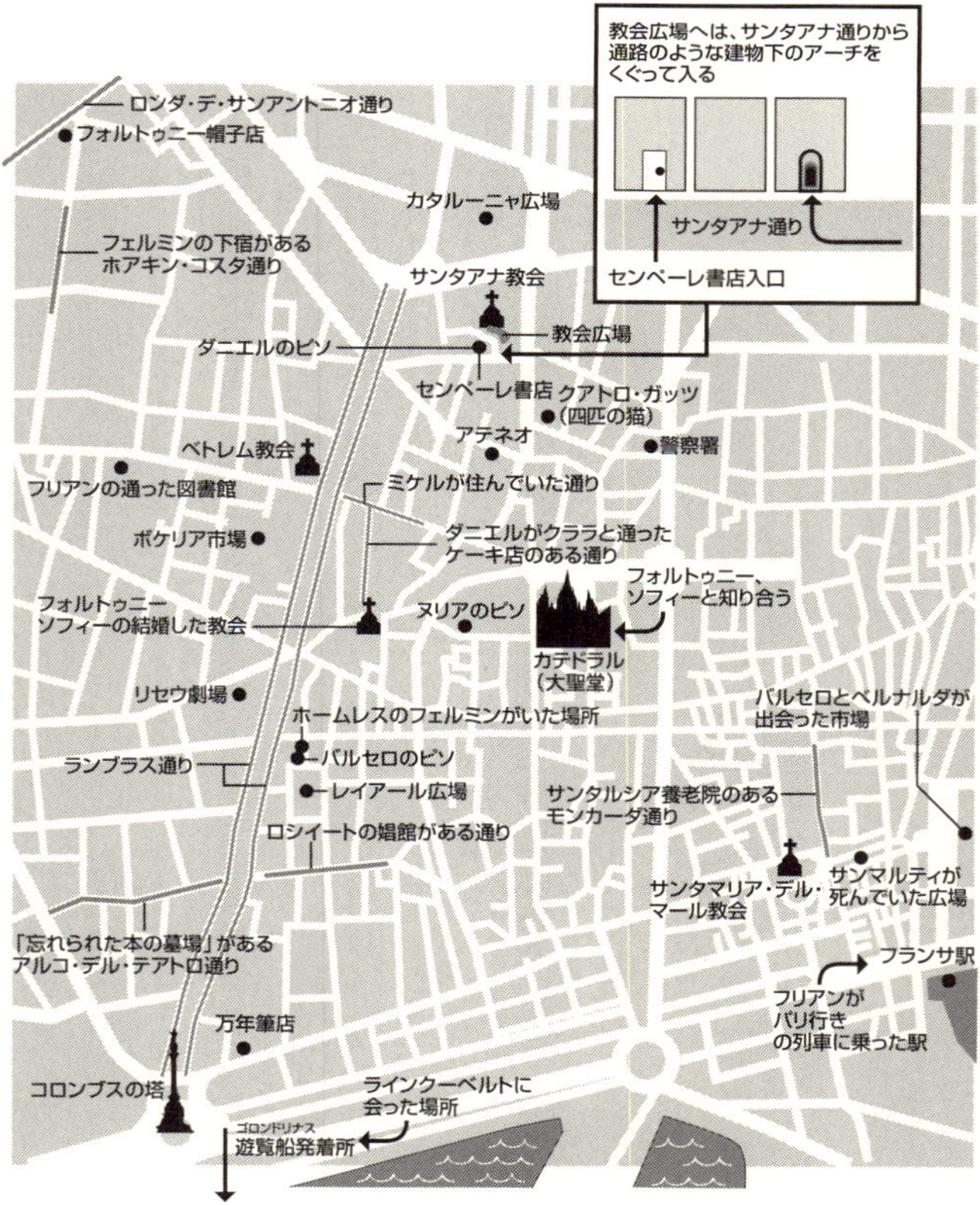

バルセロナ 旧市街拡大図

風の影(上)目次

風の影(下)目次

登場人物紹介

ダニエル……………………………バルセロナの少年
センペーレ…………………………ダニエルの父。古書店主
フェルミン…………………………「センペーレと息子書店」の店員
フメロ………………………………バルセロナ警察の刑事部長
イサック……………………………「忘れられた本の墓場」の管理人
ヌリア………………………………イサックの娘。元出版社の社員
トマス………………………………ダニエルの友だち
ベアトリス…………………………トマスの妹

フリアン・カラックス……………バルセロナ出身の謎の作家。『風の影』の著者
フォルトゥニー……………………帽子店主。フリアンの父
ソフィー……………………………フリアンの母
リカルド・アルダヤ………………バルセロナの大財閥
ホルヘ………………………………リカルドの息子
ペネロペ……………………………リカルドの娘
ハシンタ……………………………アルダヤ家の乳母
ミケル・モリネール………………ジャーナリスト。フリアンの親友

忘れられた本の墓場

父につれられて、はじめて「忘れられた本の墓場」を訪問したあの夜明けのことを、ぼくはいまでもよく覚えている。一九四五年、長い夏がはじまりかけた日に、父とぼくはバルセロナの街角を歩いていた。街は灰色の空にとらわれて、蒸気をまとう太陽が、溶けた銅の花飾りのようにランブラ・デ・サンタモニカ通りにひろがっていた。

「ダニエル、きょう、これから、おまえが見にいくもののことは、誰にも話しちゃだめだぞ」と父が注意した。「友だちのトマスにも、誰にもだ」

「ママにもだめ？」と、ぼくはささやき声できいた。

父はため息をついた。そして、生涯影のようについてまわる、あの悲しいほほ笑みをうかべてみせた。

「もちろんいいさ」と、うつむきかげんで父は答えた。「ママに秘密はなにもない。ママになら、なにを話してもいい」

内戦のさなかにコレラが発生して、ぼくの母をつれさってしまった。ぼくの四歳の誕生日に、母はモンジュイックの墓地に埋葬された。ぼくが覚えているのは、昼も夜もずっと雨が降りつづいていたこと、それで「空が泣いているの?」ときいたら、父が声をつまらせて答えられなかったことだけだ。あれから六年たっても、母の不在は、まだ夢のなかの出来事みたいに思えた。どんな言葉でも鎮めようのない沈黙の叫びだった。

父とぼくは、旧市街サンタアナ通りの集合住宅に住んでいた。通り裏の教会広場側に玄口をもつこの建物の二階に、ぼくらのささやかな家——ピソ——があり、うちの真下、サンタアナ通りに面した一階部分に、父は古書店をかまえていた。古本や、収集家向けの稀覯本《きこうぼん》を専門にあつかう店だ。父は祖父からここを継いだ。そして、この魔法の国のバザールを、いつの日かぼくの手にゆだねるつもりでいた。

ぼくは本にかこまれて育ち、ほこりまみれでバラバラになったページのあいだに、見えない友だちをつくっていった。そのにおいは、いまでもこの手にしみついている。小さいころに、自分の部屋の薄暗がりで、母に話しかけながら眠りにつくことをおぼえた。一日の出来事や、学校であったこと、その日に習ったこと……。母の声をきくことも、母を手で感じることもできないけれど、母の光や温もりが、あの家のあちこちで燃えていた。そして、両手の指にまだ年の数が入る子どもらしく、目を閉じて母に語りかければ、どこにいても母はきいてくれると無邪気にも信じていた。母に話しかけるぼくの声が、たまに食卓まで響くのをきいて、父はひっそり泣いていた。

あの六月の夜明けに、泣き叫びながら目をさましたのを覚えている。魂が外にとびだしそうなほど、胸が激しく高鳴っていた。父が驚いて部屋に駆けつけた。そして、ぼくをしっかり腕に抱いて、気を鎮めようとしてくれた。

「顔が思いだせないよう。ママの顔が思いだせないよう」と、息をつまらせて、ぼくはつぶやいた。

父がぼくを強く抱きしめた。

「だいじょうぶだよ、ダニエル。お父さんがちゃんと、おまえのぶんも覚えているから」

父とぼくは、薄暗闇のなかで見つめあった。ふたりとも、存在しない言葉をさがしていた。父が老いるということ、父のまなざし、霧にかすんだように途方にくれた父の目が、いつも過去を見つめているのに気づいたのは、あのときがはじめてだった。

父は立ちあがってカーテンをあけ、夜明けの淡い光が部屋に入るようにした。

「さあ、ダニエル、服を着なさい。おまえに見せてやりたいものがある」と言った。

「いま？　朝の五時に？」

「闇のなかでしか、見えないものもあるんだよ」と父は暗示めいたことを言って、謎のほほ笑みをうかべた。アレクサンドル・デュマの本からでも拝借したみたいな笑みだった。

広場から建物下のアーチをくぐって通りにでたら、靄《もや》がうっすらとたちこめて、街はまだ物憂い表情をしていた。ランブラス通りの街灯が、蒸気につつまれた街路を淡く描きだしている。都市が眠りからさめて伸びをしはじめると、またたく街灯のしたで、街も水彩画の装いをぬぎすてるのだ。

ぼくたちはアルコ・デル・テアトロ通りの入り口につき、ラバル地区に足をふみ入れた。

見あげると、青い靄の天蓋がアーケードのようにつづいている。道というよりも傷痕《きずあと》みたいな細い裏通りを、ぼくは父のあとについて進んだ。ランブラス通りのきらめきは、いつのまにか、ぼくらの背後で消えてしまった。

白んでいく夜明けが、静かにまたたく一条の光になって、バルコニーや軒下《コーニス》にすべりこむが、光は地面までとどかない。彫刻のある木の門扉のまえで、父はようやく足をとめた。時の経過と湿気で門扉が黒ずんでいる。ぼくらのまえに立ちはだかる建物は、棄てられた宮殿の亡き骸か、でなければ、残響と影の美術館みたいに見えた。

「ダニエル、きょう、おまえが見るもののことは、誰にもしゃべっちゃだめだ。友だちのトマスにも、誰にもだぞ」

なかからとびらをあけたのは、銀髪で、鷲みたいな顔つきの小柄な男だった。鋭い目がぼくを捉え、刺すようにじっと見た。

「イサックさん、おはようございます。これ、息子のダニエルです」と父が告げた。「こんど十一歳になるんですが、いつかはこの子がうちの店を継ぐことになります。そろそろ、この場所を知ってもいい年ごろですから」

イサックとかいう男は軽くうなずいて、ぼくたちを建物のなかに招き入れた。

内部は蒼い闇につつまれている。大理石の階段と、天使の像や空想動物を描いたフレスコ画の廊下が、ぼんやりうかんで見えた。管理人らしき男のあとについて宮殿なみの長い廊下を進むうちに、父とぼくは、円形の大きなホールにたどりついた。円蓋《ドーム》のしたにひろがる、まさに闇の教会堂《バシリカ》だ。高みからさしこむ幾筋もの光線が、丸天井の闇を切り裂いている。書物で埋まった書棚と通廊が、蜂の巣状に床から最上部までつづき、広い階段、踊り場、渡り廊下やトンネルと交差しながら不思議な幾何学模様をなしていた。その迷宮は、見る者に巨大な図書館の全貌を想像させた。

ぼくは口をぽかんとあけて父を見た。父はほほ笑んで、ぼくにウインクした。

「ダニエル、『忘れられた本の墓場』へ、ようこそ」

廊下や踊り場のあちこちに、十人ほどの人影が見えた。ふりむいて、遠くからあいさつを送ってよこす人もいる。父と同業の古書店仲間だとわかった。十歳のぼくの目には、あの人たちが、世間に隠れて陰謀をたくらむ錬金術師の秘密の組合《ギルド》かなにかに映った。父はぼくのまえにひざまずいた。そして、ぼくをじっと見つめて、誓いや秘密をうちあけるみたいに小さな声で、ぼくに話しかけた。

「ここは神秘の場所なんだよ、ダニエル、聖域なんだ。おまえが見ている本の一冊一冊、一巻一巻に魂が宿っている。本を書いた人間の魂と、その本を読んで、その本と人生をともにしたり、それを夢みた人たちの魂だ。一冊の本が人の手から手にわたるたびに、そして誰かがページに目を走らせるたびに、その本の精神は育まれて、強くなっていくんだよ。何十年もまえに、おまえのおじいさんに、はじめてつれてきてもらったとき、この場所はもう古びていた。たぶん、このバルセロナとおなじくらいに歴史のある場所だ。いつからここにあるのか、誰がつくったのか、ほんとうに知っている人は誰もいない。おじいさんからきいたことを、おまえにも教えてやろう。どこかの図書館が閉鎖されたり、どこかの本屋が店じまいしたり、一冊の本が世間から忘れられてしまうと、わたしたちみたいにこの場所を知っている人間、つまりここを守る人間には、その本が確実にここに来るとわかるんだ。もう誰の記憶にもない本、時の流れとともに失われた本が、この場所では永遠に生きている。それで、いつの日か新しい読者の手に、新たな精神に行きつくのを待っているんだよ。お父さんたちは店で本を売ったり買ったりしている。でもほんとうは、本には持ち主なんてないんだ。おまえがここで見ている本の一冊一冊はみんな、昔誰かの親友だった。でもいまここにある本を知っているのは、わたしたちしかいないんだよ、ダニエル。いま話した秘密を、おまえはちゃんと守れるかい？」

魔法の光にみちた広大なその空間に、ぼくの視線はすいこまれた。ぼくがうなずくと、父はほほ笑んだ。

「もっといいことがあるぞ。なんだかわかるか？」と父はきいた。

ぼくは首を横にふった。

「この場所にはじめて来た人間には、ひとつきまりがある。ここにある本を、どれか一冊えらぶんだ。気にいれば、どれでもいい。それをひきとって、ぜったいにこの世から消えないように、永遠に生き長らえるように、その本を守ってやらなきゃいけない。とってもだいじな約束なんだ。いいか、一生の約束だぞ」と、父はぼくに言いきかせた。「きょうは、おまえがその番だ」

古びた紙と、ほこりと、神秘のにおいがする迷宮に隠されたもののあいだを、ぼくは半時間ほども、うろうろと歩きまわった。背表紙の列を手でふれるにまかせながら、どれをえらぼうかと考えた。時を経て消えかかった本のタイトルのなかには、知っている言語で書かれたものもあれば、何語かまるで見当のつかないものもあった。ぼくは、何百、何千という書物で両側を埋めつくされた渦巻状の通路をめぐった。そこにある本についてぼくが知るよりも、本のほうがはるかに、ぼくのことをよく知っているみたいだった。そのうちに、ふと頭にうかんだことがあった。ここにある本の一冊一冊の表紙の内側には、発見されるべき限りない宇宙がひろがっている。かたや、この建物の壁のむこう側では、午後になれば、サッカーを見たり、ラジオの連続ドラマをききながら、時がすぎるにまかせる人びとの生活があって、誰もが目先のことだけ見て満足しているのだ。

たぶん、そんな考えがうかんだせいかもしれないし、ひょっとしたら、偶然の女神か、その華麗な血縁にあたる運命の神のしわざかもしれない。ともかくその瞬間、ぼくは自分がひきとる本をえらんでいた。いや、ぼくをひきうけることになる本と言うべきなのかもしれない。

その本は、ある書棚のいちばん端で、遠慮がちに顔をのぞかせていた。ワインカラーの革表紙で、ささやくようなタイトルの金文字が、丸天井の高みからこぼれおちる光のなかで燃えていた。

ぼくは本に近づいた。指の腹でその文字をたどりながら、声にださずに読んだ。

『風の影』
フリアン・カラックス

タイトルも著者の名もきいたことがない。だが、そんなことはどうでもよかった。決断はくだされたのだ。ぼくの側からも、本の側からも。

ぼくは棚からそっと本をひきぬいて、パラパラとページをめくりながら、目をとおした。書棚の独房から解放されて、本は金色のほこりをまき散らした。ぼくは自分の選択に満足し、本を小脇にかかえて、口もとに笑みをうかべたまま、迷宮をふたたび歩きはじめた。もしかしたら、魔法のようなあの場所の雰囲気が、ぼくにそうさせたのかもしれない。でも、ぼくには確信があった。あの本は、もう何年もまえから、あそこでぼくを待っていた。いや、おそらく、ぼくが生まれるまえから、ぼくを待っていたのだと。

あの日の午後、サンタアナ通りの家に帰ってから、ぼくは部屋にひきこもって、新しく友だちになった本の書き出しを読むことにした。だが、いつのまにか、自分でも気づかないうちに、本のなかにのめりこんでいた。

それは、実の父親をさがしもとめる男の物語だった。彼は父親にいちども会ったことがない。死の床にある母親がもらした最期の言葉で、その父の存在をはじめて知ったのだ。父親さがしの物語は、やがて幻想の冒険譚《オデュッセイア》に変わっていく。主人公はそのなかで、失われた自分の幼少期や青年時代を必死にとりもどそうとする。同時に、不吉な愛の影がゆっくり浮上しはじめて、その愛の記憶が、生涯最後の日まで彼につきまとうことになる。

ストーリーが進行するにつれて、ぼくには、話の構成がロシア人形《マトリョーシカ》のように思えてきた。あけても、あけても、おなじ姿のミニチュアがなかから出てくる、あの入れ子の人形だ。物語は順々に解体されて、無数のストーリーに分かれていく。鏡のギャラリーに入りこんだ物語が、それ自体はひとつでありながら、何十もの姿に分裂するような、まさにそんな感じなのだ。

一分一分、一時間一時間が、まぼろしのようにながれていった。ぼくは物語の虜になったまま、何時間かあとに、夜中の零時を告げる大聖堂《カテドラル》の鐘が鳴ったのにも、ほとんど気づかなかった。読書スタンドの放つ銅色の光に身をよせて、かつて出会ったことのないイメージと感覚の世界に埋没した。自分のすいこむ空気とおなじほどリアルな登場人物たちの手で、冒険と謎のトンネルにひきずりこまれ、そこからもう出たいとは思わなかった。ページからページへ、ストーリーと物語世界の魔力にとりつかれるにまかせた。

暁の息吹が部屋の窓をそっとなでたとき、疲れたぼくの目は、最後のページにすべり落ちた。夜明けの蒼い薄闇のなかで、ぼくはベッドのうえにごろんとなった。胸に本をおいたまま、紫の淡い光を屋根に散らしはじめた、眠りからさめきらない都市のささやきに耳をかたむけた。睡魔と疲れに襲われた。それでも、ぼくは誘惑に負けなかった。物語の魔法から、まださめたくなかったし、登場人物たちに別れを告げたくもなかった。

あるとき、父の書店の常連客がこう言ったのを耳にしたことがある。

本を読む者にとって、生まれてはじめてほんとうに心にとどいた本ほど、深い痕跡を残すものはない。はじめて心にうかんだあの映像《イメージ》、忘れた過去においてきたと思っていたあの言葉の余韻は、永遠にぼくらのうちに生き、心の奥深くに「城」を彫りきざむ。そして――その先の人生で何冊本を読もうが、どれだけ広い世界を発見しようが、どれほど多くを学び、また、どれほど多くを忘れようが関係なく――ぼくたちは、かならずそこに帰っていくのだ。

ぼくにとっては、「忘れられた本の墓場」の迷宮で見つけたまさにこの一冊が、そんな魔力で、以来ずっと、ぼくを虜にしつづける本になる。

一九四五年－一九四九年——灰の日々

一

秘密というのは、それを守る人間の価値にあたいする。

目をさましたとたん、ぼくはまっさきに、「忘れられた本の墓場」の存在を、親友にうちあけたい衝動にかられた。同級生のトマス・アギラールは、超天才的なわりに実用にはほとんど向かない装置の発明に、自分のひまな時間と才能をつぎこんでいた。たとえば、空気力学を利用したダーツとか、発電機《ダイナモ》で動かすたたき独楽とかいった代物だ。あの秘密を共有するのに、トマス以上の人間はいない。懐中電灯と方位磁石を装備して、書物の地下墓所《カタコンベ》の秘密をあばこうとしているトマスとぼく自身の姿を夢見心地のうちに思いうかべた。しかし、すぐに父との約束を思い出し、状況が勧めるのは、推理小説で言われるところの、もっと別の手口というものなんだろうと判断した。

昼食時に父をつかまえて、きのうの本とフリアン・カラックスについて問いをなげかけてみた。ぼくはすっかり夢中で、世界でも有名な作家なのだろうと想像し、ともかくも、カラックスの著書をぜんぶ集めて、一週間以内で片っぱしから読むつもりでいたのだ。ところが驚いたことに、生っ粋の古書店主で、書籍のカタログにもくわしいはずの父が、『風の影』という本も、フリアン・カラックスという作家についてもきいたことがないと言う。

好奇心にかられたらしい父は、本の奥付をじっくり調べた。

「これによると、この版は、バルセロナで印刷された二千五百部のうちの一冊で、出版社はカベスタニー社、一九三六年六月の発行だ」

「その出版社、知ってるの?」

「かなりまえにつぶれたよ。でも、これは初版じゃない。初版が出たのは、一九三五年の十一月だ。ただし、パリで印刷している……。出版社はガリアノ・エ・ヌーヴァル。きいたことがないな」

「じゃあ、翻訳書ってこと?」ぼくは当惑してきいた。

「そこまでは書いてないな。奥付で見るかぎり、原書はスペイン語みたいだが」

「スペイン語で書かれた本なのに、フランスで初版が出たの?」

「べつに、めずらしいことじゃない。こんなご時世だからな」と父は言いたした。「ひょっとして、バルセロさんにきけば、わかるかもしれない……」

グスタボ・バルセロは、父の古くからの友人で、フェラン通りで洞窟のような書店をもち、選り抜きの同業者をとりしきっていた。ペルシャの市場の香りがする火の消えたパイプを片時もはなさず、最後のロマン派を気どっている。カルダス・デ・モンブイ村の出身のくせに、自分がバイロンの遠い血筋にあたることを信じて疑わないのだ。たぶん、その血縁関係をはっきりしめしてみせたいのだろう、いつ見ても十九世紀ダンディーの装いで、薄絹のネッカチーフを首に巻き、白いエナメル靴をはいて、度の入っていない片眼鏡のスタイルできめていた。口の悪い連中に言わせると、トイレで用を足すときも、この片眼鏡ははずさないらしい。実際の話、彼が幸いしたのは実業家の父親をもったことだが、これがまた、十九世紀の末に、どちらかと言えば怪しいやり口で大儲けをした人物だという。

父が言うには、グスタボ・バルセロはなにをしても金に困ることがなく、古書店の経営も、商売というより、本好きの情熱でやっているようなものだった。バルセロは書物をこよなく愛していた。だから、自分からはけっしてその事実を認めないが、店に訪れた客が、とても手のとどかない一冊に惚れこむと、いくらでも必要なだけ値を下げてやった。しかも買い手が、ただの気まぐれな愛好家でなく、生まれながらの読書家と見てとれば、一銭も金をとらずに本をもたせることまでするのだ。そんな独特な個性のほかに、無用の長物ともいえる記憶力と博識をふりまわす趣味があって、物腰といい、朗々としたしゃべりかたといい、まさに彼らしい人柄をあらわしているのだが、なにはともあれ、珍稀な本に精通している人物がいるとすれば、それはほかならぬこのバルセロだった。

あの日の午後、店を閉めたあと、父はモンシオ通りのカフェ、四匹の猫《クアトロ・ガッツ》にちょっと行ってみようと言いだした。バルセロがそこで書物好きの仲間と集い、不運な詩人や、死語となった言語や、虫食いだらけの傑作について、意見交換をしているからだ。

家から歩いてほどない距離にあるクアトロ・ガッツは、バルセロナじゅうで、ぼくがいちばん気にいっている場所のひとつだ。父と母は一九三二年にそこで知りあった。つまり、ぼくが人生の片道切符を手にしたのも、ある意味では、その古いカフェの魅力のおかげだった。

路地角の陰に沈む入り口が、石のドラゴンに護衛され、ガス灯が時と追憶をそのまま残している。一歩なかに入れば、人びとが過ぎし時代の余韻と溶けあい、会社員や夢想家や芸術家の卵たちが、パブロ・ピカソと、イサック・アルベニスと、フェデリコ・ガルシア＝ロルカと、あるいはサルバドール・ダリと、おなじテーブルをわかちあっている。ここにいると、平凡な人間も、コーヒー一杯分の値段で、瞬時にして歴史を生きた人物のような気分になれるのだ。

「これは、これは、センペーレくんじゃないか」と、バルセロは、店に入ってきた父を見て、人なつっこい声を発した。「放蕩息子めが。こんなところにお出ましとは、いったい、どうしたことですかね？」

「息子のダニエルのおかげですよ、バルセロさん。この子が、ある発見をしたもんでね」

「まあ、ここにおすわりなさいよ。こんなじけんは、ぜひ祝わなきゃならん」とバルセロは声をあげた。

「事件《じけん》？」と、ぼくは父にささやいた。

「バルセロは、三音節の言葉で表現するのが好きなんだ。おまえは黙っていなさい。でないと、彼はますます得意になるからな」

　寄り合いのメンバーは、父とぼくのために席をあけてくれた。みんなのまえで寛大にふるまうのが好きなバルセロは、ぼくたちに、なにかごちそうすると言ってきかなかった。

「若造はいくつかね？」と、ぼくを横目でちらりと見て、バルセロがきいた。

「こんど十一歳です」と、ぼくはきっぱり答えた。

バルセロはにやりとし、からかうような表情をぼくにむけた。

「つまり、十歳ってことだな。サバをよむなよ、小僧、いやでも年はとるんだからな」

仲間の何人かが、つぶやき声で同意した。バルセロは、ウエイターに注文をとりにくるように合図を送った。いますぐ歴史的文化遺産として登録されてもおかしくないほど、ものすごく年をとったウエイターだ。

「わが友センペーレにはコニャックを、そう、上等なやつだ。それから、チビにはミルクセーキをもってきなさい。この子は、まだまだ大きくならなきゃいかん。ああ、あとハムの角切りもな。ただし、さっきのはごめんだぞ、いいか？　あんなゴムみたいなのは、ピレーリ社のタイヤでたくさんだ」と、バルセロはうなるように声をあげた。

老ウエイターは力なくうなずいて、足と魂をひきずりながら去っていった。

「言わんこっちゃない」とバルセロは仲間のほうにむきなおった。「これで、若者は仕事がないっていうんですからねえ。この国じゃ、死んでも定年なんて来やしませんよ。亡き骸になってから敵軍を撃退した、あの英雄エル・シードがいい例じゃないですか。まったく、職にありつくのを望むほうが無理ってもんだ」

バルセロは火の消えたパイプを味わっていた。だが、彼の鷲のようなまなざしは、ぼくが手にもつ本を、興味深げにじろじろ観察している。見せかけの口のうまさや、次々とびだす軽口に似あわず、バルセロは、オオカミが血をかぎつけるように、うまい獲物をかぎわける嗅覚をもっているのだ。

「さて」と、たいして興味もなさそうに、バルセロは言った。「ところで、あなたがたは、なにをおもちになったのかな?」

ぼくは父を見た。父がうなずいた。ぼくは前置きせずに、バルセロに本をさしだした。彼は専門家の手つきで、それをとりあげた。ピアニストのような指が、さっそく本の手ざわりや、耐久性や、保存状態をさぐりはじめた。いかにも商売人らしい笑みをうかべて奥付をひらくと、バルセロは一分ほど、探偵みたいにじっくりと、そのページを調べていた。ほかの連中は、黙って彼を見守っている。まるで、奇跡を待つか、息をしてもいいと言われるのを待っているふうだった。

「カラックスか。おもしろい」と、彼は不可解な声色《こわいろ》でつぶやいた。

ぼくは本を返してもらおうと、もういちど手をのばした。バルセロは眉をつりあげた。が、冷ややかな笑みをうかべて、ぼくに本を返した。

「おい、ぼうや、おまえさん、これをどこで見つけたんだい?」

「それは秘密です」とぼくは答えた。父が心のなかでほくそ笑んでいるのが見えるようだった。

バルセロは不快そうに眉をよせ、こんどは父のほうを見た。

「なあ、センペーレくんよ、相手はほかでもない、きみだ。わたしはきみを大いに尊敬しとるし、われわれは、兄弟のように長く深い友情でむすばれている。その友情にめんじて、ここはひとつ二百ペセタで話をつけて、それで、おしまいにしようじゃないですか」

「それは、わたしじゃなくて、うちの息子に相談してください」と父は指摘した。「この子の本ですから」

バルセロは、ぼくにオオカミのような笑みをむけた。

「どうだい、ぼうや？　はじめての売りで二百ペセタは悪くないぞ……。なあ、センペーレくんよ、きみの息子さんは、こんどの商売で一躍名をあげますよ」

仲間たちは彼をはやしたてた。バルセロはうれしそうにぼくを見て、革の財布から紙幣をひっぱりだした。それで二百ペセタ分の札を数えて、ぼくのほうにさしだした。二百ペセタといえば、当時はひと財産だ。だが、ぼくは黙って首を横にふった。バルセロは眉をひそめた。

「金銭欲は死罪にあたると、知っとるかね。え？」と言った。「そら、三百ペセタだ。これで貯金通帳がもてるぞ。きみぐらいの年でも、もう将来のことを考えはじめなきゃならんからな」

ぼくはもういちど首をふった。バルセロは、片眼鏡の奥の、むっとした目を父にむけた。

「わたしを見ないでくださいよ」と父は言った。「つきそいでここに来ているだけなんですから」

バルセロはため息をついて、ぼくをしっかと見つめた。

「なあ、ぼうや、おまえさん、いったい、なにをどうしたいんだい？」

「フリアン・カラックスが誰か、知りたいんです。それと、この本以外に、この人が書いた本を、どこで手に入れられるかもです」

バルセロはにやりとして、札入れをしまいこみ、あらためて商売敵《がたき》を見直した。

「ほう、学者だな。なあセン・ペーレくん、きみは、この子になにを食べさせているんです？」とからかった。

彼は秘密の話でもするように、ぼくのほうに体をかたむけた。ぼくは、その瞬間、ほんのすこしまえにはなかった敬意のまなざしに似たものを、その目の奥に見た気がした。

「ひとつ取引をしようじゃないか」とバルセロはぼくに言った。「あしたの日曜日の午後、アテネオの図書館に、わたしを訪ねてきなさい。きみは、その本をもってきて、わたしにじっくり調べさせる。で、その代わりに、わたしは、フリアン・カラックスについて知っていることを、きみに話してやる。キッド・プロ・クオだ」

「キッド・プロ……なんですって？」

「ラテン語だよ、小僧っ子。死語なんてもんはない。頭がなまけて眠ってるだけだ。わかりやすく言えばだな、一ドゥーロは四ペセタじゃない、あくまで五ペセタだ。でも、わたしはおまえさんが気にいった。だから、五分五分ということにして、頼みをきいてやろうと言ってるんだ」

この人物は、しゃべっているだけで、飛んでいるハエをことごとく打ち殺せるほどの技をにおわせた。でも、フリアン・カラックスについて、なにかをさぐろうとすれば、この人とうまくやっていくしかないんだろうと、ぼくは思った。妙ちくりんなラテン語と、彼の口上手にさも感心したような顔をして、ぼくは、天使のほほ笑みをなげかけた。

「いいか、あした、アテネオの図書館だぞ」とバルセロは言いわたした。「だが、かならず本をもってくるんだ。でなきゃ、この取引はご破算だからな」

「わかりました」

ぼくらの会話は、寄り合い連中の低い話し声にまぎれて、ゆっくり消えていった。古書店仲間たちは、エル・エスコリアル宮殿の地下で見つかったという、ある古文書について論議していた。ミゲル・デ・セルバンテスは実在の人物でなく、じつは、トレド出身の大柄で毛深い女性のペンネームだったかもしれないという可能性を、その文書が示唆しているというのだ。

バルセロが放心しているように見えた。机上の空論には参加せず、笑みを押し隠した片眼鏡ごしに、ただぼくをながめている。いや、もしかしたら、ぼくの手のうちにある本を、単に見ていただけなのかもしれない。

二

翌日曜日、空から雲がすべり降りてきて、燃えるような霧の沼に街全体が沈んだ。壁にかかった温度計も、じっとり汗をにじませている。午後もなかばになると、気温は三十度に達した。

ぼくは本を小脇にかかえ、ひたいに玉のような汗をうかべて、グスタボ・バルセロと会うために、カヌーダ通りにあるアテネオの図書館にむかった。当時のアテネオは——いまもそれは変わらないが——十九世紀が定年を迎えたという知らせをいまだに受けとっていない、バルセロナに数多く残る名所のひとつだった。

宮殿ふうの中庭《パティオ》から、幅広い石の外階段が上階につづき、その奥のほうに廊下や閲覧室がぼんやりひろがっている。ここにいると、忙しさとか、電話や腕時計のような利器が、かえって時代に合わない未来主義者の時代錯誤《アナクロニズム》みたいに思えてくる。守衛、いやもしかしたら、制服を身につけた単なる彫像だったのかもしれないが、ぼくがまえを通っても、まばたきひとつしない。溶けた氷のように、本や日記のうえにべったり顔をうちふせて居眠りする利用者たちに、扇風機がそっとささやきかけている。その大きな羽根に感謝しながら、ぼくは二階に足をふみ入れた。

中庭に面するガラス張りの廊下に、グスタボ・バルセロの姿がうかんだ。熱帯なみの空気感なのに、この書店主はいつもどおり伊達《だて》男ふうにめかしこんでいる。彼の片眼鏡が、井戸の底に落ちた硬貨みたいに、薄明かりのなかできらりと光った。白いアルパカ地のワンピースを着た女性が彼の横にいた。靄に彫刻された天使だ、とぼくは思った。

ぼくの足音が響くのをききつけたらしい。バルセロは目を細めて、こっちに来いと合図した。

「ダニエル、だったな?」と彼がきいてきた。「本をもってきたか?」

ぼくは二度うなずき、バルセロにすすめられるままに、彼と、謎の同伴者のそばに腰かけた。バルセロは満足そうにただほほ笑んでいるだけで、ぼくがそこにいるのも気にしないふうだ。どこの誰だか知らないが、ともかく、その白い貴婦人を紹介してくれる気はないのだなと、ぼくは早々から期待を失った。バルセロは、彼女がいないみたいに、そして、ぼくらがふたりとも彼女のことなんて見えていないみたいにふるまっている。目があいはしないかとドキドキしながら、ぼくは彼女を横目でちらちら観察した。だが、彼女の目はあいかわらずどこも見ていない。顔も腕も蒼白く、透けそうな肌でおおわれていた。きりっとした顔立ちで、ぬれた石みたいに艶やかな黒髪のしたに、目鼻の線がくっきり描かれている。せいぜい二十歳ぐらいだろうと見積もった。でも、ちょっとした物腰や、柳の枝のようにしなだれた姿を見ると、この女性には年齢というものが存在しないようにも思えた。豪華なショーウインドーのマネキンが保つ、あの永遠の若さに閉じこめられたみたいだ。ぼくは、白鳥のような喉もとに打つ脈を読みとろうとした。バルセロがこちらをじっと見ているのに気づいたのは、そのときだ。

「それじゃあ、この本をどこで見つけたのか、わたしに話してくれるかな?」と彼はきいた。

「できればそうしたいですけど、秘密を守るからって、父にもう約束しちゃったんです」と、ぼくは言い訳した。

「なるほど。センペーレとその謎、というわけか」とバルセロは言った。「どこだか、もう想像がついたよ。ずいぶんとラッキーな思いをしたもんだな、ぼうや。わたしならさしずめ、白百合の花畑で一本の針を見つけた、とでも言いたいところだ。さて、本を見せてもらえるかな?」

ぼくは本をさしだした。バルセロはきわめて慎重な手つきで、本を手にとった。

「もちろん、もう読んだんだろうね?」

「はい、読みました」

「うらやましいかぎりだ。カラックスを読むのは、若い心と、穢《けが》れのない精神をもっているころがいちばんいいと、ずっと思いつづけてきたよ。これがカラックスの書いた最後の小説だって、知っていたかい?」

ぼくは黙って首を横にふった。

「この本が何冊市場に出まわっているか、知ってるか、ダニエル?」

「数えきれないほどじゃないですか?」

「いや、一冊もない」とバルセロは言いきった。「きみがもっているこの一冊以外にはだ。あとはみんな焼かれてしまったんだよ」

「焼かれた?」

バルセロは不可解な笑みを見せただけで、本のページをめくりながら、この世にひとつしかない、めずらしい絹にでもさわるように、指先でやさしく紙をなでていた。白い貴婦人がこちらにゆっくり顔をむけた。彼女のくちびるに、気恥ずかしげで、ふるえるような、かすかな笑みがうかんだ。彼女の目が空《くう》でしばたいた。大理石のように白い瞳。ぼくは、ごくんとつばを吞みこんだ。彼女は目が見えなかったのだ。

「姪のクララを、きみはまだ知らなかったかな?」とバルセロがきいた。

ぼくは首をちょっと横にふっただけだった。陶磁器の人形のように繊細な顔立ちで、白い瞳をしたその女性から、目を離すことができなかった。こんなに悲しい目は、いままで見たことがなかった。

「フリアン・カラックスにくわしいのは、じつはクララのほうでな。それで、ここにつれてきたというわけだ」とバルセロは言った。

「さてと、この本をじっくり調べるのに、わたしはちょっと失礼して、別の部屋にこもらせてもらうことにするよ。そのあいだ、おまえさんたちふたりは、したいだけ、好きな話をすればいい。どうかね?」

ぼくは、ぽかんとして彼を見た。この書店主は死んでも海賊業から足を洗うまい。ぼくの不信感など気にもとめずに、バルセロは、ぼくの背をぽんとひとつたたき、本を小脇にかかえて行ってしまった。

「あなた、伯父を驚かせたのよ、知っていた?」と、後ろから声がした。

ふりむくと、クララが空《くう》をさぐるようにして、軽いほほ笑みをうかべていた。透明な、とても脆《もろ》いガラスのような声で、途中で口をはさんだりしたら、彼女の言葉が壊れてしまいそうな気がした。

「伯父にきいたんだけど、カラックスの本を、とてもいい値で買ってあげようとしたのに、あなたったら、断ったんですってね」とクララは言いたした。「あなたは伯父に一目《いちもく》おかれたのよ」

「でも誰だって、ぼくとおなじことを言うと思いますよ」と、ぼくはため息をついた。

ほほ笑むときに首をちょっとかしげたり、指先でサファイアの花飾りみたいな指輪をもてあそんでいるクララを、ぼくは観察した。

「あなた、いま何歳？」彼女がきいてきた。

「もうすぐ十一歳です」と、ぼくは答えた。「あなたは？」

無邪気すぎて厚かましいぼくを、クララは笑った。

「あなたの約倍の年よ。でも、だからって、敬語をつかわれるほどの年でもないわ」

「もっと若いのかと思ってました」と、ぼくはさりげなく言った。自分の無作法な質問も、これで帳消しにできるような気がしたからだ。

「じゃあ、あなたを信じることにするわ。だって、自分の姿がどんなふうに見えるのか、わたし、自分じゃわからないもの」と、ふくみ笑いを口もとにうかべたまま、彼女は答えた。

「でも、もっと若く見えるんなら、なおさら、わたしに敬語をつかう必要なんかないわ」

「おっしゃるとおりにしますよ、クララさん」

ひざのうえで羽のようにひらいた彼女の手を、ぼくはじっと観察した。ワンピースのひだのしたに暗示される華奢なウエスト、肩のライン、透くように蒼白い喉もと、それに、この指の腹でそっとなでてみたくなる、閉じたくちびるの線。こんな間近で、しかも相手と視線があう心配をせずに、これほどじっくり女性を観察できるチャンスなんて、いままでいちどもなかった。

「なにを見ているの?」とクララがきいた。いくらか意地の悪い言い方だ。

「バルセロさんから、あなたがフリアン・カラックスにくわしいってきいたもんで」と、とっさにぼくは言った。口のなかがカラカラだった。

「伯父はね、たとえわずかな時間でも、自分を夢中にさせる本を独り占めするためなら、どんなことだって言いかねない人なのよ」とクララは説明した。「でも、あなたはきっと、目の見えない人間が、読めるはずのない本について、どうしてそれほどくわしいんだろう、って思っているんでしょうね」

「そんなこと、思いもしませんでした。ほんとうですよ」

「十一になるか、ならないかの子にしては、それほど嘘が下手じゃないわね。気をつけなさい。でないと、そのうちに、わたしの伯父みたいになってしまうわよ」

また失敗をやらかすのが怖くて、彼女をうっとり見つめたまま、ぼくは黙って腰かけていた。

「さあ、こっちに来て」と彼女が言った。

「はい?」

「怖がらないで、もっと、こっちにいらっしゃい。なにも、あなたを取って食ったりしやしないから」

ぼくは椅子から立ちあがって、クララがすわっているところに近づいた。彼女は右手をさしだして、宙でぼくをさがしていた。ぼくはどうしたらいいのかわからず、クララとおなじように、自分の手をさしだした。彼女の左手がぼくの手をつかまえた。クララは黙って、自分の右手を、ぼくのほうにさしだした。彼女がなにをしたがっているのか直感的に理解して、ぼくは、その手を自分の顔にもっていった。たしかな、それでいてデリケートな手の感触だ。彼女の指先が、ほっぺたから頬骨のあたりをとおりすぎた。ぼくはじっとして、ほとんど息もせずにいた。クララはそのあいだ、手でぼくの目鼻立ちを読んでいた。手を動かしながら、彼女はひとりほほ笑んでいた。声をださずにつぶやくかのように、彼女のくちびるが、かすかにひらいているのに、ぼくは気がついた。手がひたいにふれるのを感じた。髪に、まぶたに、彼女の手を感じた。くちびるのうえで手がとまった。彼女は沈黙したまま、人差し指とくすり指で、ぼくのくちびるの線をなぞっている。彼女の指はシナモンの香りがした。ぼくは、ごくんとつばを吞みこんだ。すごい勢いで動悸がしていた。この真っ赤な顔を、誰の目にもさらさずにいてくれた神の摂理に感謝した。顔に火がついて、一歩まちがえば、葉巻にも火がつきかねないほどだったのだから。

三

靄と霧雨にかすむあの午後に、クララ・バルセロは、ぼくの心を、息を、眠りを奪っていった。魔法にかけられたアテネオの光につつまれて、彼女の手は、ぼくの肌に呪いを書きこんだ。その呪いは、それから先何年ものあいだ、ぼくにつきまとうことになる。

ぼくがうっとり見つめるあいだ、クララは自分の身の上話を語り、ぼくとおなじような偶然から、フリアン・カラックスの本と出会った経緯について話してくれた。

それは、フランス、プロヴァンス地方のある村での出来事だった。

クララの父親という人は、コンパーニス首相のカタルーニャ自治政府とつながりのあった信望厚い弁護士で、時のスペイン共和国政府と軍内部の右翼反乱軍とのあいだで内戦がはじまってまもない時期に、国境のむこう側に住む実姉のところに、自分の妻と娘を送る必要があると直感した。彼の杞憂が大げさすぎるという意見の人はすくなくなかった。バルセロナになにか起こるはずはない、キリスト教文明の揺籃《ようらん》の地であり、しかもその頂点をなすスペインという国で、野蛮なことをするのは無政府主義者《アナーキスト》ぐらいのものだが、継ぎだらけの靴下をはいて自転車をこいでいるような連中じゃ、そんな大それたことはできるわけがない。誰もがそう思っていたのだ。しかし、クララの父は言いつづけた。

「市民は鏡を見ようとしない。戦争のことが頭から離れないときはなおさらだ」

この弁護士は歴史を読む眼をもっていた。そして、国の未来は、あすの新聞の紙面上にではなく、むしろ、街の通りや、工場や、兵舎の動きから読みとれることを知っていた。

何カ月ものあいだ、彼は毎週、避難先の妻と娘に手紙を書いた。はじめはディプタシオン通りにあった自分の弁護士事務所から、つぎは差出人を記さずに、最後は反乱軍の軍事要塞であるモンジュイック城内の独房から、秘密裏に手紙をだした。

他の多くの例にもれず、モンジュイック城に連行される彼を見た人はいなかった。そして、彼がふたたび、そこから出ることもなかった。

クララの母親は、夫からの手紙を娘に読みきかせた。嗚咽《おえつ》を隠しきれず、ところどころ読まずに文をとばしたが、娘のほうは、母がさりげなくとばした箇所になにが書いてあるか、なんとなく察知した。それで、夜がふけてから、従姉妹のクローデットを説得して、一行も省かずに手紙を読んでもらった。クララはこうやって、人の目をかりて物を読んでいたのだ。彼女が涙をながすのを見た者はいない。弁護士である父の手紙が届かなくなったときも、内戦に関するニュースが最悪の事態を予想させたときも、彼女は泣かなかった。

「父は、どんなことになるのか、はじめから知っていたのよ」とクララは説明した。「父は反乱軍に抵抗する仲間たちの側にとどまったの。それが自分の義務と考えたからよ。でも、時機が来ると、仲間は父を裏切った。他人への忠義が、けっきょくは父を殺すことになったのよ。誰のことも信じちゃだめよ、ダニエル。あなたが慕う人たちのことは、なおさらよ。あなたをいちばん痛い目に遭わせるのは、まさに、そういう人たちだから」

クララはきびしい口調でそう語った。陰のなかで隠しとおした年月に鍛えられたようなきびしさだった。ぼくは、陶磁器みたいな彼女のまなざしにすいこまれた。涙も偽りもない目、その目を見つめながら、あのころのぼくには、まだ理解しきれない話に耳をかたむけた。クララは、自分の目では見たことのない人物や、光景や、事物について、フランドル絵画の巨匠なみの精緻さと正確さで描写した。彼女の言葉づかいには、肌ざわりと余韻があり、重なりあう声の色彩と、軽快な足音に似たリズムがあった。

フランスに亡命しているあいだ、従姉妹のクローデットといっしょに、ひとりの家庭教師についてもらったという話を、彼女はぼくにきかせてくれた。文士を気どる五十がらみの酒好きな男で、正しい発音のラテン語でウェルギリウスの長篇叙事詩『アエネイス』を朗読できることを自慢にしていた。彼が発する独特な体臭のせいで、彼女たちは、この教師を「ムッシュウ・ロックフォール」と呼んでいた。食道楽なこの男の体は、オーデコロンや香水をふったローマ式の風呂にいくらどっぷり浸っても、青黴《ロックフォール》チーズのにおいがぬけなかったからだ。

ムッシュウ・ロックフォールは変わったところもあるにはあったが——その顕著な例をあげれば、腸詰製品《モルシージャ》、とくにクララたちのところにスペインの親戚から送られてくる血詰ソーセージには、血行をよくして痛風を治すという奇跡の効力があるのだと、かたくなに信じていた――いずれにしても、洗練された趣味をもつ人だった。若いころから、月にいちどパリに出向いては、文学の最新情報を仕入れたり、美術館をめぐって教養をはぐくんでいた。あるいは、娼館を訪れて、なじみの女性の腕のなかで一夜をすごすともうわさされた。この女性のことを、彼はボヴァリー夫人と呼んでいたが、実の名はオルタンスといって、顔に産毛《うぶげ》がびっちり生えた女だった。

教養散歩といえば、ムッシュウ・ロックフォールがよく足をはこんでいたところに、ノートルダム大聖堂の正面にある露天の古書店があり、一九二九年のある午後、フリアン・カラックスとかいう、きいたこともない作家の小説に偶然出くわしたのも、まさにその店でだった。

目新しいものとくれば、なんでも歓迎のムッシュウ・ロックフォールだが、この本を購入しようと思ったのは、タイトルにひかれたのと、帰りの列車のなかで軽めの小説を読むのを習慣にしていたからだ。『赤い家』という題で、裏表紙に、ぼかしたような作家の顔がある。写真か、木炭画のスケッチらしい。略歴によると、フリアン・カラックスは二十七歳の青年で、二十世紀のはじまりとともにバルセロナに生まれ、現在はパリ在住。フランス語で物を書き、夜のクラブでピアノの演奏を生業《なりわい》にしているという。本のカバーには当節流行りの大げさで古くさい宣伝文句があり、この小説が比類なき異才の手による最初の作品であること、その作家は、変幻自在な才能をもつヨーロッパ文学の未来の星であることが、プロシア風の散文でうたわれていた。それだけ大見得をきっているわりに、あとにつづく要約から判断すると、どこか不吉な要素を感じさせるメロドラマふうの物語らしい。

でも、ムッシュウ・ロックフォールの目には、かえって好ましく映った。古典のつぎに彼が好んだのは、殺人がらみの推理小説か、官能小説のたぐいだからだ。


『赤い家』は、玩具店や博物館に押し入って人形やマリオネットを盗みだす、謎の人物の苦悶の人生について書かれていた。男は、セーヌ河畔の廃墟と化した不気味な温室に住み、盗んだ人形の目をくりぬいては、その棲み家に運んだ。ある夜、個人コレクションの人形をひと揃い盗もうとして、フォア通りの豪華な屋敷にしのびこんだ。産業革命のさなかに不審な手口をつかって財を築いたという、大物実業家の館だ。ところが、家に押し入ったところを、この家の娘に目撃されてしまう。深窓の令嬢で、パリの上流社会でも評判の高い彼女は、侵入者に恋をする。薄暗がりのなかで、いかがわしい出来事や逸話がつづき、道ならぬロマンスがエスカレートするにつれて、ヒロインの令嬢は、名を明かさない正体不明の主人公がなぜ人形の目をつぶすのか、その謎の深みに入っていく。やがて、自分の父親と磁器製の人形コレクションについての恐ろしい秘密を知り、怪奇なゴシック小説ふうの暗い悲劇の結末へと、否応なくひきずりこまれていくのである。

文学への夢を地道にめざすムッシュウ・ロックフォールは、パリじゅうの出版社から送られてきた手紙の膨大なコレクションを自慢にしていた。彼がしつこく送りつけた自作の詩集や散文集にたいする各出版社からの断り状なのだが、小説『赤い家』を出したのが、料理とか、裁縫とか、家事に関する本で知られる程度の三流の出版社だとわかったのも、じつはそんな理由からだった。この小説が出版されたとき、地方新聞二紙で、死亡記事とならんで書評がとりあげられたことを、古書店の主人が教えてくれた。店主の話では、評論家たちは数行で好き勝手な意見を述べたあと、あなたが文学の世界で成功することはまずないだろうから、ピアノ奏者の仕事をやめないようにと、新人作家のカラックスにすすめたらしい。

作家の敗北を目のあたりにして、心とともに財布のひももつい緩み、ムッシュウ・ロックフォールは五十サンチームを投資することにした。こうして、カラックスとかいう無名作家の小説を、名だたる作家の美しい本と抱きあわせで手に入れた。誰に認められたわけでもなく、ただ、自分だけで後継者と思いこんでいる、かのギュスターヴ・フローベールの本である。

リヨン行きの列車は満席で、ムッシュウ・ロックフォールは、やむなく二等のボックス席を、ふたりの修道女と同席することになった。オーステルリッツ駅を出たとたん、尼僧たちは、じろじろ彼をながめては、ひそひそ話をしはじめた。詮索のまなざしのなかで、ムッシュウ・ロックフォールは、書類かばんから例の小説をとりだして、本の陰に身を隠すことにした。

驚いたことに、それから何百キロか走ったころ、自分がこの修道女たちの存在をすっかり忘れていたことに気づいた。列車の揺れも、リュミエール兄弟の悪い夢のごとくすぎていく窓の外の風景も忘れていた。尼僧のいびきも、霧のなかにかすむ駅も知らずに、ひと晩じゅう本を読みふけった。夜明けとともに最後のページをめくったとき、ムッシュウ・ロックフォールは、自分の目に涙がうかび、心に羨望と驚嘆がみなぎるのを感じたのだった。

月曜日のその日、ムッシュウ・ロックフォールはパリの出版社に電話をして、フリアン・カラックスとかいう作家についての情報をもとめた。何度もベルが鳴ったあと、やっと電話口に出た交換手は喘息の持病があるようで、毒のある口調で、カラックス氏にはきまった住所はないと答えた。いずれにしても、その作家は小社とはもうつきあいがない、小説『赤い家』は刊行以来、正確には七十七冊売れたものの、買い手のほとんどが、身もちの悪い女性か、わずかな金を稼ぐために、この作家が夜想曲《ノクターン》や舞曲《ポロネーズ》を弾きながしている店の常連客と思われる。それ以外はすべて返本されて、製紙用パルプと化し、ミサ典書や、交通違反の取調べ用紙や、宝くじを印刷するのにつかわれた、という話だった。

謎の作家の哀れな運命は、ムッシュウ・ロックフォールの同情をかった。それから十年というもの、彼はパリに行くたびに古書店をめぐり歩いて、フリアン・カラックスの著書をさがしまわることになるのだが、けっきょく、一冊も見つからなかった。

この作家を知る人はほとんどなく、名に聞き覚えのある人でも、人物についてはなにも知らない。ほかにも何冊か本が出ていると確言する人もいたけれど、いずれにしても、名もないような出版社から、わずかな部数が出ただけだと言う。ほかの本がほんとうに存在したにせよ、それをさがしだすのは不可能だった。フリアン・カラックスの『大聖堂《カテドラル》の泥棒』という小説を、たしかに一部入手したことがあるという書店があった。でも、もうだいぶ以前の話だし、確証があるわけでもなかった。

一九三五年の末、フリアン・カラックスの新作『風の影』がパリの小さな出版社から刊行されたというニュースが届いた。ムッシュウ・ロックフォールは数冊購入しようとして、出版社に手紙を書いたが、返事はこなかった。

セーヌ左岸の露天で本を売っている旧友が、まだカラックスに興味があるかどうかたずねてきたのは、翌三六年の秋口だった。ムッシュウ・ロックフォールは、自分はぜったいあきらめるつもりはないと答えた。こうなると、もうこだわりの問題だ。世間があくまでカラックスを葬ろうとするのなら、こちらだって、みすみす降参するつもりはない。友人は、何週間かまえに、カラックスについてのうわさをきいたという。この作家にも、ついに運がむいてきたらしい。財産もちの女性との婚姻がきまったうえ、数年の沈黙ののちに刊行された小説『風の影』についても、好意的な書評がはじめてルモンド紙に掲載された。ところがだ、と露天商は語った。運命の風向きが変わろうというまさにその矢先に、ペール・ラシェーズの墓地で決闘があって、カラックスは困難な事態におちいった。この事件をめぐる状況は判然としない。決闘が結婚式当日の夜明けにおこなわれたこと、そして、新郎がついに教会に姿をあらわさなかったこと、わかっているのは、ただそれだけだという。

これについては、人によって意見がまちまちだった。彼は決闘で殺されてしまい、亡き骸は無縁墓地に葬られたのだろうという人たちがいた。面倒ごとに巻きこまれたカラックスが、やむなくフィアンセを教会の祭壇に残して、パリからバルセロナに逃げ帰ったにちがいない、楽観的な人びとはそう考えようとした。名のない墓はついに見つからず、まもなく、別のうわさがながれだした。不幸につきまとわれたフリアン・カラックスは、生まれた都市で、極貧のうちに死んだという。カラックスがピアノを弾いていた店の女性たちが、彼も人並みに埋葬してもらえるようにと資金を集めた。だが、当地に郵便為替で埋葬費用が届いたとき、遺体はすでに、路上生活者や、港に漂着した身元不明の溺死体や、地下鉄の階段で凍死した人とともに、共同墓地に葬られていた。

たとえ意地をはっていただけにせよ、ムッシュウ・ロックフォールは、カラックスのことを忘れなかった。『赤い家』を発見して十一年のちに、彼は、クララとクローデットに小説を貸すことにした。あの奇妙な本を読むことで、もしかしたら、教え子たちが読書の習慣を身につけてくれるのではないかと期待したからだ。

当時はクララもクローデットも、熱いホルモンが体じゅうをめぐる思春期の年ごろで、勉強部屋の窓ごしに自分たちにウインクを送ってくる外の世界にあこがれていた。ムッシュウ・ロックフォールがあの手この手をつくしても、ふたりとも、古典文学や、イソップ物語や、ダンテの不滅の詩の魅力にまったく反応をしめさなかった。ムッシュウ・ロックフォールは、軽佻浮薄な無学の娘を育てつつある自分の教授ぶりに、もしクララの母親が気づいたら、家庭教師をクビになるのではないかと恐れた。それで、これは涙なしには読めない愛の物語だからと言いきかせて、彼女たちにカラックスの小説を貸しあたえた。半分はほんとうの話だったからだ。

四

「あの本に書かれた物語ほど、わたしをひきずりこんで、心を奪い、夢中にさせてくれたものはなかったわ」とクララは話した。「それまで、わたしにとって、読書は義務でしかなかったの。なんのためかわからずに、学校の先生や家庭教師にたいして支払う罰金みたいなものだったのね。読書の楽しみなんて知らなかった。心にひらかれたとびらの奥を探索して、想像や、美や、フィクションとか文体の神秘に身をまかせるという悦びを知らなかった。でも、あの小説を読んだとき、わたしのなかで、はじめてそういう悦びが生まれたの。ねえダニエル、あなた、女の子にキスしたことある？」

　ぼくは喉に小脳がつまり、唾液がおが屑になったみたいな気がした。

「そうね、あなたは、まだ若すぎるものね。でも、おなじような感じよ。ぜったい忘れられない、あのファーストキスの火花みたいなもの。あれは影の世界の物語なのよ、ダニエル。そして、魔法は稀少な宝物だわ。物を読むことで、もっともっと豊かに生きられるんだって、あの本はわたしに教えてくれた。わたしでも失った視力がとりもどせることを教えてくれたの。一冊の本が、たったそれだけの理由で、わたしの人生までかえてしまったのよ。誰からもふりむかれなかった本だけど」

ここまで来ると、ぼくはただの惚《ほう》けた人間になっていた。彼女の話と言葉の魅力に身をゆだねたきり、それに抵抗するすべもなければ、抵抗しようとも思わなかった。そのままずっと話していてほしかった。いつまでも、あの声につつまれていたかった。ぼくだけに許されたあのひと時を壊すぐらいなら、彼女の伯父には、もうぜったい、もどってきてほしくなかった。

「わたし、それから何年もフリアン・カラックスの本をさがしたのよ」とクララは話しつづけた。「図書館にもきいたし、本屋さんにも、学校にもきいてまわった……。でも、だめだったわ。作家についても、本についても、誰もきいたことがないっていうの。わたしには、わけがわからなかった。その後のことよ。ムッシュウ・ロックフォールが奇妙な話をききつけたの。フリアン・カラックスの著書をもとめて、本屋さんや図書館をめぐり歩いている人物がいるんだって。その人は、本が見つかると、それを買うか、盗むか、ともかく、どんな手段をつかってでも本を手に入れる、そして、すぐ燃やしてしまうというの。それがいったい何者なのか、誰も知らないし、なぜそんなことをするのかもわからない。カラックスという人物の謎に輪をかけたようなミステリーなのよ……。

そのうちに母がスペインに帰りたいと思いはじめてね。病気がちだったし、それに、母は住む家も世界も、ずっとバルセロナだったんですもの。わたしは内心、バルセロナに帰れば、カラックスについて、なにか手がかりが得られるかもしれないって思ったの。なんといっても、ここは作家の生まれた都市だし、内戦がはじまったころ、彼が永遠に姿を消したのも、この都市だったから。

　でも、わたしが見つけた線はすべて行きどまり。もちろん、伯父の助けをかりたのよ。そのあいだ、母は母で自分のほうの調査を進めて、やがていくつもの事実に行き当たったの。母が帰りついたバルセロナは、もうかつて彼女があとにした場所ではなかった。母が見つけたのは闇の都市、すでに夫がいないのに、街のすみずみにまで夫の思い出や記憶にとりつかれた都市だったのよ。その苦しみだけではまだ足りないみたいに、母は、父にいったいなにが起きたのか、人を雇って徹底的に調べさせると言ってきかなかったわ。でも、三カ月も捜査したあげく調査人が入手できたのは、バンドの壊れた腕時計と、モンジュイック城の壕《ごう》で父を殺したという男の名前だけだった。フメロっていうの。ハビエル・フメロという男よ。話によると、この男は——もっとも、そういう人間はほかにもいたけれど——過激派の結社『FAI』の殺し屋として雇われたのが最初で、それからアナーキスト、共産主義者《コミュニスト》、ファシストに次々色目をつかいながら、端から相手をだましては、いちばん金払いのいい連中のところに自分を売って歩いたらしいわ。それで内戦でバルセロナが陥落したとたん、勝者側にまわったというわけ。いまでは、肩章のいっぱいついた有名な刑事ですって。わたしの父のことを覚えている人なんて、もう誰もいなかった。ご想像どおり、母の命は、その後何カ月ともたなかったわ。医者に心臓が原因だと言われて、わたしも、こんどばかりは診断が当たったと思ったものよ。

母が亡くなって、わたしは伯父のグスタボのところに身をよせたの。バルセロナにいる母の血縁で、生き残ったのは伯父ひとりだったのよ。わたし、子どものころから伯父のことが好きでね。だって、わたしたちに会いにくるたびに、プレゼントに本をもってきてくれるんですもの。母の死以来、伯父は、わたしのたったひとりの身内だし、最高の友人なの。あんなふうに、ちょっと傲慢そうに見えるでしょうけど、ほんとうは、ものすごく心のやさしい人なのよ。毎晩すこしずつ、半分眠りそうになりながらでも、かならずわたしに本を読んでくれるしね」

「もしよければ、ぼく、あなたに本を読んであげますよ」と、気をきかせたつもりで、ぼくは提案した。が、つぎの瞬間、自分のずうずうしさに、もう後悔しはじめた。ぼくなんかがそばにいたのでは、クララには迷惑なだけにちがいない。でなければ、ただの笑い話だ。

「ありがとう、ダニエル」と彼女は答えた。「そうしてくれたら、うれしいわ」

「いつでも、あなたの好きなときに」

彼女はゆっくりうなずいて、ほほ笑みながら、ぼくをさがした。

「ただ、残念だけど、あの『赤い家』の本、わたしのところにはないの」と彼女は言った。

「ムッシュウ・ロックフォールが、ぜったい手放そうとしなかったのよ。物語の筋をあなたに話してあげることはできるけど、それじゃあ、まるで大聖堂《カテドラル》のことを描写するのに、石の山でできている、って説明するようなものだから、ちゃんとした物語にはならないわね」

「あなたなら、それよりも、ずっと上手に話してくれると思いますけど」と、ぼくはつぶやいた。

　女性というのは、男がいつ見境もなく恋におちるか、きちんと感じとる本能をもっている。相手の男が救いようのないバカで、未成年者の場合はなおさらだ。ぼくは、クララに無視されるだけの必要条件をすべてそなえていた。それでも、目が見えないという彼女の身体的条件が、ぼくに、ある種の保証を約束してくれるような気がしたし、ぼくの罪、つまり年齢も知能も背丈もぼくの二倍ある女性にたいして、すっかり、それこそ哀れなほど熱をあげているという罪が、けっして表には出てこないと思いたかった。ぼくに親近感をもってくれるとすれば、彼女は、ぼくのなかに、いったいなにを見ているのだろう、ひょっとしたら、自分自身の淡い投影、孤独や喪失の反響を、ぼくのなかに見ているんじゃないだろうかと考えてみた。少年っぽい夢のなかで、クララとぼくは、本の背にのって駆けめぐる逃亡者だった。フィクションの世界や、人の描いた夢のなかに、ぼくはいつでも、彼女とふたりで逃げこむつもりでいた。

　バルセロが猫のような笑みをうかべて帰ってきたとき、もう二時間もたっていたのに、ぼくには、ほんの二分ぐらいにしか思えなかった。彼は本をさしだして、ぼくにウインクした。

「ほら、はなたれ小僧、よくチェックしろよ。あとになって、わたしがこの本をすり替えたなんて、おまえさんに言われたくないからな、いいか？」

「あなたを信じてますよ」と、ぼくは含みをもたせて言った。

「たいしたやつだ、お人よしめ。きみとおなじことを、いちばん最近わたしに言ったのは、アメリカ人の観光客で――隠元豆の煮込み《ファバーダ》はヘミングウェイが『牛追い祭り』のときに考えだしたものだと、頭から信じているやつだったがね――そいつに、わたしは、スペインの誇る黄金世紀の劇作家、かのロペ・デ・ベガがボールペンでサインした『フエンテ・オベフーナ』を売ってやったよ。どうだい。だから、せいぜい用心することだな。本の商売をやろうと思ったら、目次だって信用しちゃいかんのだよ」

カヌーダ通りにでたら、もう暗くなっていた。涼やかな風が街をくしけずる。バルセロは自分の上着をぬいで、クララの肩にかけてやった。話を切りだすのに、これ以上のチャンスはない。ぼくはためらいがちに、もしよければ、あしたお宅にうかがってもいい、クララのために『風の影』を何章か読んであげたいからと、いかにもさりげないふうに口にした。バルセロはこちらを横目でちらっと見てから、ぼくのことをからかった。

「おい、ぼうや、ずいぶんご熱心だな」と彼はつぶやいたが、声の調子からすると、どうやら許可してくれそうだった。

「あの、もしご都合が悪ければ、別の日か、じゃなければ……」

「それをきめるのは、クララだよ」とバルセロは言った。「うちにはもう猫が七匹と、オウムが二羽もいる。だから、害獣が一匹ぐらいふえたって、まあ、いまさらどうってこともないがね」

「じゃあ、あした七時に待っているわ」とクララが言った。「うちの住所、知ってたかしら?」

五

たぶん、書物の山や書店主たちにかこまれて育ったせいだろう、ぼくはまだ子どものころ、小説家になって、メロドラマ的な人生を送りたいと思ったことがあった。五歳の子どもの目に映る世界はすばらしく単純だ。ぼくの文学へのあこがれの根にあったのは、非のうちどころもないほど完璧な、手作り万年筆の逸品で、軍管区司令部のちょうど裏にあるアンセルモ・クラベ通りの専門店で売っていた。ぼくを夢中にさせた黒いボディーのぜいたくなペン、その縁取り細工の繊細さ、飾り模様のすばらしさといったら、とても言葉につくせない。これが、宝石つきの王冠かなにかのように、堂々とショーウインドーのまんなかに飾ってあるのだ。ペン先からして奇跡としか言いようがなく、陶酔を誘うバロックふうの金と銀に、アレクサンドリアの大灯台のごとく輝く無数の筋が入っている。父と散歩に出るたびに、ぼくは万年筆を見につれていってくれるまで父にごねつづけた。父に言わせると、あれはすくなくとも皇帝の持ち物にちがいないという。あんなすてきな万年筆があれば、どんなものでも書けるだろうと、ぼくは心ひそかに確信した。小説から百科事典にいたるまで、いや、郵便の境界をこえる力をもった手紙だって書けるかもしれない。あの万年筆で書いた手紙ならどこにでも届くはずだと、無邪気にも信じていた。ぼくには理解できないあの場所、父の言う、母が行ったきり二度ともどってこないという場所にさえも届くだろうと思ったのだ。

ある日、父とぼくは、例の「幸運の道具」についてたずねるために、店に入ってみることにした。たしかに万年筆の女王だった。モンブラン・マイスターシュテュックの番号つき限定品、しかもこれを所持していたのは、というか、店の主人がおごそかに証言したところによると、ほかでもない、ヴィクトル・ユゴーだという。この黄金のペン先から、『レ・ミゼラブル』の手書き原稿が生まれでたというのだ。

「カルダスの泉から、ビッチー・カタランが湧きでるようなもんですよ」と店主は宣言した。なんでも、パリからやってきた収集家から個人的に買いとったもので、ほんものであることはまちがいないという。

「それで、この奇跡の源泉は、おいくらなんでしょうか。もし、さしつかえなければ、教えてもらえませんか?」と父がたずねた。

数字をきいただけで、父の顔が蒼ざめた。ところがぼくは早くも有頂天で、最後のひと声を待っていた。店の主人は、物理学者を相手にでもするように、貴金属の合金や、極東アジアの七宝や、ピストンだの連通管の革命的理論について、まるでわけのわからない話をくどくど説明しだしたのだが、それもこれも、ゲルマン民族の未知の科学が生んだ筆記具製造技術の逸品、この万年筆の女王が誇る、華麗な筆運びを裏づけるものだった。店の主人のためにひと言いっておくと、ぼくら父子《おやこ》がいかにも平凡な庶民に見えたにちがいないのに、この人は、好きなだけペンをさわらせてくれたし、ぼくが自分の名前を書けるように、こんなふうにヴィクトル・ユゴーにあやかって文筆活動をはじめられるようにと、インクをたっぷり入れて、羊皮紙までもってきてくれた。そのあと、布でふいてピカピカにしてから、名誉の玉座にペンをもどした。

「また、このつぎにでも」と父はつぶやいた。

店から出ると、父はなだめすかすような声で、とても手のだせる値段じゃなかったよと、ぼくに言った。うちの書店の稼ぎでは、ふたりで生活して、おまえをいい学校にやるので精いっぱいだ、名高きヴィクトル・ユゴーがつかったモンブランの万年筆は、もうすこし待ってくれなきゃいかんなと言う。

ぼくは黙っていた。でも父は、ぼくの表情に失望を読みとったにちがいない。

「おまえにひとつ提案だ」と父が言った。「おまえが物を書きはじめる年ごろになったら、もういちど、いまの店に行って、あのペンを買おう」

「でも、そのまえに、誰かが買っちゃったらどうするの?」

「誰も買いやしないさ、お父さんを信じなさい。でなければ、フェデリコさんに頼んで、ペンを一本つくってもらおう。彼は黄金の手をもっているからな」

ドン・フェデリコは、この地区の時計商で、うちの店の客にもなり、おそらくは、西半球でいちばん礼儀正しく丁重な人物だ。職人としての腕前の評判は、リベラ地区からニノット市場まで、広く知れわたっている。ただ、彼につきまとううわさがもうひとつあって、こちらは、あまり名誉な話ではなかった。筋肉質で男らしい若者への偏愛傾向と、民謡《コプラ》の女王、エストレジータ・カストロふうに着飾る「女装趣味」があるという評判だ。

「でも、フェデリコさん、ちゃんと道具がつかえるのかなあ?」と、言葉の裏にある意味も知らずに、ぼくはこのうえなく無邪気にきいた。

　父は思わず眉をつりあげた。例の卑猥なうわさのせいで、息子が子どもらしい無垢さを失ってしまったのではないかと危惧したらしい。

「フェデリコさんは、ドイツ製のものとくれば、お手のものだ。必要なら、フォルクスワーゲンだってつくるだろうさ。それと、ヴィクトル・ユゴーの時代にもう万年筆が存在していたのかどうか、ちゃんと調べてみなきゃいかんな。人をだまそうとするやつらは、いくらでもいるから」

　父の歴史学者的な懐疑心は、ぼくにはどうでもいいことだった。ぼくは伝説をそのまま信じていたからだ。もちろん、フェデリコが代替品をつくってくれることに、悪い気はしなかった。ヴィクトル・ユゴーのペンに匹敵する価値が出るまで、まだじゅうぶんに時間はある。とはいえ、ぼくにとっての慰めは、父の予言どおりに、モンブランの万年筆が、その後何年も店のショーウインドーに飾られていたことだった。

　ぼくたちは毎週土曜の朝、熱心な信者みたいに店に足をはこんだ。

「まだあるね」と、万年筆に見とれて、ぼくは言った。

「おまえを待っているんだよ」と父は言った。「いつかこの人の物になるんだと、あのペンは知っている。おまえがあれで傑作を書くことも知っている」

「ぼく、手紙を書きたいんだ。ママにだよ。ママがひとりで淋しくないように」

父はぼくをじっと見つめた。

「ママはひとりじゃないよ、ダニエル。神さまがいっしょにいる。それに、おまえや、お父さんともだ。ただ、ぼくらには、ママが見えないだけだよ」

それとおなじ論理を学校でぼくに教示したのは、ビセンテ神父だった。彼は老練のイエズス会士だが、聖書の『マタイ伝』を引用して、それこそ、蓄音機から奥歯の痛みにいたるまで、宇宙の神秘のすべてを事細かに説明してくれた。ただ、そのおなじ論理が父の口から出ると、どうも信憑性にとぼしいのだ。

「じゃあ、神さまは、なんで、ママにそばにいてほしいの?」

「さあね。いつか神さまに会ったら、きいてみような」

そのうちに、ぼくは母への手紙をあきらめた。そして、もう傑作を書きはじめるほうが現実的じゃないかと思いだした。ペンがないので、父はぼくにドイツ製の鉛筆ステッドラーの2Bを貸してくれた。その鉛筆で、ぼくはノートに思いのままに書きなぐった。

ぼくが考えたのは、偶然にも、一本の不思議な万年筆をめぐる物語だった。あの店の万年筆と驚くほどよく似ていて、しかも魔法をかけられている。もっと具体的に言えば、そのペンは、飢えと寒さで死んだある小説家の苦悶の魂にとりつかれていたのだ。万年筆はもともと彼の持ち物だった。それが修行者の手に落ちたとたん、作家が存命中に書きあげられなかった最後の作品を、紙のうえにつづりはじめたという筋だ。

そんな話をどこから拾ってきたのか、どこから出てきた話なのか、まるで覚えていないが、あんな構想がもう二度と思いうかばないことだけはまちがいない。ところが、それをノートのうえで形にしようという試みは悲惨そのもの。文章の作りは貧血症ぎみで創造性にとぼしく、比喩表現は飛躍しすぎて、路面電車の駅でよく目につく足用の気泡風呂の広告文を思わせた。ぼくは、なにもかも鉛筆のせいにした。ほんとうに万年筆がほしかった。あれさえあれば、大物作家になれるだろうと思ったのだ。その波乱だらけのぼくの成長ぶりを、父はなかば誇らしげに、なかば心配しながら見守っていた。

「書き物はどんな調子かな、ダニエル?」

「さあね。万年筆があれば、もっと全然ちがうんだけどな」

父に言わせると、そういう理屈は、駆け出しの作家だけが思いつくものらしい。

「ともかく書きつづけることだ。おまえが第一作を書きおえるまえに、お父さんが買ってやるから」

「約束してくれるの?」

父はいつも、返事がわりにほほ笑んだ。

父が救われたのは、作家になりたいというぼくの夢がいつのまにか消えて、口先だけの話になったことだ。機械仕掛けのおもちゃだの、真鍮製のちょっとした装置に目ざめたおかげで、そういうものなら、ロス・エンカンテスの蚤《のみ》の市に行けば、わが家の経済事情に見あう値段で手に入った。子どもの夢なんて、気まぐれで不実な愛人のようなものだ。そのうちに、ぼくはメッカーノや、ぜんまい仕掛けの船にしか目がいかなくなった。ヴィクトル・ユゴーの万年筆を見につれていってほしいと、もう父に頼むことはなかったし、父のほうでも、その話を口にしなくなった。

あのころの世界は、ぼくのなかでかき消えたように思えた。それでも長いあいだ、そして、これはいまでも変わらないのだが、ぼくのもつ父のイメージといえば、着古した、だぶだぶの上着をはおり、コンダル通りで買った七ペセタの中古の帽子をかぶっている、あのやせた男の姿だった。なんの役にも立たない、だがそれでいて、すべてを意味するかのような「幸運の万年筆」を息子に買ってやれない男のイメージなのだ。

その夜、ぼくがバルセロとクララと別れてアテネオの図書館からもどったとき、ダイニングで待っていた父は、敗北感と焦燥にかられた、あのころとおなじ顔をしていた。

「そのへんで道に迷ったのかと思っていたよ」と父は言った。「トマスから電話があったぞ。彼と約束してたんだろ。忘れたのか？」

「バルセロさんが、話しはじめたら、とまらないんだよ」と、うなずきながら、ぼくは言った。「どうやって、話のきりをつけたらいいのか、わからなかったんだ」

「彼はいい人なんだが、しつこいところがあるからなあ。おまえ、腹がへってるんだろ？

メルセディータスが、お母さん用につくったスープを、うちにももってきてくれたよ。彼女は、ほんとうに、たいした娘《こ》だな」

父とテーブルについて、メルセディータスのお裾分けを味わった。ここの四階に住む一家の娘で、行く末は修道女か聖女かとうわささされていた。でもぼくは、たまに建物の玄関まで送ってくる男に窒息するほどキスの嵐を浴びせる彼女の姿を、もう二度以上も目にしていた。しかも相手の男は、女性に手が早いと評判の船乗りだ。

「今夜は、なんだか憂鬱そうじゃないか」と父が言った。会話の糸口をさがしていたのだろう。

「蒸し暑いからね。脳みそがべったりひろがっている。バルセロさんなら、きっとそう言うよ」

「それだけじゃないだろう。なにか心配ごとでもあるのか？」

「なにもないよ。考えていただけだよ」

「なにをだ？」

「内戦のときのこと」

父は、暗い表情でうなずいて、静かにスープを飲んだ。

父は内向的な人だった。過去に住んでいても、ほとんどそれを口にしない。内戦後のあのゆるやかな時の経過、静寂と、貧困と、隠された怨恨《えんこん》の世界は、水道の水とおなじほど自然なものなんだ、そう納得して、ぼくは成長した。そして、傷を負った都市の壁からにじみでる血の無言の悲しみが、バルセロナの魂のほんとうの横顔なんだろうと納得していた。なにかを感じとるのに、それを理解する必要はない、子どものころの罠とはそういうものだ。自分たちに起こった出来事を理性で理解できるようになるころには、心の傷は、もうかなり深いところに達しているのだ。

あの初夏の夜、バルセロナの暗く不安な黄昏《たそがれ》を歩く道すがら、クララからきいた彼女の父親の死にまつわる一件が、どうしてもぼくの頭から離れなかった。ぼくの世界のなかで、死とは、理解のとどかない匿名の手だった。地獄の宝くじかなにかに当たったみたいに、母親や、通りで施しを請う人や、九十代の近所の老人をさらっていく訪問販売のセールスマンのようなものだ。でも、人間の顔をした「死」が、心を憎しみでいっぱいにしたまま、制服や外套をさっそうと着て、ぼくの横を歩いているかもしれない。あるいは、映画館で行列をつくり、バルでコーヒーや酒を飲みながら笑っているかもしれない。朝にはシウダデラ公園に子どもを散歩につれていき、午後になれば、モンジュイック城の地下牢で人を抹殺して、葬儀どころか、誰かれの区別もせずに壕に放りこんでいる。そんな考えは、ぼくの頭ではとても理解できなかった。

もしかしたら、ぼくが子供心に信じていたあの良き世界は、じつは作りごとで、ただの舞台装置でしかなかったのかもしれない。考えをめぐらすうちに、ぼくにはそんなふうに思えてきた。奪われたあの年月、子供時代の終わりは、列車の到着とおなじように、来るべきときに、ちゃんとやってくるのだ。

残り物で出し汁をとってパンを入れたメルセディータスのスープを、父とふたりで分けた。そのぼくらを取りかこむように、教会広場にむかってひらかれた窓から、ラジオの連続ドラマの耳ざわりな雑音がながれこんでくる。

「それで、きょうのバルセロさんとの話は、どうだったんだ?」

「姪のクララと知りあったよ」

「あの目の見えない子か? すごい美人らしいな」

「知らないよ。あんまり見なかったから」

「そのほうがいいな」

「あした学校から帰ってきてから、もしかしたら、あの人たちの家に行くかもしれないって言っておいたんだ。彼女になにか読んであげるんだよ。ひとりぼっちで、かわいそうだからね。もし、パパが許してくれればだけど」

父は横目でぼくをうかがった。自分が実際よりも早く年をとりつつあるのか、それとも、息子の成長が速すぎるのか、自分に問いかけているみたいだった。ぼくは話題をかえようとした。でも思いつくのは、ぼくの内部をむしばむものだけなのだ。

「内戦のとき、モンジュイックの要塞につれていかれた人たちが、もう二度ともどってこなかったって、ほんとう?」

父は表情をかえずに、スプーンのなかの汁を飲みほしてから、ぼくをまっすぐ見た。

父の口もとに、かすかな笑みがこぼれた。

「誰がそんなことを言ったんだ、バルセロか?」

「ちがうよ。トマス・アギラールだよ。学校で、時どきそういう歴史の話をするんだ」

父はゆっくりうなずいた。

「戦争の時代には、とても説明できないような出来事が起こるもんだよ、ダニエル。ほんとうはなにを意味するのか、お父さんにもわからないことがほとんどだ。でも、そのままにしておくほうがいいこともあるんだよ」

父はため息をついて、気がなさそうにスープを飲んだ。ぼくは、黙って父を観察した。

「お母さんが死ぬまえに、おまえにはぜったい内戦の話をしないように、お父さんに約束させたんだ。なにがあったのか、おまえには思いださせないようにって」

ぼくは、なんと答えていいかわからなかった。父はなにかを宙でさがすみたいに、目を細めた。視線か、沈黙か、それともひょっとしたら、自分の言葉を確認するために、母をさがしていたのかもしれない。

「時どき、お母さんの言うとおりにしたのが、まちがっていたのかもしれないと思うことがある。わからない」

「気にしないでいいよ、パパ、おなじことだから……」

「いや、おなじじゃないんだよ、ダニエル。内戦のまえとあとでは、なにもかも変わってしまったんだ。モンジュイックの要塞に入ったまま、二度と出てこなかった人がたくさんいたのは、ほんとうのことなんだよ」

一瞬、父と目があった。沈黙が耐えられなかったのだろう、まもなく父は立ちあがって、自分の部屋に入ってしまった。ぼくはテーブルの皿を片づけ、台所の大理石の小さなシンクにおいて洗った。居間にもどって、電気を消してから、父の古いアームチェアに腰をおろした。

外の風で、カーテンがひらりと揺れた。ぼくは眠くなかったし、眠ろうとも思わなかった。バルコニーに近づいて顔をだすと、プエルタ・デル・アンヘル通りの街灯に、ながれるようにたちこめる蒸気のきらめきが見えた。通りの石畳に影がひろがり、その一角に、ひとりの人物の輪郭がうかんだ。琥珀色に揺れるタバコの柔らかな火が、男の目に反射している。彼は黒っぽい服を着ていた。片手を上着のポケットに入れて、もう片手をタバコにそえ、そのタバコの青いけむりが、蜘蛛の巣みたいに顔のまわりにたちこめている。男は無言でぼくを観察していた。通りの街灯の逆光で、顔が陰になっている。一分ほどそこに立ったまま、ぼくから視線をそらさずに、平然とタバコを吸っていた。そして、大聖堂の零時の鐘がきこえると、あいさつでもするように軽く頭をさげた。そのしぐさのむこうに、ぼくは見えない笑いを感じた。会釈を返そうかと思ったが、体が凍ったように動かない。男はきびすを返した。かすかに片足をひきずりながら去っていく後ろ姿が見えた。

ほかの夜なら、あんなふうに見知らぬ人間がいたところで、気にもしなかったろう。でも、霧のむこうに男が消えたとたん、ぼくはひたいに冷たい汗を感じて、急に息苦しくなった。

この光景とまったくおなじ描写を、『風の影』で読んでいたからだ。物語のなかで、主人公は毎晩、夜中にバルコニーから顔をだして外をながめていた。そのうち彼は、ひとりの見知らぬ人物が平然とタバコをすいながら、物陰の奥からこちらの様子をじっとうかがっているのに気づく。相手の顔はいつも暗闇に隠されて、夜のなかで炭火のように燃える目だけが、その存在を感じさせる。見知らぬ男は、右手を黒い上着のポケットに入れたまま立ちつくし、やがて片足をひきずりながら去っていく。

ぼくがたったいま遭遇した光景で、あそこにいた人物は、顔も名前もない、ただの宵っ張りだったのかもしれない。

しかし、カラックスの小説のなかで、その男は、ほかでもない悪魔だった。

六

夢も見ないほどの深い眠りと、午後になればクララにまた会えるという期待感もあって、ぼくは、昨夜のあの光景が、ただの偶然だったのだろうと、なんとなく納得してしまった。突然の熱にうかされたような、あの想像の発露は、もしかしたら、きたるべき待ちこがれる成長の単なる前触れかもしれなかった。おなじ建物に住む女性たちに言わせれば、ぼくは、有能な人物になるかどうかはべつとして、すくなくとも体格だけは立派な、大人の男になりつつあるらしい。

　ぼくは最高の服を身につけ、父に借りたバロン・ダンディーのコロンの香りをぷんぷんさせて、朗読サービスをする訪問ボランティア兼サロンの厄介者としてデビューするべく、七時ちょうどに、グスタボ・バルセロの家のまえに立った。書店主とその姪は、レイアール広場に面した宮殿なみのピソにいっしょに住んでいる。制服を着て、髪にかぶりものをつけた、どことなく兵隊ふうの顔つきの家政婦が、ぎょうぎょうしく頭をさげながら、ぼくのためにドアをあけてくれた。

「ダニエルおぼっちゃまでいらっしゃいますね？」と彼女は言った。「わたし、ベルナルダと申します。ご用があれば、なんなりとお申しつけくださいまし」

　ベルナルダは、ものものしい声の調子を気どったが、発音はカセレス県なまりまるだしだった。

　おごそかな、いかにも大げさな態度で、彼女はぼくをバルセロの住まいにみちびき入れた。彼らのピソは、中庭をとりかこむ建物の二階のフロアを占めていて、廊下や大小の居間を通るうちに一巡できる間取りになっていた。サンタアナ通りの質素なピソに住みなれたぼくにしてみれば、エル・エスコリアル宮殿のミニチュアでも見ている感じだった。十五世紀の揺籃期本《インキュナブラ》をふくむ古今東西の書籍や、謎めいた文献のコレクションはもちろんだが、バルセロはどうやら、彫像や絵画、祭壇画の収集家でもあるらしい。おまけに、何匹もの動物と、あふれるほどの植物だ。

　ぼくは、ベルナルダのあとについて、観葉植物や、熱帯産のめずらしい植物が鬱蒼と茂るガラス張りの廊下を進んだ。温室の植物園にいるみたいだった。広々とした窓からながれこむ光が、空中のほこりや蒸気を金色にふるいだす。ピアノの吐息が宙を浮遊し、物憂げな、寄る辺のない音符をひきずっている。ベルナルダは、港ではたらく労働者なみのたくましい腕を、山刀《マチエテ》でもふりおろすように左右に動かしながら、植物の茂みのあいだに道を切り拓いていった。彼女のあとにぴったりくっついて、周囲をきょろきょろ見て歩くうちに、七匹の猫と、派手な色合いのオウムが二羽いるのに、ぼくは気がついた。百科事典に載っていそうなほど巨大なオウムで、ベルナルダの説明では、バルセロがそれぞれ「オルテガ」と「ガセット」と名づけたらしい。

この植物園の先にある広場に面したサロンで、クララはぼくを待っていた。ターコイズブルーの、ふわりとした薄手の綿ドレスを着て、ステンドグラスの窓から斜めにさしこむ淡い光のなかで、ぼくの心をかきみだす女性《ひと》がピアノを弾いていた。クララはピアノが下手だった。タイミングがずれるうえ、音符の半分を弾きまちがえている。それでも、ぼくにはすばらしくきこえたし、背筋をのばして鍵盤にむかい、ほほ笑みをうっすらうかべながら、首をややかしげている姿は、天国の幻想を思わせた。

咳ばらいをして、ここに来たことを知らせようと思ったのに、バロン・ダンディーの香りが、ぼくの存在を暴露してしまった。クララは突然ピアノを弾くのをやめた。はずかしそうな微笑が、彼女の顔にひろがった。

「一瞬、伯父が来たのかと思ったわ」と彼女は言った。「モンポウは弾いちゃだめだって言われているの。わたしの弾き方では冒瀆にあたるっていうのよ」

　ぼくの知っているモンポウといえば、学校の物理化学の教師しかいない。やせぎすで顔色の悪い、鼓腸ぎみの神父だ。でも、彼女の言うモンポウが、あの神父であるはずもないし、そもそも、そんな連想をすること自体、悪趣味だろう。

「そうかなあ。ぼくには、とてもすてきにきこえるけど」とぼくは言った。

「まさか。伯父は熱烈な音楽ファンなのよ。それで、わたしの演奏を矯正するために、音楽教師までつけてくれたの。未来を約束された若い作曲家よ。アドリアン・ネリっていって、パリとウィーンで勉強した人なんだけど、そのうち、あなたにも紹介しなくちゃね。いま交響曲《シンフォニー》を作曲中で、バルセロナ・シティー・オーケストラが、その曲を初演することになっているの。アドリアンの伯父さまが交響楽団の理事をしていらっしゃるんですって。彼、ほんとうに天才なのよ」

「天才って、その伯父さん？　それとも甥のほう？」

「意地悪になっちゃだめよ、ダニエル。あなたとアドリアンは、ばっちり気があうと思うわ」

　八階からグランドピアノが落ちてきて、ぼくに激突するみたいにばっちりだろ、とぼくは思った。

「なにか、おやつでも召しあがる？」と、クララがぼくに誘いかけた。「ベルナルダがね、シナモン風味のカステラ菓子《ビスコッチョ》をつくるの。とびあがるほど、おいしいんだから」

家政婦が目のまえにならべるものを、ぼくらは王族のような気分で端から平らげた。ただ、こういう場合の礼儀を知らないぼくは、どういうふうにはじめればいいのか、わからなかった。クララは、そんなぼくの頭のなかを、すぐ読みすかしてしまうらしい、いつでも『風の影』を読みだしていい、よかったら、最初のページからはじめましょうと、ぼくをうながした。

そんなわけで、毎夕アンジェラスの鐘が鳴りおわったあとに国営放送のラジオからながれてくる、あの愛国的小話《ビニエータ》の朗読者ふうの大げさな声色《こわいろ》を真似しながら、ぼくはこの小説の文章のなかにふたたび訪れた。はじめは緊張していた声も、だんだんリラックスして、そのうちに、自分が朗読していることも忘れるほど、物語の世界にひたってしまった。音楽の旋律のように流れていく文のリズムや言い回し、はじめて読んだときには気づかなかった、音色や休符に仕掛けられた謎を、ぼくはすこしずつ発見していった。新たな細部、イメージやまぼろしの断片が、行間に芽をふきはじめ、ちょうど、建物の構造をいくつもの異なるアングルからながめるような感じだった。

ぼくは一時間ほど読みつづけた。五章をすぎてから、声がかれるのを感じ、六つの柱時計がいっせいに鳴りはじめたとき、もうかなり遅い時間になっていることに気づかされた。

本を閉じて、クララを見つめた。彼女は、聡明なほほ笑みをぼくにむけた。

「『赤い家』をちょっと思いだしたわ」と彼女は言った。「でも、この本のほうが、話が暗くないわね」

「結論にはまだ早いよ」とぼくは言った。「それは最初のうちだけだ。あとで、話が複雑になってくるからね」

「もう行かなきゃいけないんでしょ?」とクララがきいた。

「そうだね。ほんとは、まだ帰りたくないんだけど……」

「もし時間があったら、あした、また来てもいいのよ」とクララが提案した。「でも、あなたの好意につけこんじゃ……」

「六時でどう?」とぼくは言った。「そうすれば、もっと時間がとれるからさ」


あの日、レイアール広場の高級ピソの音楽室ではじめてクララとすごした時間は、一九四五年の夏じゅうくり返され、その後も数年つづいた。バルセロの家へのぼくの訪問は、火曜日と木曜日をのぞいて、ほとんど日課のようになった。週に二日は、クララが、アドリアン・ネリとかいう男の音楽レッスンを受ける日だったからだ。ぼくは長い時間をあの家ですごした。そのうちに、部屋といい、廊下といい、森みたいに密生する植物一本にいたるまで、ぼくの記憶に刻まれていった。『風の影』の朗読は二週間ほどでおわったが、読書の時間を埋める書物を見つけるのに、それほど苦労しなかった。バルセロの立派な図書室があったからで、フリアン・カラックスの著書こそないが、マイナーな古典文学と、メジャーな軽い小説の世界を、クララとぼくは何冊ともなく漫遊した。

日によっては、ほとんど本を読まずに、おしゃべりだけしてすごすこともあったし、時には広場を散歩したり、大聖堂まで足をのばすこともあった。クララは、大聖堂の回廊にすわって、人びとのささやきに耳をかたむけたり、石畳の通りに響く足音をききわけるのが好きだった。行きかう人や車、通りすぎる建物のファサードや、店や街灯やショーウインドーがどんなふうか、ぼくに描写してほしいと、彼女は言った。クララはよくぼくの腕をとり、ぼくが、ふたりだけのバルセロナを案内した。ぼくらだけに見える特別なバルセロナだ。散歩はいつもペトリトル通りのケーキ店でおわる。そこでクリームシャンテリーか、スポンジケーキとメレンゲ菓子《メリンドレ》をふたりで分けるのだ。横目で人に見られることもあったし、わけ知り顔のウエイターが、クララのことを「きみのお姉さん」と言うこともあったが、ぼくは、そういう冷やかしも、当てこすりも無視していた。

悪意か、病的な好奇心からか知らないが、クララは時どき、妙な告白をした。ぼくはそれをどう受けとめていいかわからなかった。彼女が好んで口にするのは、ある見知らぬ人物の話だった。クララがひとりで通りを歩いていると、たまにその男がよってきて、かすれ声で話しかけるという。謎の人物はぜったいに名を明かさずに、伯父のバルセロのことや、ぼくのことまでたずねてくる。あるときなどは、彼女の喉もとを手でなでまわしたという。そういう話は、残酷なまでにぼくを苦しめた。その正体不明の男に、クララが自分のほうから顔をさわらせてほしいと頼んだこともあった。相手が黙っていたので、彼女はそれを肯定の返事と解釈し、男の顔のほうに手をのばした。相手は突然、彼女の手をとめた。それでも、クララが男の顔にふれるチャンスはあった。なめし革みたいだったという。

「革のマスクをかぶっているみたいな感じだったわ」とクララは言った。

「きみは作り話をしてるんだろう、クララ」

クララは、ぜったいほんとうの話なのよと、何度もぼくに誓った。ぼくも最後には認めざるをえなかったが、その幽霊みたいな見知らぬ男のイメージは、いやというほど、ぼくの心をさいなんだ。男が白鳥のような彼女の喉もとをなでまわし、ほかにどこをさわったか知らないが、ともかく、そうして快楽を味わうあいだにも、ぼくはじりじりした思いで、自分もおなじことをやりたいと望むことしか許されないのだ。もしぼくに、じっくり考えるだけの余裕があったら、クララへの想いは、苦しみをもたらすものでしかないと理解しただろう。でもたぶん、だからこそよけいに、彼女にあこがれたのだ。自分に痛みをあたえる女性をわざわざ追いかけるという、あの永遠の愚行のために。

あの夏のあいだ、ぼくは学校のはじまる日が来ることだけを恐れていた。こんなふうに一日じゅうクララとすごせなくなると思うだけで、たまらない気分だった。


ベルナルダは、きびしい表情のしたに、わが子を溺愛する母の本能を隠しもっていて、何度も会ううちに、彼女なりのやりかたで、ぼくのことを息子のようにかわいがってくれるようになった。

「あの子には母親がいないっていうじゃありませんか、ねえ、だんなさま」と、彼女はよくバルセロに言った。「わたしには不憫でしようがないですよ。かわいそうに」

ベルナルダが、貧困と実父から逃れてバルセロナの街にやってきたのは、内戦直後のことだった。彼女の父親という人は、娘を平気で殴ったり、愚かで醜い「売女《ばいた》」と呼んでののしり、ひどいときは、力ずくで豚小屋に閉じこめて、泥酔状態で自分の娘の体をなでまわす。それで、彼女が怖くて泣きだすと、おまえは母親とおなじ猫かぶりのばか野郎だと言って、やっと小屋の外にだすような男だった。

グスタボ・バルセロがベルナルダと会ったのは、まったくの偶然だ。ボルネ市場の野菜をあつから店でベルナルダが働いていたところに、バルセロがたまたま通りがかり、直感にしたがって、彼女に、うちの家政婦にならないかとたずねたのだ。

「わたしたちは、きっと、『ピグマリオン』の物語のようになりますよ」とバルセロは予告した。「あなたはわたしのイライザで、わたしはヒギンズ教授だ」

おおかたの文学的欲求が「教会会報《オハ・ドミニカル》」でみたされているベルナルダは、不審そうに相手を横目で見た。

「ちょっと、だんなさん。わたしは貧しくて無学な女かもしれませんがねえ、身持ちはすごくいいんですからね」

バルセロがバーナード・ショーかと言えば、それはかなり疑問だし、聡明な話術や、マヌエル・アサーニャ元大統領なみの文学的魔力ももちあわせなかったが、それでも努力したかいはあった。彼のおかげでベルナルダは洗練され、地方出の家政婦にふさわしい物腰や言葉づかいを身につけたからだ。

ベルナルダは二十八歳だった。でも、ぼくはいつも、あのまなざしを見るだけで、彼女が十歳よけいに齢《よわい》を背負っているように思えた。彼女は熱心なカトリック信者で、ほとんどわれを忘れるほど、ルルドの聖母を深く信仰していた。毎日八時のミサに出るために、サンタ・マリア・デル・マール教会に足をはこび、週にすくなくとも三回は告解をした。みずから不可知論者を認ずるバルセロの意見によれば――もっとも、ベルナルダに言わせると、不可知論者というのは、喘息のような呼吸器系の疾患とおなじで、育ちのいいおぼっちゃんだけがかかるらしいが――あんなに頻繁に告解をしていたのでは、家政婦が罪をおかすこと自体、確率論的に不可能だという。

「きみほど善良な人間は、まずいないぞ、ベルナルダ」と、バルセロはいらだたしげに言った。「世の中が罪だらけにみえる人たちは、魂を病んでいるんだ。はっきり言えば、消化器系に問題がある。カトリック教国スペインの篤信家《とくしんか》の基本条件は、慢性の便秘症だよ」

そこまでの冒瀆をきくたびに、ベルナルダは、いつもの五倍も十字を切った。そして夜になると、セニョール・バルセロの堕落した魂のために特別な祈りをささげ、ご主人さまは心善き方だが、本ばかり読みすぎて脳みそが腐ってしまったんです、あのサンチョ・パンサみたいにですよ、と、神に語りかけた。

ベルナルダに恋人ができたことが、ごくたまにあった。だが、男たちは彼女を殴り、彼女が銀行に預けておいたわずかな貯金をせびりとり、時がくれば、彼女をすてた。こういう不幸がおこるたびに、ベルナルダはピソの奥の部屋に鍵をかけて閉じこもり、何日も泣きつづけて、ネズミ退治の毒物か、漂白剤を呑んで死んでやるとわめいた。バルセロは、あの手この手で彼女を思いとどまらせようとしたが、いよいよ手段もつきると、ほんとうに蒼くなり、錠前職人に部屋の鍵をあけさせてから、かかりつけの医師を呼んで、馬でも気絶するほど大量の鎮静剤をベルナルダに打たせた。この不運な女性が二日後に目をさますのを待って、バルセロは、バラの花と、チョコレートボンボンと、新しい服をプレゼントし、ケーリー・グラントの映画を見につれていってやった。彼女に言わせると、この映画俳優は、歴史上、右翼ファランヘ党創始者のホセ・アントニオのつぎに美男子らしい。

「ねえ、だんなさま、ケーリー・グラントって、ホモセクシャルなんですって」彼女はチョコレートをほおばりながら、ささやいた。「ほんとでしょうかねえ?」

「たわごとだな」とバルセロは断言した。「愚か者や、頭のにぶい連中は、人をねたむことを永遠にやめないもんだ」

「まあ、だんなさまったら、なんてすてきにお話しになるんでしょう! あのソルベなんとかっていう大学にいらしたんでしょ」

「ソルボンヌだ」と、バルセロはやんわり訂正した。

ベルナルダに好意をもつなと言うほうが無理な話だ。誰にも頼まれないのに、彼女はぼくのために食事をつくり、裁縫をしてくれた。ぼくの服や靴をつくろい、髪にくしを入れたり、カットしてくれたり、ビタミン剤やら、歯磨きを買ってくれた。あるときは、ガラスの小壜《こびん》のついた聖母像のメダイまでプレゼントしてくれた。小壜に入っているのは、なんでも、郊外のサンアドリアン・デ・ベソスに住む彼女の姉妹がバスで聖地巡礼をしたときに、「ルルドの泉」からもってきた聖水なんだそうだ。たまに、シラミの卵やら寄生虫がいないかと、ぼくの髪をていねいに調べながら、ベルナルダは声をひそめて話しかけた。

「クララお嬢さまほどすばらしい方は、この世におりませんよ。お嬢さまのことを悪く言うぐらいなら、わたしは死んだほうがましですわ。でもね、おぼっちゃまは、あまりお嬢さまにこだわりすぎちゃいけませんよ。わたしの言う意味、わかりますでしょ？」

「心配しないでよ、ベルナルダ。ぼくたち、ただの友だちだから」

「そう、それでいいんですわ」

自分の論理を裏づけるのに、ベルナルダは、ラジオで聴いたという話をぼくに教えてくれた。ある少年が女教師に道ならぬ恋をした。すると、彼を罰そうとする魔法のしわざか、少年の髪がぬけ落ち、歯がぬけて、まるで彼の罪をとがめるかのように、顔も手も、皮膚がただれてしまった。性衝動が原因だという。

「色欲の罪は、とてもいけないことなんですよ」とベルナルダは結論した。「ほんとうですとも」

なにかと冗談を言っては、ぼくをからかうバルセロも、クララにたいするぼくの献身ぶりや、彼女のそばにいてやろうとする一途さを、好ましい目で見ていた。彼がぼくに寛容なのは、たぶん、ぼくが無害だと考えているせいだろうと思った。バルセロはたまに思い出したように、おいしい条件を提示してきては、ぼくからカラックスの小説を買いとろうとした。あるとき、古書店の同業者たちにこの件を話すと、いまカラックスをもっていたら、とくにフランスでは、ものすごい値で売れるだろうと、誰もが口をそろえて言ったという。ぼくはぜったい首をたてにふらず、バルセロは狡猾そうな笑みをうかべるだけだった。自分やベルナルダがいなくても、誰にもかまわずに出入りできるようにと、バルセロは、ぼくにピソの合鍵をもたせてくれた。

ところが、父はまた別だった。父は年とともに生来の控えめさから脱皮して、自分がほんとうに心配することを口にするようになった。その態度の変化の結果として、最初にぼくにしめしたのが、クララとぼくの関係にたいする不満だった。

「おなじ年代の友だちとつきあわなきゃだめだ。トマス・アギラールのことも、おまえは忘れてるだろう。彼だって、すばらしい子じゃないか。年ごろの女性とつきあうのは、あまり感心しないぞ」

「いい友だちなら、年齢がどうだって関係ないでしょ?」

トマスのことを言われて、ぼくはいちばん傷ついた。父の言うことがほんとうだったからだ。以前はいつでもいっしょだったのに、このところ、もう何カ月もトマスと遊んでいない。父は非難がましい目でぼくを見た。

「ダニエル、おまえは、まだ女性のことを知らないんだ。その女性は、猫がカナリアを追いかけるみたいな調子で、おまえと遊んでいるんだぞ」

「女の人を知らないのは、お父さんのほうじゃないか」と、父の言葉に傷ついて、ぼくは口答えした。「クララのことは、なおさらだ」

この話題に関する父とぼくの会話が、にらみあいや非難のやりとり以上に発展することは、ほとんどなかった。ぼくは学校にいるか、クララといっしょにいる以外の時間をぜんぶ、父の仕事の手伝いにあてていた。店の奥の倉庫を整理したり、注文本を届けたり、言伝《ことづて》をしたり、常連客の相手をした。父は、ぼくの頭も心も仕事にまったく集中していないと文句を言った。ぼくはぼくで、こうしてあいている時間をぜんぶつぎこんでいるのに、なんでそんなに文句を言われるのかわからないと反論した。眠れない夜が何日もつづき、そんなときは、父と肩をよせて暮らしていた昔のことを思いだした。母が死んで、まだまもなかったころ、ヴィクトル・ユゴーの万年筆や、真鍮の機関車に夢中だった歳月に父とわかちあった、あの小さな世界。ぼくの思い出にあるのは、平和で悲しい年月、かき消すようにふっと消滅した世界、あの夜明けに父に手をひかれて「忘れられた本の墓場」を訪れたときから、すこしずつ風化していった世界だった。

ある日、ぼくがカラックスの本をクララにプレゼントしたのを知って、父は激怒した。

「おまえには失望したよ、ダニエル」と父は言った。「おまえをあの秘密の場所につれていったとき、おまえがえらんだ本は、おまえにとって特別な本になると教えたはずだ。おまえが責任をもって、その本を守ってやらなきゃいけないと言ったはずだ」

「あのときはまだ十歳だよ、お父さん。子どもの遊びだったんだ」

父はぼくを見た。まるで、ぼくに剣で刺されたみたいな顔をしていた。

「おまえは、いま十四だ。まだ子どものくせに、自分が大人だと思いこんでいる。いまに思い知らされることになるぞ、ダニエル。それも、そんなに先の話じゃない」

　ぼくがバルセロの家ですごす時間が長いから、父が悲しい思いをしているんだろう。あのころのぼくは、そう思おうとした。バルセロとクララは、父が夢みることも許されないほどのぜいたくな暮らしをしていた。それに、ベルナルダが母親みたいにぼくの面倒をみていることもおもしろくないんだろう、誰かが母親代わりにふるまうのを、ぼくが受けいれているので、それで父が傷ついているのだろうと考えた。ぼくが店の奥の倉庫で本の梱包や発送の準備をしていると、たまに、どこかの客が、冗談めかして父に言う声がきこえてくる。

「センペーレさん、あなたも誰かいい女性を見つけたらどうです？　若いうちに亭主を亡くした、美人で花盛りの女性がいくらでもいるじゃないですか。いい女がひとりそばにいれば、人生はバラ色だ。ねえ、きみ、いっきに二十は若返りますよ。だいいち、女性がいなきゃ、やる気も出やしない……」

　父は、この手のさりげない勧めにぜったい答えない。でも、そんな話を耳にするたびに、ぼくは、彼らの言うことにも一理あるんじゃないかと思うようになってきた。ある日、無言で相手をうかがう神経戦と化した夕食のあいだに、ぼくはその話題にふれてみた。話をもちだすのが息子のぼくなら、事はもっとうまくいくだろうかと考えたからだ。父は魅力的な男性だった。品があるし、きちんとしていて、この地区だけでも複数の女性が父に好意の目をむけているのを、ぼくもよく知っていた。

「おまえには、簡単にお母さんの代わりが見つかるんだろう」と、父は苦々しげに言った。「だが、お父さんにはな、お母さんの代わりなんていないし、代わりをさがすつもりもない」

父だけではなかった。時がたつにつれて、ベルナルダやバルセロまでもが、ぼくの心を揺るがすようなことを、それとなく口にしはじめた。出口なしの迷路に迷いこんでしまったこと、クララにとって、ぼくはいまだに十歳の少年でしかないことを、ぼくの内部にあるなにかが告げていた。彼女といっしょにいるのが、日に日につらくなってくるのを感じた。クララの手がちょっとふれたり、腕をとってふたりで散歩をするのが、耐えられないほど苦しい。ただ彼女の近くにいるというだけで、ほとんど体の痛みのようになってしまった。この事実に気づかない人はいなかった。ましてや、クララ自身が気づかないはずはない。

「ダニエル、わたしたち、話しあわなきゃいけないみたいね」と彼女は言った。「わたし、あなたを傷つけたんじゃないかと……」

ぼくは最後まで彼女に言わせなかった。なにかしら言い訳をつくっては、部屋から逃げだした。カレンダーとにらみあって、ぜったいに勝てないレースにいどんでいるような気分の日がつづいた。クララのまわりに築かれたまぼろしの世界が、もうすぐおわってしまうのを恐れていた。

ぼくの問題が、じつは、はじまったばかりだったなどと、あのころのぼくは、想像もしていなかったのだ。

一九五〇年——取るに足りないもの

一

十六歳の誕生日に、ぼくは、この短い人生を照らしだすいまわしい出来事のうちでも、最悪のものを呼びよせた。

責任もリスクも自分でひきうける覚悟で、ぼくは、バルセロとベルナルダとクララを招いて、誕生日の夕食会をひらくことにした。だが、そんなことはしないほうがいいというのが父の意見だった。

「ぼくの誕生日なんだよ」と、ぼくは口答えした。「一年じゅう、お父さんのために働いているじゃないか。いちどぐらい、思いどおりにさせてくれたっていいだろ」

「それなら、好きにしなさい」

それまでの数カ月、クララとの奇妙な友情は、かつてないほど混乱していた。

彼女に本を読んでやることは、もうほとんどなかった。クララは、ぼくとふたりきりになりそうな機会を、ことごとく避けてとおった。ぼくが彼女をたずねると、伯父のバルセロがそこにいて、新聞を読むふりをしていたり、ベルナルダがあらわれて、目立たないように、そのへんを行ったり来たりしながら、横目でぼくをちらちらと見ていた。あるときは、クララの同伴者が、ひとり、あるいは数人の女友だちの形で出現することもあった。ぼくは彼女たちを「アニス酒の姉妹」と名づけた。慎みぶかい、純潔そうな少女の顔をして、ミサ典書を片手に、クララのそばを巡回しながら、警察官のような目つきでこちらをさぐっている。ここではぼくだけが余計者で、ぼくがそばにいるだけで、クララも彼女の世界も恥ずかしい思いをしているのだと、その目はあからさまに語っていた。

　だが、それでも音楽教師のネリにくらべれば、まだましというものだ。やつのいまいましいシンフォニーは、いまだに未完らしい。こざっぱりめかしこんだ、サンジェルバシ地区のぼんぼんで、本人はモーツァルトを気どっているが、あのテカテカしたポマード頭を見るたびに、ぼくはタンゴ歌手のカルロス・ガルデルを思い出した。ネリの天才的なところといえば、あの底意地の悪さだけだ。恥も外聞もなくバルセロにおべんちゃらをつかい、ベルナルダが台所にいると、彼女にいちゃついて、袋入りの砂糖焼アーモンド《ペラディージャ》程度の子どもだましのプレゼントをしたり、彼女のお尻をつねって笑わせている。はっきり言って、ぼくはあの男を死ぬほど軽蔑していた。反感をもつのはおたがいさまだ。ネリはいつも楽譜を手に、傲慢な態度でそのへんにあらわれて、わずらわしい見習い船員でも相手にするようにぼくを見下しては、そこにぼくがいることについて、ありとあらゆる難癖をつけた。

「おい、ぼうや、帰って学校の宿題を片づけるんじゃないのかい？」

「先生、あなただって、シンフォニーがまだ完成していないんでしょう？」

　でも、最後にはみんなして、ぼくにいやみな態度をとる。それで、たたきのめされたぼくは、肩をおとして、その場を立ち去ることになるのだ。バルセロみたいに達者な口でもって、あの自信過剰な男をやりこめてやりたいと、どれほど思ったか知れなかった。

ぼくの誕生日に、父は角のベーカリーに行って、最高のケーキを買ってきた。黙ってテーブルをととのえ、とっておきの皿と銀製のナイフとフォークをならべて、ろうそくに火をつけた。夕食には、ぼくが喜びそうなメニューを用意してくれていた。午後じゅう、ぼくらは言葉をかわさなかった。日が暮れてから、父はいったん自分の部屋にさがり、いちばんいいスーツを着てもどってきた。セロハンでつつんだ箱をひとつ手にもって、ダイニングの小さなテーブルに、それをおいた。ぼくへのプレゼントだ。

父は食事のテーブルについた。自分のグラスに白ワインをついで待った。招待状に、夕食は八時半と記しておいたのに、九時半になっても、ぼくらはまだ待ちつづけていた。父はなにも言わずに、悲しそうな目でぼくを見ていた。ぼくの心は怒りで燃えた。

「これで満足だろ?」とぼくは言った。「こうなればいいって思ってたんだろ?」

「いや」

ベルナルダがあらわれたのは、それから三十分後だった。彼女は葬式にでも行ってきたような顔つきで、クララお嬢さまの伝言をもってきたという。お誕生日おめでとう、でも残念だが、誕生パーティーにはいけませんと。バルセロ氏は、仕事の関係で数日バルセロナを離れているし、クララは、ネリ先生との音楽のレッスンの時間を変更しなければならなくなった、ベルナルダ自身は、午後休暇をもらったので、ここにやってこられたのだという。

「クララは音楽のレッスンがあるから、来られないって?」と、呆然として、ぼくはきいた。

ベルナルダは視線をおとした。ほとんど泣きそうになって、贈り物の小さな箱をぼくにさしだした。そして、ぼくの両頬にキスをした。

「もし、お気に召さなければ、かえることもできますから」と彼女は言った。

ぼくは、また父とふたりになった。とっておきの皿や銀器、沈黙のなかで燃えつきそうなろうそくの炎をながめていた。

「残念だったな、ダニエル」と父が言った。

ぼくはなにも言わずにうなずいて、ちょっと肩をすくめてみせた。

「プレゼントをあけてみないのか？」と父がきいた。

ぼくは答える代わりに、乱暴にバタンとドアを閉めて、家をとびだした。怒りに燃えて階段をおり、悔し涙が目からあふれるのを感じながら、外に出た。蒼い光と冷気のただよう通りには、人影もない。ぼくはあてもなく歩きだした。プエルタ・デル・アンヘル通りから、見知らぬ人間が、不動の姿勢でこちらを観察しているのにも気づかなかった。まえとおなじ黒い服を着て、上着のポケットに右手をつっこんでいる。タバコの火が目もとをぼんやり照らしていた。男は軽く片足をひきずって、ぼくのあとをつけだした。

ぼくは、通りから通りへと一時間以上もぶらぶら歩きつづけて、コロンブスの塔のふもとにたどりついた。塔のまえを横切って港まで行き、遊覧船《ゴロンドリナス》の乗り場のそばにある石段に腰をおろした。石段のしたのほうは、暗い水に沈んでいる。誰かが夜の遊覧船をチャーターしたらしい、港の波間に浮く灯火の列や、反射光にのって、遠くから笑い声や音楽がただよってきた。父といっしょに遊覧船に乗って、防波堤の端まで行った日々のことを思い出した。遊覧船で行くと、モンジュイック丘にある墓地の斜面が見える。果てしない、死者の都市が一望できるのだ。ぼくは時どき、手をふってあいさつを送った。母がまだそこにいて、ぼくらが通りすぎるのを見ていると思ったからだ。父もぼくとおなじように手をふった。思えば、もう何年も遊覧船に乗っていない。でも、ぼくは、父がたまにひとりで船に乗りにいくのを知っていた。

「後悔するにはいい夜だな、ダニエル」と、陰から声がした。「一本どうだ?」

ぼくはびくっとして身を起こした。暗闇のなかから手がのびて、ぼくにタバコをさしだした。

「あなた、誰ですか?」

見知らぬ男は、闇の境界まで進みでた。だが、顔は隠れて見えない。タバコの先から、青いけむりの筋がゆるやかに立ちのぼる。黒いスーツと、上着のポケットに入れたその手を、ぼくは瞬時に思い出した。男の目が、ガラスのビーズのように光っていた。

「きみの友だちだよ」と彼は言った。「まあ、そうなればいいがね。タバコは?」

「ぼく、吸いません」

「いいことだ。残念だが、ダニエル、ほかにきみにやれるものはない」

ざらつく砂みたいに耳ざわりな声だった。言葉をひきずるようにしゃべり、いましも消えそうな遠い音にきこえる。バルセロが集めている七十八回転のレコードみたいだ。

「なんでぼくの名前を知ってるんですか？」

「きみのことで知っていることはたくさんあるよ。名前なんて、知っているうちに入らない」

「じゃあ、ほかに、なにをご存じなんです？」

「それを言えば、きみに恥ずかしい思いをさせるだけだ。でも、わたしには、そんな時間も趣味もない。わたしの興味のあるものが、きみの手のうちにあるのを知っている、と、それだけ言えばじゅうぶんだろう。いくらでも金をだす用意はあるぞ」

「人違いじゃないですか」

「いいや。わたしは人違いをしない性質《たち》でね。ほかのことではまちがいもする。だが、人だけはぜったいまちがえない。いくら出したら、あれを売《う》るつもりだ？」

「あれって、なんですか？」

「『風の影』だ」

「なんで、ぼくがもってるって思うんです？」

「そんなことを、ここで議論するつもりはないよ、ダニエル。要するに、値段の問題だけだ。きみがあれをもっていることは、もうずいぶんまえから知っている。人が話す。わたしはきく」

「じゃあ、ちがうことをきいたんでしょう。ぼくは、そんな本はもってない。それに、仮にもっていたとしても、誰にも売りませんよ」

「きみの純粋さは見あげたもんだ。しかも、おべっか使いやら、ごますりだらけの、このご時世にあってな。だが、きみがいくらしらばっくれても、このわたしには通用しない。さあ、いくらか言うんだ。五千ペセタか？　わたしは金のことに疎《うと》いもんでね。きみの言い値でいこうじゃないか」

「もう言ったでしょ。本は売りもんじゃないし、だいいち、ぼくはもってない」とぼくは答えた。「あなたのまちがいですよ。わかりましたか？」

見知らぬ男は黙っていた。タバコの青いけむりにつつまれて、じっとしている。彼のタバコは永遠に燃えつきないふうだった。ぼくはふと、タバコのにおいじゃないことに気がついた。紙の焦げるにおい。良質の紙、本の紙のにおいだ。

「まちがいを犯そうとしているのは、どうやら、きみのほうらしいね」と、男はほのめかすように言った。

「ぼくを脅そうっていうんですか？」

「そうらしいな」

ぼくは言葉をぐっと呑みこんだ。どんなに強がってみせても、この正体不明の人物が心底恐ろしかったのだ。

「なぜ、あの本に、そんなに興味があるんです？」

「それはわたしの問題だ」

「ぼくの問題でもありますよ。もってもいない本を、あなたに売れって脅かされてるんですから」

「わたしはきみが気にいったよ、ダニエル。度胸があるし、頭もいいらしい。五千ペセタでどうだ？　それだけあれば、いくらだってほかの本が買えるだろう。もっとまともな本だよ。きみがどうしても手放そうとしない、あんなくだらん本じゃない。さあ、五千ペセタだ。これで友だちになろうじゃないか」

「あなたとぼくは、友だちなんかじゃない」

「友だちだよ。だが、きみはまだ気づいていない。きみのせいじゃないさ。ほかのことで頭がいっぱいだろうから。ガールフレンドのクララのこととかな。あんな女性が相手なら、どんな男だって、われを忘れてしまうだろうさ」

　クララの名が相手の口から出たとき、全身の血が凍った。

「クララのなにを知ってるんですか？」

「たぶん、彼女のことは、きみよりもよく知っている。それに、きみはもう彼女のことを忘れたほうがいいだろう。まあ、忘れようとはしないだろうがね。わたしにも、十六のときがあったから……」

　突然、ある恐ろしい確信がぼくを直撃した。この男は、街頭でクララに近づいた見知らぬ男、あの謎の人物だ。男は存在したのだ。正体不明の男は、ぼくに一歩近よった。ぼくは後退りした。あれほどの恐怖を味わったことは、生まれてこのかた、いちども なかった。

「言っておきますけど、クララは本をもっていませんよ。彼女には二度と近づかないことですね」

「きみのガールフレンドは、まるでわたしの興味のうちに入らないよ、ダニエル。きみもいつか、わたしとおなじふうに思うときがくるだろう。わたしがほしいのは本だけだ。しかも、公正な方法で手に入れたい。誰にも危害がおよばないようにだ。言っている意味がわかるか？」

　ほかに思いつくことがなくて、ぼくは、口からでまかせの嘘を言った。

「アドリアン・ネリとかいう音楽家がもってますよ。ひょっとして、ご存じじゃないですか？」

「きいたこともないな。人にきかれたこともないなんて、音楽家として、それ以上の不名誉はないだろうがね。アドリアン・ネリなんて、きみが勝手に考えだしたんじゃないのか？」

「そう願いたいところですよ」

「そうか、きみらは、ずいぶん仲のいい友だちらしいな。だったら、本をもどしてくれるように、きみから説得することだってできるだろう？　友だちの間柄なら、そんなことはすぐ解決がつくはずだ。それとも、わたしから直接クララに頼んだほうが、きみにとってはいいのかな？」

　ぼくはきっぱり断った。

「ネリに話してみますよ。でも、あいつがぼくに返してくれるとは思えないし、だいいち、まだ彼がもっているかどうかもわかりませんよ」と、ぼくはとっさに言った。「だけど、あなたは、なんであの本がいるんです？　まさか、読むためじゃないでしょ？」

「ちがうね。本の内容はもうすっかり頭に入っている」

「じゃあ、あなたはコレクターですか？」

「まあ、そんなもんだ」

「カラックスの本を、ほかにも、もっているんですか？」

「そういう時期もあったな。わたしはフリアン・カラックスの専門家なんだよ、ダニエル。あの作家の本を世界じゅうさがしまわっている」

「でも、読むんじゃなければ、そんなに本を集めてどうするんですか？」

見知らぬ男は、死喘鳴《しぜんめい》のような、音にもならないほどかすかな音をだした。この男が笑っていることに、ぼくはようやく気づいた。

「やるべきことを、やるだけだよ、ダニエル」と、相手は答えた。

男は、ポケットからマッチ箱をとりだし、一本つまんで火をつけた。炎が、はじめて男の顔を照らしだした。ぼくは魂の底から凍りついた。彼には鼻がなかった。くちびるも、まぶたもない。火に食いつくされた、傷だらけの黒い革のマスクのような顔。クララがふれた死者の肌は、これだったのだ。

「燃やすんだ」と、男はささやいた。男の声もまなざしも、憎悪で毒されていた。

一陣のそよ風が吹き、指先で燃えるマッチの火が消えた。男の顔は、ふたたび闇のなかに沈んだ。

「また会おう、ダニエル。わたしは人の顔をいちど見たら忘れない。きみも、たぶん、きょうからそうなるだろう」と、男はゆっくり言った。「きみ自身のために、それから、ガールフレンドのクララのためにも、きみが正しい結論をだして、ネリとかいう人ときちんと話しあうことだ。言われてみれば、ネリなんてのは、たしかに幼稚っぽいぼうやの名前だな。わたしがきみなら、ぜったいに、そんな男は信用せんがね」

それだけ言うと、正体不明の男はきびすを返して、埠頭のほうに遠ざかっていった。うつろな笑いにつつまれた暗闇のむこうに、男のシルエットが、ふっとかき消えた。

二

稲妻を発する厚い雲が、海のむこうからおしよせてくる。ほんとうは、すぐにでも走りだして、迫りくるどしゃ降りの雨から逃れるべきだった。ところが、ぼくの内部では、いまの不気味な男の言葉が作用しはじめていた。手がふるえ、妄想に全身がふるえた。

ぼくは視線をあげた。雲間からながれだす黒い血のような雨脚が見えた。嵐が月をおおい隠し、市中の屋根や建物のファサードに闇のマントをひろげていく。歩調を速めようとした。だが、怖れがぼくを内側からむしばんでいった。鉛みたいに重い足をひきずりながら、大雨に追われるようにして歩きつづけた。キオスクのひさしのしたに身をよせた。混乱した頭を整理して、いまなにをすべきか、きめようとした。そのとき、すぐそばで雷鳴が轟《とどろ》き、足もとの地面がゆらいだ。猛りくるったドラゴンが、港口にむかってうなり声をあげたみたいだ。玄関や窓を映しだす電灯の弱々しい脈がふっつり途切れた。水浸しの歩道にまたたく街灯が、風に吹かれたろうそくのように消えていく。通りには人っ子ひとりいない。下水溝から立ちのぼる悪臭とともに、停電の暗黒が周囲にひろがった。あたりは完全な闇に閉ざされ、蒸気でできた遺骸布みたいな豪雨が町をつつみこんだ。

『あんな女性が相手なら、どんな男だって、われを忘れてしまうだろう』──

ぼくはランブラス通りを北に走った。頭にあるのは、ただクララのことだけだった。

ベルナルダは、バルセロが仕事で市中を離れていると言っていた。彼女自身は休暇だから、いつもどおり、サンアドリアン・デル・ベソスにある伯母のレメと従姉妹たちの家に泊まっているはずだ。ということは、レイアール広場の洞窟もどきのピソには、クララひとりしかいない。あの顔のない男も、やつの脅迫も、嵐のなかで解き放たれたも同然で、なにが起こってもおかしくないのだ。

どしゃ降りの雨のなかを、ぼくは急ぎ足でレイアール広場にむかった。カラックスの本をクララにプレゼントしたばかりに、かえって彼女を危険にさらしてしまった、そんな思いだけで、頭がいっぱいだった。広場の入り口にたどりついたとき、骨の髄まで雨がしみこんでいた。走って、フェラン通りのアーチのしたに身をよせた。なにやらうごめく物影が背後に見えた気がした。ホームレスたちだ。

建物の正面玄関は閉まっていた。バルセロからもらった合鍵のある鍵束をさがした。サンタアナ通りの店と自宅、それにバルセロの家の鍵を、いつもいっしょにもち歩いていたのだ。背後の男のひとりが近づいてきて、玄関ホールでひと晩すごさせてもらえないかと、ぼくの耳もとにささやきかけた。相手の言葉がおわるまえに、ぼくは門扉を閉めた。

内部は暗闇に沈む井戸だった。門扉のすきまから洩れいる稲妻の閃光が、瞬間的に階段の輪郭をうかびあがらせる。ぼくは、おそるおそる歩を進め、一段めに爪先をコツンとぶつけた。手すりにしっかりつかまって、ゆっくり階段をのぼりはじめた。まもなく、広い空間になり、クララの住む二階の階段ホールに出たことがわかった。冷たく、敵意にみちた大理石の壁を手でさわっていくと、オーク材のとびらの浮き彫り模様と、アルミ製のドアノブがみつかった。鍵穴をさがして、手さぐりで鍵をつっこんだ。

とびらをあけた瞬間、蒼い光の帯がぼくの目をふさぎ、暖かい空気の流れが肌をやさしくなでていった。ベルナルダの部屋は台所の隣で、広場の反対側に位置する。彼女はいないだろうと思ったけれど、まずは、そちらのほうにむかった。

コンコンとドアをノックした。案の定、返事はない。寝室をあけさせてもらった。簡素な部屋にベッドがひとつ。くすんだ鏡台つきのたんすと、小物だんすがあって、ベルナルダはそのうえに、聖人像や聖母像、聖像画のカードを、祭壇顔負けにならべていた。ぼくはドアを閉めた。くるりと向きを変えたとき、心臓がとまりかけた。十数個の青や赤い色の目が、廊下の奥から、こちらをじっと見ているのだ。バルセロの猫たちは、すっかりなついていて、ぼくがそこにいても平然としている。体にまとわりついて、甘えるようにゴロゴロ鳴くのだが、ぼくの服が雨でびっしょりで、じゅうぶんな体熱が感じられないからだろう、そっけなく離れていった。

クララの部屋はフロアのもういっぽうの端にあって、図書室や音楽室と隣接している。猫たちは廊下沿いに、音もなくあとをつけてきた。なにかを待ちかまえているふうなのだ。稲妻が点滅する薄暗がりのなかで見ると、バルセロの住居は不吉な洞窟の趣で、ぼくが第二の住まいとまで考えていた家とは、ずいぶんちがって見えた。

広場に面した建物の正面側にたどりついた。バルセロの温室が目のまえにひろがった。鬱蒼として人をよせつけない。ぼくは、葉や枝の茂みにわけ入った。その瞬間、ある考えが突然頭にうかんだ。あの顔のない男がすでに忍びこんでいるとすれば、身を隠すのに、おそらくこの場所をえらぶにちがいない。ぼくを待ち伏せするためにだ。紙の焦げたにおいが、空気にただよっている気さえした。ところが、ぼくの嗅覚が感じとったのは、ただのタバコのにおいだった。ぼくは激しいパニックにおちいった。この家でタバコをすう人はいない。バルセロのパイプだって、火がついていたためしはない。あれは、ただのお飾りなのだ。

音楽室についた。蒸気の花飾りみたいに、渦を描きながら空中にただようけむりを、稲妻のきらめきが照らしだした。ガラスの窓際で、ピアノの鍵盤が永遠のほほ笑みをつくっている。音楽室をとおりぬけて、図書室にたどりついた。入り口は閉まっている。

ドアをあけた。バルセロの個人書庫をとりまく明かりが、ぼくを温かく迎えいれてくれた。

本のぎっしりつまった書棚が壁ぎわを埋めつくし、中央には、読書用のテーブルと、ぜいたくなアームチェアが二脚おいてある。クララがカラックスの本を、テラスに面したアーチ窓のそばのガラスキャビネットにしまっているのを、ぼくは知っていた。音をたてずに、キャビネットにむかった。ぼくの計画は、いや、ほんとうは計画もなにもないのだが、本を手にいれて、ここからもちだし、あの偏執者にわたして、やつに永遠に目のまえから消えてもらうことだった。本がなくなったことに気づく人間はいないはずだ。そう、ぼく以外には。

フリアン・カラックスの本は、書棚の奥に背表紙をのぞかせて、いつものようにぼくを待っていた。ぼくは本を手にとって、胸にぎゅっと抱きしめた。これから裏切るつもりの古い友を抱くみたいに。まるでユダだな、と考えた。ここにいることをクララに知られないようにして、家を出ようと思った。本をもって、永遠にクララ・バルセロの人生から消えるつもりでいた。

速足で図書室を出た。クララの部屋の入り口が、廊下の奥にぼんやり見えた。ベッドに横たわって眠っている彼女を想像した。彼女の喉もとを、この指先でやさしくなでているのを想像した。空想のなかで脳裏に刻んだ体を、この手でさわっていくのを想像した。

部屋に背をむけた。六年間の白日夢に別れを告げるつもりだった。だが、音楽室につくまえに、なにかがぼくの足をとめた。背後のドアのむこうで、口笛を吹くような声がした。深い声が、ささやき、笑っている。

クララの部屋だ。

ぼくはゆっくりドアに近づいた。ドアのノブに手をかけた。指がふるえている。来るのが遅すぎたのだ。

つばをごくりと呑みこんで、ぼくはドアをひらいた。

三

一糸まとわぬクララの体が、白いシーツのうえで、洗いたての絹のように輝いていた。アドリアン・ネリの手が、彼女のくちびるや、首筋や、胸のうえをすべっていった。クララの白い瞳は、天井のほうを見あげていた。こきざみに動く、透くような彼女の腿のあいだにネリが押し入って、彼女をわがものにしている。その獰猛な動きのしたで、クララの目が揺れていた。六年前、アテネオの薄闇のなかで、ぼくの顔をそっとさぐったあのおなじ手が、いまはあの男の尻をつかんでいる。汗の輝きにまみれて、ネリの体に爪をたて、絶望的な、動物のような本能で、男を内奥にみちびいているのだ。

ぼくは息苦しくなった。体が麻痺したまま動かずに、三十秒ほども、そこに立ちつくしていたらしい。そのとき、ネリがこちらを見た。はじめは信じられないといったふうに、それから、顔に怒りがみなぎった。ぼくがいるのに気づいたのだ。

まだあえぎながら、ネリはなかば茫然として、体の動きをとめた。なにが起こったのかわからずに、クララが彼にすがりついた。自分の体を相手に強くすりよせて、男の首筋を舌でなめた。

「どうしたの?」と、うめくように彼女が言った。「なんで、やめるの?」

ネリの目が、激しい怒りで燃えた。

「なんでもない」と彼はつぶやいた。それから拳《こぶし》をにぎって、「すぐ、もどるから」

ネリは体をおこした。それから拳をにぎって、砲弾のようにぼくに突進した。だが、ぼくには彼の姿が見えなかった。目がクラクにくぎづけになっていたからだ。彼女は汗にまみれて、激しい息づかいをしていた。素肌のしたに肋骨がうきあがり、乳房が欲望でゆれていた。

ネリはぼくの首根っこをつかんで、部屋の外にひきずりだした。足がほとんど床についていない気がした。どんなにあがいても、ネリの手から逃れられない。彼は、まるで荷物の包みかなにかをつかむようにして、ぼくを温室のむこうにつれていった。

「おまえの首をへし折ってやるぞ、この恥知らずめが」と、歯ぎしりするように、ネリはつぶやいた。

彼はぼくの体を玄関までひきずっていって、とびらをあけると、階段ホールに放りだした。カラックスの本が、ぼくの手からすべり落ちた。ネリはそれをひろい、腹立ちまぎれに、ぼくの顔に投げつけた。

「この家のあたりでうろついたり、外でクララに近づいたりでもしてみろ。二度と立ちあがれないようにしてやる。病院送りになるぐらいにだ。おまえが未成年だろうとなんだろうと、おれの知ったことじゃない」と彼は冷酷に言った。「わかったか?」

ぼくは、やっとのことで身をおこした。そして、激しく抵抗するあいだに、ぼくの上着も自尊心も、ネリのやつが引き裂いたことに気づいた。

「おまえ、どうやって、ここに入った?」

ぼくは答えなかった。ネリはため息をついて、頭を左右にふった。

「さあ、鍵をよこせ」と、怒りを抑えて、脅すようにネリは言った。

「なんの鍵です?」

いきなり殴られて、ぼくは床のうえにころがった。立ちあがるとき、口のなかで血の味がした。左の耳奥で耳鳴りがし、交通巡査の警笛みたいなキーンという音が頭を走った。顔をさわると、指に熱いものがふれ、くちびるが切れているのがわかった。ネリのくすり指にはまった印形《いんぎょう》つきの指輪が、血にぬれて光っていた。

「鍵をよこせと言ったんだ」

「いやなこった、クソったれめ」と、ぼくはつばを吐きかけた。

拳がむかってくるのは見えなかった。ただ、鋼鉄のドロップハンマーが落ちてきて、内臓が外にとびでた感じだった。壊れたマリオネットみたいに、ぼくの体がふたつに折れた。息ができず、ふらふらと壁のほうによろめいた。ネリはぼくの髪をわしづかみにして、ポケットのなかをひっかきまわし、合鍵をさがしあてた。ぼくは床にころがった。腹を手でおさえながら、激しい痛みと怒りですすり泣いていた。

「どうか、クララに……」

ネリがぼくの目のまえでバタンとドアを閉めた。暗がりに、ぼくは取り残された。手さぐりで、闇のなかに本をさがした。やっと本がみつかると、それをかかえもち、壁で体を支えるようにして、あえぎながら階段をすべりおりた。

建物の外に出てから、血をぺっと吐きだして、むさぼるように口で息をした。冷たい外気と風が、ぬれた服につつまれた体をしめつける。牙《きば》が肌にくいこむみたいな感じだった。顔の傷が焼けるほど痛い。

「だいじょうぶですか?」と、物陰から人の声がした。

さっき頼みごとをされたときに、ぼくがはねつけたホームレスだ。恥ずかしくて、相手の視線をさけてうなずき、それからぼくは歩きだした。

「ちょっと、せめて雨が小降りになるまで、お待ちなさいよ」と男が言った。

彼はぼくの腕をとって、アーチのしたの一角に案内した。荷物の包みと、着古して汚れた服の入った袋がおいてある。

「ワインがすこしあるんですよ。そんなにひどいもんじゃないから、すこしお飲みなさいよ。体が温まるからさ。それに、その消毒にも……」

ぼくは、さしだされたワインボトルに口をつけてラッパ飲みした。酢で薄めたガソリンの味がした。それでも体が温かくなって、胃も神経も鎮まった。傷口に雨のしずくがはね散った。ぼくは、この人生で最高に暗い夜にまたたく星を見た。

「うまいでしょ、ね?」と、男がにこりとした。「さあ、もうちょっと飲みなさいよ。これを飲みゃあ、死人だって生きかえるんだから」

「いいえ、もういいですよ。あとは、あなたのぶんだから」と、ぼくはつぶやいた。

男はワインをごくごく飲んだ。十五年も服をかえていない、さえない役所勤めかなにかにみえる。彼が手をさしだしたので、ぼくはその手をにぎった。

「フェルミン・ロメロ・デ・トーレスと申します。ただいま失業中の元役人。どうぞ、よろしくお見知りおきのほどを」

「救いようのないバカの、ダニエル・センペーレです。こちらこそ、よろしく」

「そんなに卑下しちゃいかんですよ。こういう夜にはね、どんなものでも、ほんとの姿より悲惨に見えるもんです。驚くなかれ、わたしは根っからの楽天家でしてね。だから、この国の独裁政権が倒れるのも、時間の問題だと思ってる。ええ、まちがいないです。だってさ、あらゆる兆候がしめしてますからね。誰もが予想もしない日に、アメリカがわが国を侵略する。すると、独裁者フランコは北アフリカのメリージャくんだりに追いやられて、屋台の飲み物売り《オルチャータ》のオヤジかなんかになり下がる。それでこのわたしは、失った職と、名声と、面目をとり返す、ってな寸法ですな」

「どんな仕事をしてたんですか？」

「秘密諜報部員。スパイの高官ですよ」と、フェルミン・ロメロ・デ・トーレスが言った。「あと、これはここだけの秘密だが、わたしはね、ハバナに住むマシアって女の愛人だったんです」

ぼくはうなずいた。頭のおかしなやつが、ここにもひとり。バルセロナの夜は、こういう連中を、ごっそりひとつかみにして集めている。それに、ぼくみたいな愚か者もだ。

「ねえちょっと、その傷は、いくらなんでもひどすぎる。さんざんやっつけられたんでしょ、ね？」

ぼくは指先を口にやった。まだ血が出ている。

「女の問題？」と、彼はきいた。「なにも、そこまでやることはなかったでしょうねえ。いや、わたしは世界じゅうの女をこの目で見てるから言うんだが、この国の女なんてさ、猫かぶりやら、不感症の女ばかりですよ。そう、おききのとおりですわ。わたし、キューバにおいてきちまった褐色の肌の混血女性《ムラータ》を、よく思い出すんですがね。そりゃもう、別世界ですよ。まるで天国なんだから。カリブの女ってさ、あのビーチっぽいスイングで体をすりよせてきて、耳もとでそっとささやくんですよ。『ああ、だんな《パピート》、あたいを気持ちよくしてよ、ねえ、あたいを気持ちよくして……』ほんものの男ならさ、そこまで言われりゃ、体じゅうに血が煮えたぎって、そりゃもう、きみ……」

ぼくは、このフェルミン・ロメロ・デ・トーレスが――いや、それがこの男の本名かどうかも知らないが――熱い風呂や、腸詰《チョリソ》入りのレンズ豆のスープや、洗いたての着替えとおなじほど、こんなふうにどうでもいい会話を、心からもとめていたんだと感じた。しばらく彼に話をさせるように水をむけて、そのあいだに傷の痛みが和らぐのを待った。たいした努力はいらない。この小柄な男は適当にうなずいてくれる人間がいれば満足なのだ。誰かが、いかにも彼の話にききいるそぶりを見せれば、それだけでよかった。彼は、フランコ総統の妻カルメン・ポロを秘密裏に誘拐する計画について、微細に、専門的な話にまで立ちいってきかせようとするのだが、そのときぼくは、雨脚がおさまって雲がゆっくり北のほうに遠のいていくのに気がついた。

「あの、遅くなりますから」とつぶやいて、ぼくは体を起こした。

フェルミン・ロメロ・デ・トーレスは、ちょっと悲しげにうなずいて、ぼくが立ちあがるのに手を貸してくれた。ぐっしょりぬれた服の泥でも、はらおうとしてくれているみたいだった。

「じゃあ、またつぎの機会にでも」と、あきらめたふうに彼は言った。「いや、わたしの場合ね、口は災いのもとなんですよ。話しだすと、とまらなくてさ……あ、っと、さっきの誘拐計画の件は、ここだけの話ですからね。いいですね?」

「心配しないでください。ぼくの口、死人みたいに堅いですから。それと、ワインをありがとう」

ぼくは、ランブラス通りのほうに歩きだした。広場のすみで足をとめて、グスタボ・バルセロのピソに、もういちど目をやった。窓は暗く閉ざされていた。雨のしずくで、窓ガラスが泣いているようだった。クララを憎んでやりたかった。でも、ぼくにはできなかった。ほんとうの憎しみというものは、時とともに学んでいく特殊な才能なのだ。もう二度と彼女に会うまいと心に誓った。彼女の名を口にすまい、彼女のそばにいて失った時間のことも思い出すまい。ある不思議な理由で、ぼくの心は落ち着いた。家からとびでたときの怒りは、かき消えたようになくなっていた。その怒りがよみがえるのを、ぼくは恐れた。あしたになって、もっと激しい怒りがこみあげるのが怖かった。今夜思い知らされた出来事の記憶が、それ自体の重みをもって頭上に落ちたとたんに、嫉妬と屈辱がゆっくり自分をむしばみはじめるのが怖かった。

夜明けまで、まだ数時間ある。気持ちを新たにして家に帰れるようになるまえに、あともうひとつ、やっておかなければならないことが、ぼくにはあった。

アルコ・デル・テアトロ通りは、昔のままそこにあった。闇を切り裂いたすきまみたいな路地だ。黒い水の筋が路面にできて、葬列が進むように、ラバル地区の中心にむかって流れていく。

古い木のとびらと、バロック様式のファサードを見ただけで、すぐにわかった。六年まえの夜明けに、父につれてきてもらったところだ。

石段をのぼって、玄関のポーチのしたに雨宿りした。小便と、腐った木材のにおいがする。「忘れられた本の墓場」は、いつにもまして、死のにおいがした。ドアのノッカーが小悪魔の顔だったことまでは記憶になかった。その角《つの》のあたりをつかんで、三回ドアをノックした。洞窟みたいな反響がとびらのむこうに消えていった。ちょっと間をおいて、もういちど呼んでみた。こんどは六回、もっと強くたたいたが、しまいには握り拳が痛くなりだした。数分待ったあとで、もしかしたら、ここにはもう誰もいないのかもしれないと思いはじめた。

ぼくは、ドアのほうに身をよせてしゃがみこみ、カラックスの本を上着のなかからとりだした。ページをひらいて、かつてぼくを虜にした、あの最初のフレーズを読み返した。

《あの夏は、毎日雨が降っていた。村の教会のそばにカジノをひらいたので、それで神さまが罰をくだしたのだと、みんな口々に言っていた。でもぼくには、それが自分のせいだとわかっていた。ぼくだけのせいだ。嘘をつくことをおぼえてしまったから。死の床にある母の最後の言葉が、いまだに、このくちびるに残っているから。

「結婚した相手を愛したことなんて、わたしはいちどもなかった。お母さんが愛したのは、別の男性《ひと》だったの。戦場で死んでしまったと、みんなが言っていた人なのよ。ねえ、その人をさがして。そして、わたしが彼を思いながら死んでいったと伝えてちょうだい。その人が、あなたの、ほんとうのお父さんだから……」》

ぼくはひとりほほ笑んだ。六年まえ、この本をはじめて手にした夜に、夢中になって読んだことを思い出した。本を閉じて、三度めのノックをしようとした。これで最後にするつもりだった。だが、指がドアのノッカーにふれるより早く、とびらがあいた。カンテラをさげた管理人の輪郭がじゅうぶん見えるぐらいのすきまだった。

「こんばんは」と、ぼくはささやいた。「イサックさんですね？」

　管理人はまばたきひとつせずに、ぼくをじっと見た。カンテラから吐きだされる赤や琥珀色の光が、彼の骨ばった顔を照らしだした。ドアノッカーの小悪魔と、ほとんど瓜二つに見えた。

「センペーレさんのとこの息子さんでしたかね」と、疲れた声で相手はつぶやいた。

「すばらしい記憶力ですね」

「あんたの時間の常識も、吐き気がするほどすばらしいよ。いったい、いま何時だと思ってるんですか？」

　彼の鋭い視線が、上着にかかえもつぼくの本を、早くも察知したらしい。イサックは頭をくいっと動かして、さぐるような動作をした。ぼくは本をとりだして、彼に見せた。

「カラックスだな」と言った。「バルセロナで、その作家について知っているか、本を読んだことのある人間は、両手の指に入るぐらいしかおらんでしょうな」

「じつは、そのひとりが、これを火にくべようとしてるんですよ。隠すのに、ここよりいい場所を思いつかなかったんです」

「でも、ここは墓場だ。金庫じゃない」

「だから、ここに来たんですよ。誰にも見つけられない場所に、この本を埋めてやる必要があるんです」

　イサックは、路地のほうに疑ぐりぶかそうな目をむけてから、とびらをすこしあけて、なかに入れと、ぼくに目で合図した。

底なしの闇につつまれた玄関ホールは、燃えたろうそくと、湿気のにおいがした。暗闇のなかで、絶えまない雨漏りの音がきこえた。イサックはカンテラをさしだして、ぼくにもたせ、そのあいだに、自分のコートのポケットから鍵束をとりだした。これがまた、牢獄の看守もうらやむほどのすごい鍵束なのだ。わけのわからない呪文でも唱えたのだろう、彼は目当ての鍵を一発でさがしあて、大仕掛けのオルゴールを思わせる錠に、その鍵をさしこんだ。錠の仕掛けはガラスケースで保護されていて、複雑にかみあう大小の歯車や装置がびっしりつまっている。管理人が、鍵をぐるりとまわすと、からくり人形の腹からきこえるようなカチッという音がした。とたんに、いくつもの梃子《てこ》と梃子台が、驚くべき仕掛けのなかで踊るようにスライドしはじめ、とびらの内側で蜘蛛の巣状にひろがる鋼鉄棒の一本一本が、石壁の穿孔《せんこう》にそれぞれかみあって、ドアがしっかり固定された。

「スペイン中央銀行だって、ここまでの仕掛けはないですよね」と、あっけにとられて、ぼくは言った。「ジュール・ヴェルヌの小説のどこかから出てきたみたいだ」

「カフカだよ」とイサックが正し、ぼくの手からカンテラをとりあげると、建物の奥へと歩きだした。

「いつかあんたが、本の商売なんかじゃ飯も食えないってわかって、銀行強盗のやり方を学ぼうとか、銀行業でもはじめようと思ったら——まあ、本質的には、銀行も強盗も変わらんがね——わしに会いにいらっしゃい。錠の基本を教えてあげるから」

彼のあとについて、廊下を進んだ。フレスコ画の天使や空想動物の絵に見覚えがあった。

イサックがカンテラを高くもちあげると、泡状の赤い光線がまたたくように放射された。彼は片足をいくらかひきずっていた。糸のほつれたフランネルのオーバーが、葬儀用のマントとよく似ている。冥土への渡し守《カロンテ》と、古代アレクサンドリア図書館の司書をあわせたみたいなこの人を、フリアン・カラックスの小説の登場人物にしたら、けっこういけるんじゃないかと、ふと思った。

「カラックスについて、なにかご存じですか？」と、ぼくはきいた。

　イサックは廊下の突きあたりで立ちどまって、関心なさそうな目でぼくを見た。

「たいして知らんな。人からきいた話程度ですよ」

「誰です？」

「彼をよく知っている人だ。というか、本人はそう思っとる」

　ぼくの心臓がドキンと音をたてた。

「それ、いつごろの話ですか？」

「わしが、まだ髪にくしを入れていたころだな。あんたはたぶん、おむつをして歩いていただろう。まあ、はっきり言って、あんたも、まだそんなに成長しとらんみたいだが。おやおや、ふるえてるじゃないですか」と彼は言った。

「服がぬれてるんです。それに、このなかは寒いし」

「こんど来るときは、事前に知らせなさいよ。そうしたら、ちゃんとセントラルヒーティングをつけて、とんで迎えにでてあげますからね、おバカさん。さあ、こっちだ。ここがわしの事務所でね。ストーブがあるし、服を乾かすあいだに、なにかしら、上にはおるものもある。赤チンと消毒液も悪くないよ。だって、あんたの顔ときたら、ライエタナ通りの警察署から出てきたばかりみたいに傷だらけだからな」

「どうぞ、ほんとにおかまいなく」

「かまってやせんよ。わしは、自分のためにやってるんだ、あんたのためじゃない。いったんあのドアをとおったら、すべて、このわしにしたがってもらいますよ。この墓場は、本だけのためにある。もしあんたが肺炎でもおこしたら、死体安置所《モルグ》に電話しなきゃならんのは、こっちだからな。あんたの本のことは後回しだ。わしは三十八年ここにいるが、走って逃げだす本なんて見たこともない」

「あの、どうやってお礼を言ったらいいか……」

「お世辞は無用。あんたをなかに入れてやったのは、あんたの親父《おやじ》さんに世話になってるからで、さもなきゃ、通りに放っておくところだ。わしに、ちゃんとついてきなさいよ。行儀よくしていれば、あんたの友だちのフリアン・カラックスについて、このわしが知っていることを話してやってもいい」

　ぼくには見えていないとイサックは思ったのだろう、彼がにやりと悪賢そうな笑みをこぼしたのが、ぼくの目の端に映った。彼はあきらかに、不吉な門番《ケルベロス》の役を楽しんでいた。ぼくも胸のうちでほくそ笑んだ。あのドアノッカーの小悪魔が誰の顔なのか、いまさら疑う余地もなかったからだ。

四

イサックは、薄手の毛布を二枚、ぼくの肩にかけてくれた。それから、チョコレートと果実酒《ラタフィア》がまざったみたいなにおいの、湯気のたつ怪しげな飲み物をティーカップに入れて、ぼくにさしだした。

「あなたは、たしかカラックスが……」

「話してあげられることは、そんなにないよ。カラックスの名を最初にきいたのは、出版社を経営していたカベスタニーの口からだった。といっても、まだあの会社があったころで、もう二十年以上もまえの話になるがね。ロンドンやパリやウィーンに出張した帰りに、カベスタニーはかならずここに立ちよって、わしとおしゃべりをしたもんだ。ふたりとも早々に女房をなくしたもんで、彼はいつも嘆いておったよ。いまじゃ、きみも、わたしも、本がつれあいのようなもんだとか言ってな。わしの相手は古本だし、あちらさんの相手は帳簿につく商売用の本だ。わしらはいい友だちでしたよ。あるとき彼は、フリアン・カラックスとかいう人物が書いた小説のスペイン語の権利を、とても安く手に入れたところだと話してくれた。バルセロナ出身で、パリに住んでいる作家らしい。たしか一九二七年ぐらいの話だったと思うがね。カラックスは、ピガールにある安っぽい娼館のサロンでピアノ弾きとして夜働いて、昼間は、サンジェルマン地区のみじめな屋根裏部屋で、物を書いていた。パリは、空腹で死ぬことがいまだに芸術だと思われている、世界でただひとつの都市なんですよ。カラックスはフランスで小説を二冊ほど出したが、商業的には完全な失敗だった。金を出してまで彼の本を買おうとする人間なんて、パリにはいなかったんだな。で、カベスタニーはといえば、本を安く手に入れるのが得意だったというわけだ」

「じゃあ、カラックスはスペイン語で書いていたんですか？　それともフランス語ですか？」

「さあねえ。きっと両方だろう。母親がフランス人だったらしいから。たしか、音楽教師かなんかですよ。しかも作家本人は、十九か二十のころからパリに住んでいたわけだし。カベスタニーは、カラックスのスペイン語の原稿をもらったと言っておった。オリジナルだろうが翻訳だろうが、どっちでもいいんだろう。カベスタニーの好きな言語は現金《ペセタ》で、それ以外は気にもかけんのだ。彼は、スペインで、ひょっとしたらカラックスの本が何千部と出るようなうまい話があるんじゃないかと見込んだんだな」

「で、うまくいったんですか？」

イサックは眉をひそめて、元気づけの妙な飲み物を、ぼくのカップにまたついでくれた。

「あのいちばん売れた『赤い家』でも、せいぜい九十部ってとこでしょう」

「じゃあ、赤字でも、カラックスの本を出版しつづけたってことですね」と、ぼくは指摘した。

「そういうことだ。なんでか、このわしにもわからんがね。なぜって、カベスタニーは夢想家なんかじゃないからさ。でも、どんな人間にも、なにかしら秘密があるもんだろう……。一九二八年から三六年にかけて、カラックスの小説は八作出版された。カベスタニーは、『カトリック問答集《カテキズム》』と、ビオレータ・ラフルールとかいうぽっと出の女が主人公の、安っぽい恋愛小説のシリーズもので儲けていたんだよ。ほら、キオスクなんかでよく売れるやつだ。思うに、カラックスの小説は趣味で出したんじゃないかね。それで、ダーウィンの説に逆らおうとでもいうんだろう」

「カベスタニーさんは、その後どうなったんですか?」

イサックはため息をついて、視線をあげた。

「年だよ。誰もがみんな、このツケを払わされる。彼は病気になって、おまけに金にもちょっと困っていた。一九三六年に、長男が出版社を継いだんだが、この息子はパンツのラベルも読めないような男でね。会社は一年とたたないうちに傾いた。さいわい、カベスタニーは、自分の全生涯をかけた事業の産物を相続人たちがどうしたかも、内戦でこの国がどうなったかも知らずに死んでいきましたがね。万聖節前夜に、卒中で逝っちまいましたよ。キューバ葉巻のコイーバをくわえて、二十五歳の女の子をひざに抱いてね。だが息子のほうは毛色がちがった。アホな人間でもなければ、あれほど傲慢にはなれんだろう。やっこさんが最初に思いついたのは、出版目録にある本の在庫を、できるかぎり売って処分してやろうということだった。父親の遺産を、せいぜい再生紙用パルプにでもしちまおうって寸法ですよ。リゾート地のカルデータスに住んで、ブガッティを乗りまわしている金持ちぼうやの友だちが、これからは恋愛物のフォトノベラと、『わが闘争《マイン・カンプフ》』がバカ売れするだろうから、製紙材料《セルロース》の需要はいくらだってあるはずだと説得したんだな」

「それで、息子は、そのとおりにしたんですか?」

「いや、そこまでの時間はなかった。このせがれが出版社の舵をとりはじめてまもなく、ある人物が彼のオフィスにあらわれて、とても気前のいいオファーをしたんだ。なんでも、売れ残っているフリアン・カラックスの小説の在庫を、まるごと買いとりたいという。市場価格の三倍でひきとろうっていうんだ」

「その先は言わないでいいですよ。本を燃やすためでしょ?」と、ぼくはつぶやいた。

イサックはにやりとした。ちょっと驚いたらしい。

「そのとおり。あんたは人に質問ばっかりしているから、てっきり、物知らずのバカなのかと思ってたがな」

「誰です、その人物って?」

「オーベルトだか、クーベルトだか、そんなふうな名だったが、よく覚えとらんよ」

「……ライン・クーベルト?」

「きき覚えでもあるのかね?」

「『風の影』に出てくる登場人物の名前です。カラックスの最後の小説ですよ」

イサックは眉をひそめた。

「フィクションの人物ってことかい?」

「小説のなかで、ライン・クーベルトは悪魔につけられた名前なんです」

「なかなか芝居がかってるじゃないですか。でも、そいつが誰にしても、すくなくともユーモアのあるやつだ」とイサックは評価した。

あの不気味な男に会ったことがまだ記憶に新しかったので、イサックの言うことが、ぼくにはおもしろくも、おかしくもなかった。だが、自分の意見はここぞというときのためにとっておくことにした。

「その人物、クーベルトでもなんでもいいんですけど、彼は、顔が焼けただれていませんでしたか？　変形した顔じゃなかったですか？」

イサックはにやりと笑ってぼくを見た。なかばからかうような、だが心配げな顔つきでもあった。

「さあな。この話をわしにしてくれた人間は、その男の顔までは見なかった。なぜ知ったかというと、カベスタニーの息子が、翌日、秘書にその話をしたからなんだ。火傷《やけど》の顔かどうかは、なにも言っとらんかった。ほんとに、どっかの三文小説から、あんたが勝手にひろってきた話じゃないんだな？」

ぼくは、たいしたことじゃないというふうに、首を横にふった。

「その申し出は、けっきょく、どうなったんですか？　カベスタニーの息子さんは、クーベルトに本を売ったんですか？」

「まぬけのぼうやは、考えすぎてバカを見た。クーベルトが提示した金額よりふっかけたんだ。訪問客はオファーをひっこめた。その日、真夜中をちょっとまわったころに、プエブロ・ヌエボにあるカベスタニー出版社の倉庫が火事でまるごと燃えた。けっきょく、ただになったというわけだよ」

　ぼくはため息をついた。

「カラックスの本は、どうなったんです？　全滅ですか？」

「ほとんどな。ただ、さいわいなことに、カベスタニーの秘書をしていた女性が、男のオファーを知って胸騒ぎがしたらしい。責任は自分で負うつもりで、社長の書庫に行って、カラックスの既刊本を各一冊ずつ、こっそり自分の家にもち帰ったんだよ。出版社でカラックスと手紙のやりとりをしていたのは彼女でね、年月を経るうちに、この作家との親交が深まったようだ。ヌリアっていう名前ですよ。あの出版社でも、たぶんバルセロナでも、カラックスの小説をぜんぶ読んだ人間なんて、彼女ぐらいしかいないだろうさ。ヌリアは、弱いものや敗者を見ると、放っておけないくせがある。子どものころから、通りに捨てられた小さな動物をひろっては、家につれて帰ってきた。成長するにつれて、こんどは売れない作家の本をひきとるようになった。たぶん、父親が小説家になりたかったのに、とうとうなれなかったからだろう」

「あなたはその女性を、とてもよくご存じみたいですね」

「彼女が考えてるより、はるかによく知っておる。わしの娘ですよ」

沈黙と疑念がぼくをさいなんだ。話をきけばきくほど、頭が混乱していく。

「カラックスがバルセロナにもどったのは、一九三六年だときいています。この都市《まち》で死んだって言う人もいるんです。ここに家族はいないんですか？　誰か彼のことを知っている人がいるんじゃないんですか？」

「神のみぞ知るだな。カラックスの両親は、たしか、だいぶまえに別れたと思う。母親は南米に行って、そこで再婚した。わしが知るかぎり、カラックスはパリに行って以来、父親とは連絡を絶っている」

「なんでだろう？」

「そんなこと知るもんかね。人間ってやつは、いつも自分から問題をつくりたがるんだ。そうじゃなくても、人生なんて問題だらけなのに」

「その父親は、まだ生きてるんでしょうか？」

「そう願いたいね。わしより若かったからなあ。だが、わしはほとんど外に出ないし、もう何年も死亡記事を読んでいない。くしの歯が欠けるように知り合いが死んでいくと、そのたびにぞっとする。ほんとだよ。そうそう、カラックスというのは、母方の名字ですよ。父親のほうはフォルトゥニーだ。ロンダ・デ・サンアントニオ通りで帽子店をやっていた。息子とは、あまりうまくいってなかったみたいだがな」

「だとすれば、カラックスがバルセロナに帰ってきて、あなたのお嬢さんに会いにいったとしても、おかしくないんじゃないですか？　つきあいがあったんなら、そうするでしょ。カラックスが自分の父親と仲よくなかったんなら、なおさらだ」

イサックは苦々しい笑みをうかべた。

「そうだとしても、わしにはそこまでわからんよ。どうあろうが、わしはあの娘《こ》の父親ですからね。いちど、たしか一九三二年か三三年に、ヌリアはカベスタニーの仕事でパリに出張している。そのときに、二週間ほど、フリアン・カラックスの家に泊まってるんだ。わしはカベスタニーからそれをきいた。ヌリアは、自分ではホテルに泊まったと言ってたがね。娘は当時独身だったから、わしは、カラックスがあの娘にちょっとばかり熱をあげてたんじゃないかと感じたんだ。うちの娘は、どこかの店に入るだけで、男の気をそそるような女なんだよ」

「つまり、ふたりは愛人関係にあったってことですか?」

「あんたは、くだらん恋愛小説の読みすぎじゃないのかね、え? わしはなあ、ヌリアの私生活に立ち入ったことはない。わしの生活だって、額縁に入れてある絵みたいにきれいなもんじゃないからな。もし、あんたがいつか自分の娘をもつことがあれば——まあ、誰にも女の子の父親にはなってほしくないがね。遅かれ早かれ、自分の娘のことで胸を痛めることになるんだから——それはともかく、話をもどすと、いつかあんたが娘をもったら、無意識に男を二種類に分けて見るようになる。つまり、こいつは娘と寝た疑いのある男か、そうじゃないかってな。そんなことはないというやつがいれば、大嘘つきだ。わしの勘では、カラックスは、はじめの部類に入る男ですよ。だから、あいつが天才作家だろうが、不運な貧乏人だろうが、こっちには関係ない。わしにとっては、ただの恥知らずでしかない」

「でも、そうじゃないかもしれないでしょ？」

「気を悪くしなさんなよ、だが、あんたはまだ若すぎる。わしがアーモンドの練り菓子《パナジェッツ》の作り方を知らないのとおんなじで、女のことはなにも知らんのだよ」

「たしかに、おっしゃるとおりです」とぼくは納得した。「ところで、お嬢さんが書庫からもちだした本はどうなったんですか？」

「ここにある」

「ここに？」

「あんたねえ、お父さんにこの場所につれてきてもらったとき、自分のみつけた本がどこから出てきたと思っとるんだ？」

「どういう意味ですか？」

「簡単なことだよ。あの日の夜、そう、あれはカベスタニーの倉庫が火事になるまえだったが、ヌリアがここにやってきた。娘は神経質になっていてな。誰かにあとをつけられている、クーベルトとかいう人物が本を奪って、燃やしてしまうかもしれないと言うんだ。それでカラックスの本を隠しにきたんだと、わしに言った。あの娘は大ホールに入って、書庫の迷路の奥に本を隠した。宝物を埋めるみたいにしてだ。どこに隠したのか、わしはきかなかったし、あの娘も言わんかった。ヌリアは、もしカラックスと会えたら、本を取りに、またもどってくると言って、ここを出ていった。わしは、あの娘がまだカラックスに熱をあげているのかと思ったが、なにも言わずにおいた。ただ、最近その作家と会ったのか、なにか知らせはあるのかと、きいてみたんだよ。娘は、もう何カ月も連絡がとだえている、正確には、パリから最後の小説の最終校正ゲラが送られてきて以来、彼のことはなにも知らないと言う。嘘をついていたとしても、わしにはわからん。わかっているのは、あの日以来、ヌリアのところには、カラックスからなんの音沙汰もないということだ。だから、本はずっとここにある。ほこりをかぶってな」

「お嬢さんは、いまみたいな話をぜんぶ、ぼくに話してくれるでしょうか？」

「あの娘は、しゃべりだしたらとまらんよ。ただ、いま、わしがあんたに教えた以外のことを話してくれるかどうかは知らん。なにしろかなり昔の話だからな。それに、われわれ父娘《おやこ》だって、わしが望むほど仲がいいわけでもない。わしらは月に一回会うことにしてるんですよ。この近くでいっしょに食事をして、それぞれまた来た道をもどるというわけだ。何年もまえに、いい男と結婚したってことは、きいているがね。ジャーナリストで、いささか軽はずみなやつだ。ほら、しょっちゅう政治のことに首をつっこんでは、問題をおこして歩くが、正義感からやっているようなタイプだよ。ふたりは式も挙げずに、届だけをだして結婚した。わしが知ったのは、ひと月もたってからだった。おまけに、娘の夫というやつには、いまだに会ったことがない。ミケルとか、たしかそんな名前ですよ。娘にとって、わしはそれほど自慢の父親じゃないんだろう。でも、あの娘に罪はない。それに、いまはもう昔のような娘じゃないしな。ボーボワールみたいな格好はやめたらしいし、編み物までするようになったんだから。わしだって、いつのまにか孫がいたなんて知らされても、おかしくはない。何年かまえから、自宅で、フランス語とイタリア語の翻訳の仕事をやっておるようだ。正直言って、どこからそんな才能を授かったのか知らんがね。でも、父親ゆずりじゃないことはたしかだな。娘の住所を教えてあげますよ。ただし、わしからきいてきたってヌリアに言うのがいいかどうかは知らんぞ」

イサックは古い備忘録のすみに住所を書いてから、紙片をちぎってさしだした。

「ありがとうございます。もしかしたらお嬢さんがなにか思いだすかもしれないし……」

イサックは、ちょっと悲しそうにほほ笑んだ。

「幼いころから、あの娘はなんでも覚えていたよ。なにもかもだ。でも、子どもが大きくなると、そのうちに、なにを考えているのか、なにを感じているのか、親にはまるでわからなくなる。きっと、そんなもんだろうと思うがね。わしがあんたに話したことは、ヌリアには言わんようにな。ここだけの話にしておいてくださいよ」

「ご心配なく。でも、お嬢さんは、まだカラックスのことを想っているんでしょうか？」

イサックは大きなため息をついて、視線をおとした。

「そんなこと、わしが知るもんか。だいいち、ほんとうに惚れてたかどうかだって、わかりゃしない。こういうことは、それぞれの胸のうちにだけ秘められているもんだ。それに、娘はもう結婚した女ですよ。わしがあんたぐらいの年ごろには恋人がいてな。テレシータ・ボアダスっていう名で、コメルシオ通りのサンタマリア繊維工場でエプロンを縫っておった。わしよりふたつ年下だから、当時彼女は十六歳、わしの初恋の相手だったんだ。ああ、そんな顔をしなさんなよ。知ってるさ。あんたら若いもんは、年寄りなんて恋することを知らないとでも思っとるんだろうが？　テレシータの父親は、ボルネ市場で氷を荷車に積んで売っていたんだが、生まれつき口のきけない人でね。娘さんと結婚させてほしいと、許可をもらいにいった日に、わしがどれほど怖い思いをしたか、あんたには想像もつくまい。親父さんは口を割らずに、五分間、わしをじっとにらんでいた。アイスピックを手ににぎったままでだよ。わしは、二年かかって貯めた金で結婚指輪を買った。その矢先に、テレシータが病で倒れてしまったんだ。工場でなにか悪い菌をもらったらしい。六カ月後に、彼女は結核で死んだ。プエブロ・ヌエボの墓地にテレシータを埋葬した日、あの口のきけない親父さんがどんなふうにうめきつづけたか、わしは、あの姿がいまだに忘れられんのだ」

イサックは深い沈黙に沈んだ。ぼくは息を殺していた。しばらくしてから視線をあげた彼は、ぼくにむかってほほ笑んだ。

「もう五十五年もまえの話ですよ。早いもんだ。でも正直言って、わしは一日としてテレシータを忘れたことはない。一八八八年のバルセロナ万博の跡地までふたりで散歩しにいったことも、わしが書いた詩を読んできかせたとき、彼女がどんなに笑ったかもな。伯父のレオポルドがやっていた腸詰とか冷凍魚介を売る店の奥で書いた詩だった。ボガテル海岸でわしらの手相をみてくれたジプシーの顔まで覚えておるよ。あんたたちふたりは死ぬまで離れないって、その女占い師に言われたんだ。彼女なりに正しいことを言ってたんだな。で、なにが言いたいかって？　そう、答えはイエスだってことだ。ヌリアは、いまだにあの男が忘れられないと思いますよ。そんなことはぜったい口にせんがね。だから、じつを言うと、わしはそれだけでカラックスを一生許せんのだ。あんたはまだ若いからわからんだろうが、わしは、そういうことが、どれだけ人の心を痛めるか知っている。カラックスについて、わしの意見をききたいんなら、あの男は心の泥棒だと言ってやってもいい。やつは、うちの娘の心を、墓場か、地獄にもっていきやがったんだから……。なあ、あんたにひとつだけ頼みがあるんだがね。もし娘に会って話をするんなら、そのあとで、あの娘《こ》の様子がどうだったか、わしに教えてくれんかな。幸せにしているかどうか、さぐってきてほしいんですよ。それに、この父のことを、もう許してくれたかどうかも……」

夜が明けるすこしまえ、ぼくはカンテラひとつもって、「忘れられた本の墓場」にふたたび足をふみ入れた。奥にむかって進みながら、この永遠につづく暗い廊下をイサックの娘が歩いている姿を想像した。彼女も、いまのぼくをみちびいているのとおなじ強い決意をもっていたはずだ。本を救うという決意を。

父に手をひかれてはじめてここに来たときにたどった道を、自分ではまだ覚えているつもりでいた。ところが、迷宮の曲がり角が通路を渦巻き状に湾曲させていて、これでは通った道を思いだせるわけがないと、早々に納得せざるをえなかった。記憶にあるように思えた道筋を三度試してみたが、三回とも、出発した場所にもどってしまった。イサックがにやにやしながら、そこで待っていた。

「いつか、この場所にまたもどってくるつもりかい?」

「もちろんです」

「だったら、あんたは、ちょっとした仕掛けをしなきゃいけないな」

「仕掛け?」

「ぼうや、あんたは、あまり頭の回転がいいほうじゃないな。ミノタウロスの迷宮を思いだしなさいよ」

　彼の暗示が、ぼくにはすぐ理解できなかった。イサックは、ポケットから使い古した小刀をとりだして、ぼくにさしだした。

「これで、曲がり角に小さなマークをつけるんだ。あんたにしかわからない切りこみだよ。書棚の木はもう古くて、ひっかき傷や溝なんかがたくさんあるから、誰も気づきやしない。なんの本をさがしているのか、わかっている人間以外はな……」

　彼の助言にしたがって、ぼくは、もういちど建物の内部にむかった。方角を変えるたびに、書棚のところに立ちどまって「C」の文字を刻み、自分が進もうとする通路の脇に「X」を刻んだ。二十分後には、迷宮の奥に完全に迷いこんでいた。

　カラックスの本を埋葬する場所は偶然見つかった。右側に、かの名高きホベジャーノスの筆による「教会財産の国有化」をテーマにしたシリーズが、ずらりとならんでいるのが目にはいった。若いぼくの目から見て、こんなカムフラージュをしていれば、どんなひねくれた頭の持ち主でもだまされるだろうと思った。何冊か本をひきぬいて、石みたいに無味乾燥な選集の壁にふさがれた奥の列を調べてみた。舞いあがるほこりのあいだに、モラティンの喜劇が数冊、それに中世の騎士物語『クリアルとゲルファ』が、スピノザの『神学政治論』とならんでいる。気のきいた仕上げをしようと思い、ぼくは、ジェロナ県民事裁判所の『一九〇一年度判例集』と、ファン・バレラの小説集のあいだに、カラックスをおさめることにした。すきまをあけるために、この二冊のあいだにあった黄金世紀の詩集をもち帰ることにきめ、その場所に『風の影』をさしこんだ。

ぼくはウインクをして、カラックスに別れをつげた。そして、ホベジャーノスの選集をもとの位置にもどして、一列目に壁をつくった。

それ以上こだわらずに、その場を離れて、ぼくは通り道につけてきたマークにしたがった。薄闇につづく書物のトンネルをいくつもくぐりながら、どうしようもない悲しみと落胆におそわれた。この無限にひろがる墓場のなかで、ぼくがまったくの偶然から、一冊の知らない本の内側にすべてをつつみこむほどの宇宙を発見したとしても、いっぽうでは、数えきれないほどの書物が、誰に開拓されることもなく永遠に忘れ去られていく。放置された何千万というページ、宇宙や持ち主を失った無数の魂に、ぼくはかこまれているような気がした。そんな本のページたちが、暗黒の大洋に沈んでいくあいだに、この壁のむこうに息づく世界は、日々「記憶」を失っているのだ。自分でも気づかないうちに、しかも、忘れれば忘れるほど、よけいに賢くなったかのように感じながら。

空が白みはじめたころ、ぼくはサンタアナ通りの家にもどった。入り口のドアをそっとあけて、明かりをつけずに、家のなかに身をすべりこませた。玄関に立つと、廊下の奥にダイニングが見えた。テーブルは、パーティーの支度のままになっていた。ケーキは手つかずでそこにあったし、食器類も夕食を待っていた。

アームチェアにすわったきり動かない父の姿があった。窓から外をながめている。眠らずに、まだ外出着をつけていた。ペンでもつみたいに指のあいだにはさんだタバコから、物憂げに、渦巻き状にけむりがのぼっている。父がタバコをすうのを、ぼくはもう何年も見ていない。

「おはよう」と、タバコをもみ消しながら、父はつぶやいた。灰皿は、半分すっただけの燃えさしでいっぱいだ。

ぼくは、なにを言ったらいいかわからなかった。逆光の加減で、父の視線が見えない。

「ゆうべ、クララが何度も電話してきたぞ。おまえが出ていって、二時間ほどしてからだ」と父は言った。「心配そうな声をしていた。何時になってもかまわないから、電話してほしいと言っていたが」

「クララにもう会うつもりはないよ。話すつもりもない」とぼくは言った。

父はなにも言わずにうなずいた。ダイニングの椅子のひとつに、ぼくは腰をおろした。視線が自然に床に落ちた。

「どこにいたのか、言わないのか？」

「そのへんだよ」

「ものすごく心配したんだぞ」

父の声に怒りはない。非難もない。ただ疲れた声をしていた。

「わかってる。あやまるよ」とぼくは答えた。

「その顔、どうしたんだ？」

「雨のなかですべって、ころんだんだ」

「拳骨《げんこつ》みたいな雨だったらしいな。なにか薬でもつけろ」

「たいしたことないよ。痛くもないし」と、ぼくは嘘をついた。「ただ眠りたいだけだよ。ふらついて、もう立ってられないんだ」

「寝るまえに、せめて、プレゼントをあけたらどうだ」と父が言った。

父は、昨夜ダイニングのサイドテーブルにおいたセロハン包みの箱を指さした。ぼくはちょっと迷った。父がうなずいた。ぼくは箱をとりあげて、重さを手で量ってみた。でも箱をあけずに、父のほうにさしだした。

「このまま店に返してよ。ぼくは、プレゼントなんかもらう資格がないから」

「プレゼントは、贈る人間がそうしたいからやるんだ。受けとるほうの資格の問題じゃない」と父は言った。「それに、それはもう返せないんだ。いいから、あけなさい」

夜明けの薄明かりのなかで、ぼくはていねいにセロハンをはがしていった。

箱のなかに、手彫りの木製ケースが入っていた。金鋲の縁どりでキラキラしている。あけるまえから、ぼくの顔はほほ笑みで輝いた。ケースの留め具をはずすときの音が、なんともいえずいい。時計のカチッという音に似ている。ケースの内側は紺のビロード張りだ。そのまんなかに、かのヴィクトル・ユゴーが愛用したという、伝説のモンブラン・マイスターシュテュックが横たわっていた。

ぼくは手にとって、バルコニーからさしこむ光にかざした。キャップの金のクリップに、文字が彫ってある。

《ダニエル・センペーレ　一九五〇年》

呆然として父を見た。あのときほど父が幸せそうな顔をしているのを、ぼくは見たことがなかった。

父は黙ってアームチェアから立ちあがり、ぼくを強く抱きしめた。

ぼくは胸がいっぱいで、声をつまらせたきり、なにも言えなかった。

一九五〇年－一九五四年——人は見かけによらない

一

あの年の秋、枯れ葉がくるくる風に舞いながら、バルセロナの通りという通りにヘビの皮模様のマントを敷きつめていった。誕生日の遠い夜の記憶は、ぼくに冷静な思考をもたらした。あるいは、ぼくがちゃんと大人になりはじめるように、人生が、この茶番劇的悲しみにしばらく休養をあたえてくれたのかもしれない。

　自分でも驚くほど、クララ・バルセロのことも、フリアン・カラックスのことも思い出さなかったし、紙の焦げたにおいがする顔のない男、本のなかから抜けだしてきたみたいな、あの不気味な人物のことも思いださなかった。自制心をもつようになって十一月ですでに一カ月、窓のむこうにちょっとでもクララの姿を見るために、物欲しげにレイアール広場に出かけるようなことは、これまでいちどもなかった。ただ告白すると、それはけっして、ぼくひとりの手柄ではない。商売が上向きで、父とふたりして、休みもとれないほど忙しかったからだ。

「この調子だと、注文本をさがすのを手伝ってくれる人間を、ひとり雇わなくちゃならんなあ」と父は相談をもちかけてきた。「ただし、かなり特別な人材がいる。探偵と詩人の素質が半々にあって、安い給料でもひきうけてくれて、不可能な使命にも驚かないような人でなきゃいけないからな」

「だったら、いい候補者を知ってるよ」とぼくは言った。

　フェラン通りにあるいつものアーチのしたで、ぼくはフェルミン・ロメロ・デ・トーレスを見つけた。彼は「月曜号外《オハ・デル・ルーネス》」の紙片をゴミ箱からひろい集めて、第一面をつなぎあわせているところだった。その日の新聞は、独裁政権が進める国家の公共事業と開発について書かれていた。

「ちくしょう！　また新しいダムだと？」と、フェルミンが叫ぶのがきこえた。「このファシストの犬どもは、おれたちをことごとく聖人か、カエルにでもしちまうつもりらしい」

「おはようございます」とぼくはそっと言った。「ぼくのこと、覚えてますか？」

　ホームレスの男は目をあげた。顔がとびっきりのほほ笑みで輝いた。

「おや、これは、これは！　やあ、きみ元気だったですか？　わたしに赤ワインを一杯ごちそうさせてくださいよ、ね？」

「きょうは、ぼくがごちそうしますよ」とぼくは言った。「食欲ありますか？」

「そりゃ、魚介類《シーフード》でもごちそうしてくれるっていやあ、もちろんノーとは言わんですがね。でも、ご招待なら、なんだってありがたく受けますわ」

　うちにむかう途中、フェルミン・ロメロ・デ・トーレスは、ここ数週間、警察の追跡、とくにフメロとかいう刑事の目をくらますために実行した逃亡作戦について、くわしく報告しはじめた。生涯のかたき《ネメシス》とも言えるこの刑事とのあいだには、長い戦いの歴史があるらしい。

「フメロ?」とぼくはきいた。内戦がはじまったころ、モンジュイックの要塞でクララ・バルセロの父親を殺害した男が、たしかそんな名前だったことを思いだしたからだ。

顔色を蒼くしておびえながら、フェルミンはうなずいた。

彼は腹をすかせているようだった。薄汚いし、長いホームレス生活の悪臭が体にしみついている。気の毒なこの男は、自分がどこにつれていかれるのか見当もつかないのだろう。びくついた目をして、高まる不安を隠しでもするように、いっしょうけんめいしゃべりまくっているのがよくわかった。店につくと、彼は心配そうな目をこちらにむけた。

「さあ、入ってください。ここは父の店なんですよ。あなたを父に紹介しようと思って」

フェルミンは身を細くしてちぢみあがった。ひとつかみのあかと、ひと束の神経だけになったみたいな感じだ。

「だめ、だめ、それはいけませんよ。わたしは人様のまえに出られるような人間じゃないし、だいいち、ここは格式ある書店ですよ。きみを辱《はずかし》めることになりますから……」

そのとき、父が入り口から顔をだした。ホームレスの男に目をやって、それからぼくをちらりと見た。

「お父さん、彼、フェルミン・ロメロ・デ・トーレスさんだよ」

「どうぞ、よろしくお願いします」と、ほとんどふるえ声で、フェルミンは言った。

父は涼しげにほほ笑んで、彼に手をさしだした。でも、フェルミンは父の手をにぎろうとしなかった。自分の身なりと、あかまみれの体を恥じていたのだ。

「すみませんが、わたし、やっぱり失礼させてもらいますよ」と、彼は口ごもった。

父はフェルミンの腕をそっとつかんだ。

「そりゃいかんな。あなたがいっしょに食事するって、息子がわたしに言ったんですから」

ホームレスの男は呆然とぼくを見た。おじけづいているらしい。

「さあさあ、なかに入って、まずはひと風呂いかがですか?」と父は言った。「そのあと、もしよければ、ぼちぼち歩いて、『カン・ソレ』に飯を食いにいこうじゃないですか」

フェルミン・ロメロ・デ・トーレスは、なにやら意味不明の言葉をつぶやいた。父はほほ笑みを絶やさずに、店の脇のアーチをくぐって、広場の玄関口のほうにフェルミンをみちびいた。そして、ぼくが店を閉めているあいだに、文字どおり彼をひきずって、二階にあるぼくらのピソにつれていった。

精いっぱいだましたりすかしたりしながら、父とぼくは、どうにかフェルミンをバスルームにおしこんで、ぼろ着を無理やりはぎとった。彼の裸をまえにすると、戦時中の写真でも見ている気がした。フェルミンは、全身の毛をむしりとられた鶏みたいにブルブルふるえていた。くるぶしと手首にくいこんだような深い傷痕がある。胴も背中も生々しい傷でおおわれていて、見ているだけで、こちらのほうが痛みを感じた。父とぼくはぞっとして視線をかわした。でも、ふたりとも無言でいた。

ホームレスの男はびくついたり、ふるえたりしながらも、子どもみたいに素直に体を洗わせた。ぼくが収納箱のなかから着替えをさがすあいだ、父が彼に話しつづけている声がきこえてきた。父が着なくなったスーツと、古いワイシャツ、それに下着が見つかった。フェルミンがもっていた服も靴も、役に立ちそうにない。サイズが小さくて父がもう履かない靴を一足えらんだ。新聞紙に彼のぼろ着をつつみ、ついでに、派手な色あいのズボンと、カチカチになった生ハムの残りもいっしょにして、ゴミ箱に放りこんだ。

　バスルームにもどると、父がフェルミンのひげをそってやっていた。肌が蒼白く、石鹸のにおいのする彼は、二十ぐらい若がえって見えた。どうやら、ふたりは仲よくなったらしい。入浴剤の効果だろうか、フェルミンは興奮してしゃべりまくっていた。

「ねえ、きいてくださいよ、センペーレさん。運命がさ、このわたしを国際諜報機関の世界なんかに引きずりこまなきゃ、正直言って、得意な人文の世界で生きてましたよ。こう見えても、小さいころから詩にひかれてね、ソフォクレスか、ウェルギリウスみたいになりたかったんです。ギリシャ悲劇とかラテン語とかが、ぞっとするほど好きなんだなあ。でも、うちの親父がさ、もう死んじまいましたけどね、視野のせまい頑固もんで、子どものうち誰かひとりでもいいから、治安警察隊《グアルディア・シビル》に入れたいって言ってたんですよ。わたしには七人姉妹《きょうだい》がいたんですが、女性だからっていうだけで、誰ひとり入隊が認めてもらえんのです。母方の遺伝で、うちの家系の女はみんな、顔に毛が生えているのにですよ。そんなわけで、親父の死に際に、わたしが誓いをたてさせられた。治安警備隊の三角帽子をかぶるまでいかなくても、せめて役人になります、文学に生きようとする夢はいっさい放棄します、ってね。わたしゃ古い人間だから、たとえロバみたいな親父だって、そりゃ、したがわなきゃならんと思ってましたよ。わかるでしょ？　でもね、それだからって、血気盛んなころに知的活動をなおざりにしたとは思わんでくださいよ。これでも物はけっこう読んだほうだし、カルデロンの『人の世は夢』の最高の箇所を、そらで言うことだってできるんですから」

「ねえ、よかったら、この服を着てもらえませんか？　あなたの博識は、ここではもう承認ずみですから」と、ぼくは父に助け舟をだした。

　フェルミン・ロメロ・デ・トーレスのまなざしが、はちきれんばかりの感謝をたたえていた。彼はぴかぴかになって、風呂から出てきた。父が全身をタオルでおおってやった。皮膚の組織がすっかりきれいになったのを感じたらしい、ホームレスの男は純粋な悦びの笑いを放った。ぼくは、彼が替えの服を着るのを手伝った。サイズが十ほど大きい。父が自分のベルトをはずして、フェルミンのウエストをしめるようにと、ぼくにさしだした。

「あなた、なかなかいい男ですよ」と父が言った。「な、ダニエル、そう思わんか？」

「これなら、映画スターに見られてもおかしくない」

「なにをおっしゃる。わたしは、もうそんな年じゃないですよ。ヘラクレスみたいに隆々とした筋肉は、刑務所にいるうちに、すっかり削げちまったし、あのころから……」

「でも、わたしには、シャルル・ボワイエに見えるなあ。体つきがいいし」と父が返した。

「そうそう、それで思いだしたが、じつは、あなたにお願いしようと思ったことがあるんですよ」

「センペーレさん、なんでもやらせてください。あなたに頼まれりゃ、人だって殺しますよ。

名前だけ言ってください。そうすりゃ、そいつが苦しまないように、きれいに殺《や》ってみせますぜ」

「いや、そこまでしなくていいんですよ。あなたにお願いしたいのはね、じつは書店の仕事なんです。うちのお客さんのために、稀《き》覯本《こうぼん》をみつける仕事です。ほとんど考古学発掘の文学版みたいなもので、古典の知識と、ヤミの商売の基本的なテクニックがいる。給料はたいしてお支払いできないが、食事はわれわれといっしょにすればいいし、いい下宿がみつかるまで、よければ、ここに泊まってくださっていいんですよ」

ホームレスの男は父とぼくを見た。黙っている。

「いかがです？」と父はきいた。「ぼくらのチームに入ってくださいますか？」

彼がなにか言いそうに見えた。でも、そう思った瞬間に、フェルミンは、いきなりわっと泣きだした。

最初にもらった給料で、フェルミン・ロメロ・デ・トーレスは、風変わりな帽子と雨靴を買った。それから、父とぼくに、どうしてもオックステールのシチューをごちそうしたいと言ってきかなかった。モヌメンタル闘牛場の二本先の通りにあるレストランで、毎週月曜日に、このメニューが出るらしいのだ。

そのころすでに、父はフェルミンに、ホアキン・コスタ通りのまかないつきの下宿を世話していた。ぼくらの上階に住むメルセディータスが、オーナーの女性と懇意にしていたおかげで、警察に提出する居住者記録にフェルミンの名を記入せずにすんだというわけだ。ぼくらにしてみれば、彼がここにいるということを、フメロ刑事にも手下にも嗅ぎつけてほしくなかった。時どき、フェルミンの全身をおおう痛々しい傷のことを思いだし、あの傷のことをたずねてみたい衝動にかられた。ひょっとして、フメロがその件になにか関係あるんじゃないかと気がかりだったからだ。でも、気の毒なフェルミンの目には、なにもきかないではしいとでも言いたげな色がただよっていた。いつか彼がその気になったら、ぼくらに話してくれる時がくるのだろう。

毎朝七時ちょうどに、フェルミンは店のまえで、父とぼくを待っていた。すきのない着こなしで、いつでも口もとにほほ笑みをたたえ、休みなしに一日十二時間、いやそれ以上でも働く気合だ。ギリシャ悲劇の傑作によせる情熱が薄れたわけではないが、チョコレートとロールケーキに異常に目がないことを発見し、おかげで体重もいくらかふえた。伊達男ふうの格好をして、ポマードで髪を後ろになでつけ、いま流行りのチョビひげを生やしている。

あの風呂から出て三十日後に、彼はもう、かつてのホームレスとは似ても似つかない男になっていた。ところが、これほどの驚くべき変身以上にフェルミン・ロメロ・デ・トーレスがぼくらを啞然とさせたのは、仕事場という戦場においてだった。彼の探偵的直感は、熱にうかされた空想のしわざと思えないでもないが、ともかく外科手術の正確さなのだ。フェルミンの手にかかると、どんな珍本の注文でも、数時間とは言わないまでも、数日あれば解決した。彼の知らないタイトルはなかったし、思った値で購入できない本を獲得する戦術にも事欠かなかった。フェルミンは、いつも架空の人物をよそおって、ペアルソン通りにある名家の夫人たちの個人図書館にうまく入りこんだり、達者な弁を駆使して騎馬サークルの愛好家たちに近づき、目的の書物を無料で入手するか、ただみたいな値段で手にいれた。

　ホームレスの模範的市民への変身は、奇跡みたいに思えた。神の限りない慈愛を強調してみせるために、貧しい教区教会の司祭たちがとくとくと語る、あの奇跡の物語だ。もっとも、司祭の話のほうはあまりにできすぎていて、ぼくに言わせれば、路面電車の壁に貼られた養毛剤の広告とたいして変わらない。

　フェルミンがうちの店で働きはじめて三カ月半後、ある日曜日の夜中の二時に、わが家の電話が、眠っていたぼくたちをたたき起こした。フェルミンが間借りしている下宿のオーナーからだった。ロメロ・デ・トーレスさんは内側から鍵をかけて部屋に閉じこもり、どうかしてしまったみたいに叫んでいる、壁を激しくたたいて、もし誰かが部屋に入ってきたら、その場ですぐ、ボトルの破片で首をかき切って自殺してやると言っているんです、と、彼女はとぎれとぎれの声で説明した。

「どうか、警察は呼ばないでください。いますぐ行きますから」

　父とぼくは大急ぎで家をとびだして、ホアキン・コスタ通りをめざした。冷たい風が身にしみる寒い夜でタールを流したような空がひろがっていた。ぼくらは「慈悲の家《カサ・デ・ラ・ミセルコルディア》」と「哀れみの家《カサ・デ・ラ・ピエダッド》」のまえを走って通りすぎた。糞尿や炭のにおいがする暗い玄関先から、視線やら、ささやき声がながれてきても、気にもとめなかった。

フェルランディーナ通りからホアキン・コスタ通りに曲がる角についた。通りが黒ずんだ蜂の巣の穴みたいに横たわり、ラバル地区の暗闇に溶けこんでいる。オーナーの長男が表に出て、ぼくらを待っていた。

「もう警察を呼んじゃいましたか?」と父はきいた。

「いえ、まだです」と息子は答えた。

父とぼくは階段を駆けあがった。下宿は三階だ。手あかだらけの階段が螺旋状にのぼり、むきだしの電線から力なくぶらさがる裸電球の黄土色っぽい明かりが、かろうじて見える。治安警備隊の分隊長だった夫を亡くして、この下宿を経営するドニャ・エンカルナは、玄関でぼくらを出迎えた。空色のガウンを着て、頭に揃いの色のヘアカーラーを巻いている。

「ちょっと、センペーレさん、この家はねえ、ちゃんとした由緒ある下宿なんですよ。入りたいって申し込みはいくらでもあるんですから。あたしだってね、なにも、こんなみじめな人たちの面倒を、がまんしてみなきゃいけない理由はないですわ」と、湿気とアンモニアのにおいのする暗い廊下を、ぼくらの先に立って歩きながら、彼女は言った。

「おっしゃるとおりです」と父がつぶやいた。

フェルミン・ロメロ・デ・トーレスの叫び声が、壁をひき裂くように、廊下の奥からきこえてくる。半開きのドアのすきまから、やつれた顔や、おびえた顔がいくつものぞいていた。薄めたスープをあてがわれている下宿人たちの顔だった。

「さあさ、ほかの人たちはお休みの時間だよ、ちくしょう、『エル・モリーノ』のお笑い芝居じゃあないんだからね」と、ドニャ・エンカルナは怒りの声をはりあげた。

ぼくたちは、フェルミンの部屋のまえで足をとめた。父が静かにコツコツとドアをノックした。

「フェルミン？　いますか？　わたし、センペーレですよ」

遠吠えのように悲痛な叫びが壁をつたい、ぼくは心の凍る思いがした。あのドニャ・エンカルナまでが、きびしい寮母の態度をくずして、豊かな乳房のひだのあいだに隠れた心臓に思わず両手をやった。

父がもういちど呼んだ。

「フェルミン、さあ、あけてくださいよ」

フェルミンは、またうなり声をあげた。壁にむかって体をぶつけ、声がかれるほど激しいどなり声で猥褻な言葉を叫んでいる。父はため息をついた。

「この部屋の合鍵はありますか？」

「ええ、もちろん」

「じゃあ、貸してください」

ドニャ・エンカルナは迷った。他の下宿人たちが、またドアのすきまからのぞいている。みんな、おびえて真っ青だ。こんな叫び声では、軍司令官邸《カピタニア》までとどきかねない。

「ダニエル、おまえは、バロ先生を呼びにいきなさい。このすぐそばだ。リエラ・アルタ通りの十二番地だよ」

「ねえ、ちょっと、神父さんを呼んだほうがいいんじゃありませんか？　あたしには、悪魔つきみたいにきこえますけど」と、ドニャ・エンカルナが提案した。

「いや、医者でじゅうぶんですよ。さあ、ダニエル、急げ。エンカルナさん、お願いです、鍵を貸してください」

バロ医師は不眠症の独身者で、退屈しのぎに、ゾラを読んだり、下着姿の女たちの立体写真をながめて夜をすごしていた。父の店の得意客で、二流のもぐり医者と自称しているが、ムンタネル通りあたりで診療所をかまえる気どった医者連中の半分も、彼ほどには正確な診断をくだす目をもっていない。患者のほとんどが、この地区に住む熟年の売春婦や、診療費も払えないほど不幸な人たちだが、彼は誰かれの区別なく手当した。この世は溲瓶《しびん》とおんなじだ、たったいちどでいいから、バルセロナのサッカーチームがリーグで優勝するのを見とどければ、このおれも心おきなく死ねるだろう、そういう彼の言葉を、ぼくはいちどならず耳にしたものだ。

医者はガウン姿でドアをあけた。ワインのにおいをプンプンさせて、火の消えたタバコを口にくわえている。

「ダニエルじゃないか」

「父の使い走りで来たんです。急患なんですよ」

バロ医師といっしょに下宿にもどると、ドニャ・エンカルナが心からおびえたように、すすり泣いていた。ほかの下宿人は古びたろうそくみたいに顔色を失い、部屋のすみでは、父がフェルミン・ロメロ・デ・トーレスを両腕に抱きかかえていた。

フェルミンは裸で、恐怖にふるえて泣いていた。部屋のなかはめちゃめちゃで、血か排泄物かわからないが、ともかく壁がべっとり汚れている。バロ医師は状況をざっと見てから、父にむかって、フェルミンをベッドに寝かしつけるようにと合図した。ドニャ・エンカルナの息子がふたりに手をかした。ボクサー志望の青年だ。フェルミンはうなり声をあげて、害獣が自分の内臓を食いちぎりでもしたように、全身を痙攣させた。

「それにしても、このかわいそうな人は、いったいどうしたっていうの? ああ、なにがどうしちゃったのかしら?」と、ドニャ・エンカルナは涙声で言いながら、ドアのところで頭をふった。

医者はフェルミンの脈をとり、ペンライトで瞳孔を調べてから、なにも言わずに、医療かばんに携帯するアンプルをとりだして、注射の用意をした。

「彼をおさえてください。これで眠らせることができる。ダニエル、きみも手伝ってくれ」

ぼくらは四人がかりでフェルミンをおさえつけた。筋肉に注射針を感じて、フェルミンは激しく体をふるわせた。鋼のケーブルのように、全身の筋肉がぴんと張った。が、すぐに目がどろんとなって、体が動かなくなった。

「ちょいと、気をつけてくださいよ。この人は意気地《いくじ》なしなんだから、ちょっとのことで、簡単に死んじまいますよ」と、ドニャ・エンカルナが言った。

「ご心配なく。眠ってるだけですから」と言いながら、医者はフェルミンのやせこけた体をおおう傷を調べた。

　彼が無言で首をふるのを、ぼくは見た。

「ちくしょうめ！」と医者はつぶやいた。

「それ、なんの傷なんです？」とぼくはきいた。「切り傷かなんかですか？」

　バロ医師は視線をおとしたまま、首を横にふった。そして、ごったがえした部屋のなかから毛布をさがしだして、患者の体にかけてやった。

「火傷だよ。この男は拷問をうけたんだ」と医者は説明した。「この傷は、金属の溶接につかうブローランプでやられた痕《あと》ですよ」

　フェルミンは二日間眠りつづけた。起きたときは、もうなにも覚えていなかった。ただ、暗い独房で目がさめたのかと思っただけで、あとはなにもない。

　彼は自分のやったことに深く恥じいって、ドニャ・エンカルナのまえにひざまずいてあやまった。下宿の壁をきちんと塗り直すこと、それに、彼女が信心深いのを知っているので、ドニャ・エンカルナのために、ベトレム教会で十回ミサにあずかることを固く誓った。

「いいから、ともかく、まず体を休めることですよ。それと、これ以上驚かさないでくださいよね。あたしはもう年なんですから」

　父は部屋の破損分を支払って、フェルミンにもういちどチャンスをあたえてやってほしいと、ドニャ・エンカルナに頼んだ。彼女は快くひきうけた。間借り人のほとんどが、彼女同様貧しくて、どこにも身寄りのない人たちばかりだったのだ。

いったん驚きから立ち直ると、ドニャ・エンカルナは、以前にましてフェルミンをかわいがるようになり、バロ医師が処方した錠剤をきちんと呑みつづけるように、彼に約束させることまでした。

「エンカルナさん、あなたに言われれば、わたし、レンガだって呑みこんでみせます」

時とともに、ぼくらはみんな、あの出来事を忘れたようなふりをした。でもぼくは、フメロ刑事の過去について、もう軽く受けながすことはできなくなっていた。

あのエピソード以来、フェルミンをひとりにしておかないように、父とぼくは、ほとんど毎日曜日、午後のティータイムに彼をカフェ・ノベダーデスにつれていき、そのあと、ディプタシオン通りとグラシア通りの角にあるフェミナ映画館まで歩いていった。案内係のひとりが父の知り合いで、ニュース映画《ノー・ドー》の最中に、ぼくらを火災用の避難口から一階前方の席にこっそり入れてくれるのだ。シーンはいつもきまっている。新しいダムの開幕式でフランコ総統がテープカットをする瞬間だ。その映像は、フェルミン・ロメロ・デ・トーレスの神経を逆なでした。

「恥知らずめが」と、憤慨して彼は言った。

「ねえフェルミン、映画は好きじゃないんですか?」

「ここだけの話ですがねえ、この映画ってやつは、どうもシラケて、いかんのです。わたしが思うに、これは頭のからっぽな庶民をもっとバカにするための給食《エサ》でしかない、サッカーや、闘牛よりまだ悪いですよ。映画技術なんて、文字の読めない大衆を楽しませるための発明品として生まれたが、五十年たったって、たいして変わっちゃいないですからね」

ところが、この猜疑心は、フェルミンがキャロル・ロンバードを発見した日に、劇的に変換した。

「おーお、すげえバスト！　なんてこった、すげえボインだぜ！」と、放映の真っ最中に、フェルミンはとりつかれたように叫んだ。「こりゃ、オッパイなんて、なまやさしいもんじゃねえ。まるで帆船ですな！」

「黙りなさい、このスケベ男！　でなきゃ、いますぐ係の人を呼びますよ」と、ぼくらの二列ぐらい後ろの席から、教会の告解室でささやくみたいな低い声がきこえてきた。「恥を知りなさい、恥を。まったく、この国はブタだらけだわ」

「ちょっと声を小さくしたほうがいいですよ、フェルミン」とぼくは助言した。

だが、フェルミン・ロメロ・デ・トーレスは、ぼくの言うことに耳をかそうとはしなかった。奇跡的なあの胸もとのゆるやかな揺れに、すっかりわれを失って、口の端にでれっと笑みをうかべ、目はテクニカラーにくぎづけになっていた。そのあと、グラシア通りを歩いて家にむかうあいだも、われらが書物の探偵は、まだトランス状態からぬけきっていなかった。「あなたに、誰かいい女性を見つけてあげなきゃいけないですね」とぼくは言った。「女性がいれば、人生も楽しくなるでしょ」

フェルミンはため息をついた。彼の頭のなかでは、たわわにゆれる重力の法則の映像が、いまだに回りつづけているのだ。

「きみ、それ、経験から言ってるんですか、ダニエル?」とフェルミンは無邪気にきいた。

ぼくは、にこっと笑うだけにしておいた。父が横目で見ているのがわかったからだ。

あの日以来、フェルミン・ロメロ・デ・トーレスは、毎日曜日、映画を見にいくようになった。父は家にいて本を読んでいるほうをえらんだが、フェルミンは、ひとつの上映も逃さない。彼はチョコレートを山ほど買いこんで、十七列めの席でむさぼり食いながら、その日の主演女優が彗星のごとく登場するのを待ちつづけた。フェルミンにとって映画の筋はどうでもよく、とにかく豊かなシンボルをもつ女性がスクリーンいっぱいにひろがるまで、おしゃべりをやめなかった。

「女性をさがしてくれるっていう、このまえ、きみに言われたことを考えてたんですがね」とフェルミンは言った。「たぶん、きみの言うとおりだと思うんですよ。うちの下宿に新顔が入ってねえ、セビリア出身の元神学生で、けっこう洒落っけのある男なんですが、こいつがまた、すげえいい女たちをつれてくるんだなあ。いや、人類もずいぶん改良されたもんですよ。どうやったら、あんなふうにうまくやれるんだか、わかりませんがね。だって、あの若造ときたら、見かけなんてぜんぜん大したことない。きっと『主の祈り』とかで、女をボーッとさせちゃうんだろうなあ。部屋がわたしの隣だから、あちらの様子が全部きこえてくるんですが、それから判断するに、あの修道士は相当巧みなもんですよ。まあ、制服がモノをいうんでしょうな。ところで、ダニエル、きみは、どんな女が好みなんです?」

「ぼく、女性のことは、そんなによく知らないんです、ほんとですよ」

「まともに女を知っているやつなんていませんよ。かのフロイト博士はおろか、女たち自身でさえ、わかっちゃいないんだ。でもね、これって電気みたいなもんじゃないですか。どうすれば指にビリビリッてくるかなんて、知る必要もない。さあ、きみ、どんな女がいいのか、白状しなさいよ。わたしはね、はっきり言わせていただければ、いかにも女って感じの体がいいねえ。ちゃんとつかむ場所がある女ですよ。でもきみは、どっちかってば、やせたタイプが好みとちがいます？　そういう見方も、もちろん大いに認めますがね。いや、悪く思わんでくださいよ」

「正直言うと、ぼく、ほとんど経験がないんです。っていうか、ぜんぜんないんですよ」

フェルミンは、じっくりとぼくを見た。ぼくの禁欲の表明を、どうやら疑っているらしい。

「わたしは、またてっきり、あの夜の一件が、ほら、きみが殴られたのが……」

「平手打ちをくらうより、ひどい痛みだってありますから……」

フェルミンはぼくの考えを読んだらしい、ぼくに味方するように、にっこりした。

「ねえ、気を悪くしないくださいね。でも、なにがいちばんいいって、ちょっとずつ女を発見していくことなんです。だって、初体験にくらべられるもんなんて、ぜったいにないですから。人生ってなにかを知るのは、生まれてはじめて女の服をぬがせたときなんだなあ。真冬の夜にホカホカの石焼いもの皮をむくみたいにして、服のボタンをひとつ、ひとつはずしていくんですよ、アアアアア……」

そのうちに、ベロニカ・レイクがスクリーンに登場して、フェルミンは別次元に行ってしまった。

ベロニカ・レイクがひっこんだ場面を見はからい、フェルミンは、おやつのストックを確保するので、ちょっとホールの売店まで行ってくるという。彼は飢えで苦しむ歳月のあいだに節度の感覚というものを失っていたが、電球みたいな新陳代謝のおかげなのだろう、内戦直後を彷彿させる、しじゅう腹をすかせたような、あのやせこけた体つきをいまだに保ちつづけていた。

ぼくはひとりで席に残ったが、スクリーン上の動きはほとんど追っていなかった。クララのことを考えていた、と言ったら嘘になる。なぜって、ぼくが考えていたのは、彼女の体のことだけだったのだから。音楽教師に組みしだかれて、ふるえている体。汗と快楽に輝いている、彼女の肉体のことしか頭になかったのだ。

スクリーンからふと目が離れたとき、いま入ってきたばかりの観客がいるのに気がついた。その人影が、一階前方の中央まで進んで、ぼくらの六列まえの席に腰をおろすのが見えた。映画館にはひとりぼっちの人間がたくさんいるんだな、と考えた。そう、ぼくみたいにだ。

映画のストーリーがどんな展開になっているのか、もういちど集中して見ようとした。シニカルだが、情にあつい探偵役の主人公が、脇役の人物にむかって、ベロニカ・レイクみたいな女性は、なぜ模範的な男たちを骨抜きにしてしまうのか説明していた。それでもなお、男たちは、絶望的なまでにこういう女を愛してしまう。そして、最後には不義をはたらかれ、裏切られて死んでいくのだ。映画評論にかけてすでにプロ級のフェルミン・ロメロ・デ・トーレスは、この手のストーリーを「カマキリのお話」と名づけていた。彼に言わせると、こういう映画は、便秘の悩みをもつさえない事務員や、悪癖におぼれて思いきり淫らな生活をしてみたいと夢みる、ひまをもてあました貞女のためにつくられた、男尊女卑思想にもとづく妄想でしかない。もしいま、甘いものを買いに売店に行っていなければ、評論家たる友人は、またおなじコメントをしただろう。そう想像して、ぼくは思わず笑みをうかべた。

　ぼくのその笑みは、だが一瞬にして凍りついた。六列まえにすわった観客が後ろをむいて、こちらをじっと見つめているのだ。映写機の発する霧状の光線が、館内の闇をつらぬく。ちらちら輝く光の筋は、線や色のしみをスクリーンにほとんど描かない。ぼくは瞬間的に、それが顔のない男だとわかった。ライン・クーベルト……。まぶたのない目が鋼のように光っている。男は闇のなかで笑みをうかべ、くちびるのない口をぺろりとなめまわした。

　胸のうえでにぎりしめる拳の指先が冷たくなっている。突然、二百ものバイオリンをかき鳴らしたかの大奏音がスクリーン上で爆発し、銃声と叫びが飛びかって、場面は瞬時に黒に溶けた。一階席は漆黒の闇に沈み、その暗闇のなかで、こめかみをどくどくと打つ自分の脈の音だけがきこえてきた。ゆっくりと、つぎのシーンが映しだされ、館内の闇が、蒼や紫の蒸気に似た薄暗がりに変わっていった。

　顔のない男は消えていた。ふり返ると、シルエットが通路を離れていき、フェルミンとすれちがうのが見えた。食料狩り《サファリ》からもどってきた彼は、列のなかに入って、自分の席についた。アーモンドチョコをさしだしながら、フェルミンはちょっと口をつぐんで、ぼくを見た。

「ダニエル、きみ、修道女のお尻みたいに真っ白な顔してますけど、だいじょうぶです?」

見えない空気が、一階席にふわりとただよった。

「へんなにおいがする」とフェルミンが言った。「くさったおならみたいだ。こりゃ、公証人か、弁護士のおならですよ」

「ちがう、紙の焦げたにおいだ」

「さあ、ほら、レモン味のスグスでも食べて。これで、スキッとしますよ」

「いや、いま、いらないです」

「じゃあ、しまっておきなさいよ。スグスがいつ救ってくれないともかぎりませんから」

ぼくは上着のポケットにそのキャラメルをしまい、映画の続きにながされたが、ベロニカ・レイクにも、彼女の破壊的魅力の犠牲者たちにも、神経がいかなかった。フェルミン・ロメロ・デ・トーレスは、映画のシーンとチョコレートにどっぷり浸かっていた。

映画がおわって館内が明るくなったとき、ぼくは悪い夢からさめたような気がした。一階前方の席にあの人物がいたというのは、ただの幻想で、記憶のいたずらだと思おうとした。だが、暗闇のなかで男が投げかけた視線は、それだけで、ぼくへのじゅうぶんなメッセージになった。

彼はぼくを忘れていない、そして、ぼくらの約束も忘れていないのだと。

二

フェルミンがうちの店にきた効果は早々にあらわれた。ぼく自身の自由な時間がふえたことだ。客の注文にこたえるために珍本狩りに出かける以外の時間、フェルミンは、在庫を整理したり、地域での宣伝に関する戦略を練ったり、看板やガラスをきれいにみがいたり、アルコールを布にふくませて本の背のつやだしをしたりした。そんなわけで、ぼくは、ここしばらくなおざりにしていたふたつのことに自由な時間をあてることにした。フリアン・カラックスの謎を追いかけること、それに、友人のトマス・アギラールと、もっといっしょにいるようにすることだ。彼のことがなつかしかった。

トマスは控えめで思慮深い少年だが、にらみがきく強面《こわもて》をしているので、周囲は彼を敬遠していた。レスラーなみの体格で、古代ローマの剣闘士みたいな肩をして、まなざしは鋭くきびしい。ぼくらが知りあったのは、もう何年もまえ、カスペ通りにあるイエズス会士の学校に入学した最初の週に、けんかをしたあとだった。その日の終業時、息子を迎えにきたトマスの父親が気どった女の子をつれていて、それが、じつはトマスの妹だった。そうとは知らないぼくが、彼女をからかってやろうというバカな考えをおこしたのだ。ぼくがまばたきするより速く、トマスがぼくに躍りかかってきてパンチをあびせ、おかげで何週間も傷がうずきつづけた。トマスは、体も力も獰猛さも、ぼくの二倍だった。血を見るけんかがしたくてウズウズする学童たちにかこまれた、あの中庭での格闘の最中に、ぼくは歯を一本失い、体の大きさの感覚というものをはじめて思い知らされた。誰にあれほどこてんぱんにやられたのか、父にも、学校の神父たちにも言いたくなかったし、けんか相手の父親が、息子のパンチぶりを満足げにながめながら、ほかの少年たちといっしょになって盛んに拍手を送っていたことも、説明したいとは思わなかった。

「ぼくが悪かったんだ」と、ぼくは言い、この一件にけりをつけた。

三週間後、トマスが、休み時間にぼくのところにやってきた。ぼくは死ぬほど怖くて、そこでじっとしていた。こいつめ、最後のとどめを刺しにきやがったな、と思ったのだ。彼は、なにやらぶつぶつ言いはじめた。ぼくはすぐ、トマスがぼくを殴ったことについて、ただ詫びを入れにきただけなんだと理解した。一方的で不当な闘いだったことを、彼は承知していたらしい。

「あやまらなきゃいけないのは、ぼくのほうだよ。きみの妹にちょっかいをだそうとしたんだから」とぼくは言った。「ほんとは、このあいだ、そう言おうと思ったんだ。でも、きみに殴られて、しゃべれなかったんだよ」

トマスはうつむいていた。恥じているようだった。いつも魂がぬけたみたいに学校の教室や廊下をうろうろしている、この気弱で無口な大男を、ぼくは見つめた。ほかの子たちはみんな――その筆頭は、ぼくだったが――トマスのことが怖くて、誰も声をかけたり、目をあわせようとはしないのだ。

彼は視線をおとしたまま、ほとんどふるえ声で、友だちになってくれないかと、ぼくにきいた。いいよ、とぼくは答えた。彼が手をさしだしたので、ぼくはにぎりかえした。彼の握手は痛かったけれど、ぼくはじっとがまんした。その日の午後、おやつの時間に、トマスはぼくを家に招いて、自分の部屋にある部品やガラクタでつくった奇妙な装置のコレクションを見せてくれた。

「これ、みんな、ぼくがつくったんだ」と、彼は得意げに説明した。

それがなんの装置か、なにをしたくてつくったのか、まったくわからなかった。でも、ぼくはなにも言わずに、ただ感心してうなずいた。年のわりに体の大きすぎる、あのひとりぼっちの少年は、真鍮で自分の友人をつくりだし、それをはじめて紹介したのが、このぼくだったんじゃないかと思えたからだ。あれはみんな彼の秘密だったにちがいない。ぼくは彼に、母のことを話した。母がいなくて、どれだけ淋しいかを話した。ぼくが声をつまらせると、トマスは黙ってぼくを抱いてくれた。当時ぼくらは十歳だった。あの日以来、トマスはぼくのいちばんの——そして、彼にとって、ぼくはたったひとりの——友だちになった。

見た目は攻撃的な感じがするけれど、トマスは穏やかで、やさしい心をもっていたし、あの外見のおかげで、誰かとぶつかることもなかった。言葉がつかえて流暢《りゅうちょう》に話せないところがあって、自分の母親か、妹か、ぼく以外の人と話すときは、とくにその傾向がひどい。それでも、ぼくらと話すときは、ほとんど問題なかった。奇抜な発明や、機械仕掛けの装置に夢中になるやつで、どんな装置でも端から解体してしまう趣味があることに、ぼくはすぐ気づかされた。蓄音機から加算器にいたるまで、その秘密をさぐるために、ぜんぶバラバラにしてしまうのだ。ぼくといっしょにいるか、父親の手伝いをする以外の自由な時間、トマスはほとんど自分の部屋に閉じこもって、理解できない仕掛けをつくっていた。ただ、あれほどありあまる知力をそなえていながら、彼の場合は、いかんせん、実用感覚に欠けている。現実の世界では、グランビア通りの信号機の同調性《シンクロナイズ》だとか、モンジュイックの丘にある照明つき噴水や、ティビダボ遊園地のからくり人形の謎に、もっぱら興味が集中しているらしかった。

　トマスは毎日午後、自分の父親の事務所で働いて、たまに外に出るときは、うちの店に立ちよった。父はトマスの発明に興味をしめし、機械装置のマニュアルとか、トマスが崇拝する発明家のエッフェルやエディソンなどの伝記を、事あるごとに彼にプレゼントした。年月とともに、トマスはぼくの父をとても慕うようになり、父のために、古い扇風機の部品をつかって、書籍の目録カードをファイルする自動装置をつくりだそうとした。これがまた、永遠に完成しそうもない代物なのだ。彼は足かけ四年、このプロジェクトに取り組み、父のほうはトマスのやる気をそがないように、その進捗《しんちょく》ぶりに強い興味を見せつづけた。ぼくははじめ、この友人にフェルミンがどんな反応をしめすか心配だった。

「あなた、ダニエルの発明家のお友だちですね。ごあいさつできて光栄です。わたし、フェルミン・ロメロ・デ・トーレスと申しまして、〝センペーレと息子書店〟の書籍アドバイザーをしております。どうぞ、よろしくお見知りおきのほどを」

「ト、トマス・アギラールです」と、口ごもりながらトマスは言い、フェルミンがさしだす手を、笑顔でにぎりしめた。

「おっと、気をつけてくださいよ。あなたのは、手というより、プレス機械だ。いや、わたしは、書店の仕事のために、バイオリン奏者みたいに繊細な指がいるもんでね」

トマスは、ぱっと手をはなして、フェルミンにあやまった。

「ところで、トマスくん、フェルマーの最終定理について、どんな意見をもってますか？」と、フェルミンは指をこすりながらきいた。

不可解な数学についての難解な論議に、ふたりはとたんにひきずりこまれ、こうなると、ぼくにはチンプンカンプンだった。フェルミンはあいかわらずトマスにていねいな言葉づかいで接し、「先生」と呼んだりもしたが、彼の発音障害にはまったく気づかないふりをしていた。トマスは、フェルミンの限りない忍耐にこたえる意味で、箱入りのスイスチョコレートをもってきた。この世のものとは思えない青さの湖と、テクニカラーの緑の草をはむ牛と、鳩時計の写真が印刷された箱だった。

「友だちのトマスくんには才能があるが、人生の方向性がないし、ちょっと、ずうずうしさに欠けていますね。成功するには、それがなくちゃいけない」と、フェルミンは意見を言った。「だって、科学的精神なんて、そんなもんでしょうが。ほら、あのアルベルト・アインシュタインをごらんなさいよ。あれだけすばらしい発明をしたって、最初に実用につかわれたのは原子爆弾だったじゃないですか。しかも、本人の承諾なくしてですよ。それに、トマスくんの場合、あのボクサー面《づら》じゃあ、学界に入ったところで、かなり苦労するでしょうねえ。学者の世界なんて、偏見のかたまりなんですから」

　仕事を人に理解されないみじめな人生からなんとかトマスを救ってやるためには、彼のなかに潜在する会話の能力と、社交性を鍛えてやることが必要だと、フェルミンは結論した。

「人間はサルとおなじ社交的動物ですからね。仲間びいきと、縁者びいきと、汚職と、陰口が大好きで、そういうものが倫理的行為の規範になる」と彼は主張した。「純粋な生理現象ですな」

「それって、ちょっとオーバーじゃないですか？」

「ああ、ダニエル、きみは、たまに、あまりにもうぶすぎるんですよ」

　トマスの荒くれ男のような顔つきは、父親からの遺伝だった。彼の父親というのは、不動産会社の経営者として成功した人で、ペラーヨ通りのデパート、エル・シグロのそばに事務所をかまえていた。アギラール氏は、自分の言うことがすべて正しいと信じこむ特権的な頭脳構造をもつ人種に属していた。何事も深い確信にみちたこの人物は、ほかのなににもまして、自分の息子が意気地なしで、知的能力に問題があると思いこんでおり、この恥ずべき欠点を矯正する目的から、ありとあらゆる家庭教師を雇い入れた。

「うちの息子のことはバカだと思ってあつかってほしい。いいですね？」

　いろんな機会に父親がそう言うのを、ぼくは何度も耳にした。家庭教師たちはできるだけのことをしたし、トマスに泣きついてまでみたが、当の本人は、あいかわらず彼らにラテン語でしか話しかけなかった。トマスのラテン語はローマ法王顔負けの流暢さで、この言葉で話すときだけは、ぜったいにつかえない。家庭教師たちは、遅かれ早かれ、絶望してやめていくことになるのだが、みんな、この少年がもしかしたら悪魔にとりつかれていて、アラム語で悪魔の指示を自分にさしむけているんじゃなかろうかと疑いはじめる始末だった。兵隊にとられれば、息子もすこしは役立つ人間になれるかもしれない、どうやらそれが、アギラール氏に残された最後の望みらしい。

トマスにはベアトリスという名の妹がいた。トマスとぼくの友情が生まれたのは、彼女のおかげだ。あの遠い午後、ぼくらの授業がおわるのを待つ父親に手をひかれた彼女の姿と出会わなければ、そして、彼女をだしにした最悪の趣味のジョークを、このぼくが思いつかなければ、トマスは、ぼくをたたきのめすことなんてしなかったろうし、ぼくだって、彼と話をするきっかけも勇気もなかったろう。

〝ベア〟の愛称で呼ばれる彼女は、母親に生き写しだが、目は父親似だ。赤毛で、肌は透けるように白く、いつも薄手のウール地か、シルク地の超高級な服を身につけていた。スタイルはマネキンなみで、棒みたいにピンと背をのばし、自分でつくった物語のお姫さまにでもなった気分で、気どって歩いている。瞳は青鈍色《あおにび》。でも、本人は「エメラルドグリーンとサファイアブルー」だと主張した。カトリック系のサンタテレサ学院に長年在学しているのに、いや、ひょっとしたら逆にそのせいで、ベアは、父親の見ていないすきに、トールグラスでアニス酒を飲み、高級店、ラ・ペルラ・グリスで買った絹のストッキングをはき、フェルミンを恍惚とさせる妖しい魅力をたたえたスクリーンの女優みたいに化粧をしていた。

　ぼくは彼女の顔など見たくもなかったし、彼女は彼女で、侮蔑と無関心の物憂いまなざしのなかに、ぼくへの反感を隠さなかった。ベアには、ムルシア地方で軍務についている少尉の恋人がいた。パブロ・カスコス・ブエンディアという名の、髪をポマードでかためた右翼ファランヘ党員で、ガリシア地方の入り江《リア》の多い海岸地域に造船所をもつ、旧家の出だった。カスコス・ブエンディア少尉は、軍管区司令部にいる伯父のおかげで、一年の半分は休暇をもらい、スペイン民族の遺伝的、精神的優越性について、また社会主義帝国《ボルシェビキ》の凋落《ちょうらく》が目前にせまっているなどと、つまらない演説をたれて歩いていた。

「マルクスは死んだ」と、おごそかに、やつは言った。

「一八八三年だ。正確には」とぼくは言った。

「黙れ、この役立たずめが。おまえみたいな野郎は、リオハまでぶっとばしてやる」

　声高にたわ言をぬかす恋人の少尉をまえに、ベアがひとり笑いしているのを、偶然見かけたことが何度かあった。彼女は視線をあげて、ぼくをじっと見た。不可解なまなざしだった。ぼくは、無期停戦状態の敵みたいに、あいまいな慇懃《いんぎん》さで笑いかえし、彼女からすぐ目をそらした。そんなことを認めるぐらいなら死んだほうがましなのだが、ぼくは、心の底では、彼女が怖かったのだ。

三

その年のはじめ、トマスとフェルミンは、新たな計画について知恵をよせあうことにきめた。トマスもぼくも徴兵されずにすむための方策を、ふたりで考えようというわけだ。フェルミンはとくに、トマスの軍隊経験にアギラール氏がよせる過剰な期待には、まったく賛成しなかった。

「徴兵制度なんて、住民登録された人口のうち、野蛮人がどれだけいるか、そのパーセンテージを知るのに役立つだけですな」とフェルミンは意見をのべた。「でも、それなら二週間もあればじゅうぶんだ。なにも二年間も拘束される必要はありませんよ。軍隊、結婚、カトリック教会、銀行――この四つが黙示録の四頭の馬だ。いいですよ、いいですよ、好きなだけ笑えばいいじゃないですか。でも、ほんとなんですからね」

フェルミン・ロメロ・デ・トーレスのアナーキーな自由主義思想は、しかし、ある秋の午後、危機に瀕することになる。

その日、運命の偶然から、ぼくは古い女友だちを店に迎えた。父は本のコレクションに値をつけるために近郊のアルヘントーナに出かけていて、夜までもどらない予定だった。ぼくは客に応対するのでカウンターにいた。フェルミンはそのあいだ、いつものように軽業師《かるわざし》のあざやかさで、はしご段に爪先立ちになって、天井すれすれにある書棚の最上段にならんだ本の整理をしていた。

店を閉めるすこしまえ、日が沈んで、外がもう暗くなった時分に、ベルナルダのシルエットがカウンターのむこうにうかびあがった。彼女は休日の装いをしていた。あすの木曜日は週一回の休暇なのだ。ベルナルダはぼくに手をふった。彼女をひと目見ただけで、ぼくの心がぱっと明るくなり、なかに入るように手招きした。

「まあ、なんてご立派におなりなんでしょう！」と、彼女は入り口に立って言った。「昔の面影なんてほとんどない……もうすっかり一人前の男性におなりだわ！」

彼女はぼくを抱きしめ、涙をぽろぽろこぼして、ぼくの頭を、肩を、顔をなでた。彼女と会わないあいだに、ぼくが壊れていやしないかと、たしかめているみたいだった。

「お屋敷では、あなたがいなくて淋しい思いをしておりますよ、おぼっちゃま」と、彼女は目をふせて言った。

「ぼくは、あなたと会えなくて淋しかったよ、ベルナルダ。さあ、キスして」

彼女は、ぼくに遠慮がちに頬をよせた。ぼくは彼女の両頬にチュッチュとキスをした。ベルナルダはにこっとした。瞳のなかに、ぼくがクララのことをたずねるんじゃないかと期待する色があった。でも、ぼくはなにもきこうとは思わなかった。

「きょうのあなたは、とてもすてきだ。すごくエレガントだよ。どうして、ここまで会いにきてくれたの？」

「ええ、ほんとうはね、もっとまえから、あなたに会いにきたかったんですよ。でも、なかなかそういうわけにいかなくて。バルセロさんは賢者だけど、子どもみたいな方でしょ、だから目がはなせないんです。なにがあっても、ふつうの顔ですごさなきゃいけないんですよ。で、ここに来ようと思ったのはね、じつは、あしたが姪の誕生日なもんで。そう、あのサンアドリアンに住んでいる子ですわ。それでなにかプレゼントをしてあげたくて。ええ、いい本をなにか一冊と思いましてね。絵よりも字の多い本がいいんですけど、わたし、そういうことに疎《うと》くって、よくわからないもんですから……」

ぼくが答えるよりまえに、ブラスコ・イバニェスのハードカバーの全集がいきなり高みから落ちてきて、ミサイルの発射音みたいな轟《とどろき》とともに店が振動した。フェルミンが、曲芸師のようにスルスルとはしご段からおりてきた。モナリザのほほ笑みが顔に浮かび、目は情欲でうっとりしている。

「ベルナルダ、彼はね……」

「フェルミン・ロメロ・デ・トーレスと申します。センペーレ氏と息子さんの書店で、書籍アドバイザーをしております。なんなりとお申しつけください、奥さま《セニョーラ》」と、フェルミンは宣言し、ベルナルダの手をとって、うやうやしく口づけをした。

ベルナルダは、たちまちパプリカみたいに真っ赤な顔になった。

「あら、そんな、わたし、セニョーラなんて言われるような……」

「すくなくとも、女侯爵でいらっしゃいましょう？」とフェルミンは相手の言葉をさえぎった。「まあ、いずれわかるでしょう。なにせわたしは、ペアルソン通り界隈のきわめて優雅なご婦人方とも、おつきあいさせてもらっておりますから。よろしければ、少年・児童向け古典文学のコーナーまでご案内させてくださいませ。幸運にも、わたしどものところには、エミリオ・サルガーリの傑作をあつめた選集と、かの『サンドカン』の英雄伝がそろってお りまして……」

「さあ、その聖《サン》なんとかって、聖人の伝記はちょっとねえ……。あの子の父親は、労働全国連合『CNT』の筋金入りの左翼労働者ですから、ね、おわかりでしょ?」

「ならばご心配なく、当店には、ほかならぬジュール・ヴェルヌの『謎の島』もございますよ。これは最高の冒険物語《アドベンチャー》ですし、きわめて教育的な内容でもあります。科学技術の進歩を学ぶという意味においてですが」

「あなたがそうおっしゃるんでしたら……」

ぼくは黙ってふたりの会話をききながら、フェルミンがどれほどうっとりしているか、ベルナルダが彼の応対をまえに、どんなに困惑しているかを観察した。細身のさえない容姿で、市場の物売りみたいに口の達者な彼は、ネッスルのチョコレートを見るときとおなじ、あのむさぼるような目で、ベルナルダを見つめているのだ。

「ねえ、ダニエルおぼっちゃま、あなたは、どう思われます?」

「ロメロ・デ・トーレスさんは専門職だから、彼の言うことなら信じていいよ」

「じゃあ、その、なんとかの島って本にしますわ。包んでいただければ。で、おいくらでしょう?」

「うちの店からのプレゼントだよ」とぼくは言った。

「いえ、いえ、それはいけませんわ……」

「セニョーラ、もしお許しくだされば、このフェルミン・ロメロ・デ・トーレスにプレゼントさせてください。あなたのおかげで、わたしは、バルセロナでいちばん幸福な男になれますので」

ベルナルダは絶句して、ぼくらを交互に見た。

「すみませんがね、わたし、自分の買い物は自分で払います。それに、これはわたしが姪にプレゼントしたいんですから……」

「では、その代わりと言ってはなんですが、お茶をごちそうさせてもらえませんでしょうか?」とフェルミンが素早く口をはさんだ。さっそく自分の髪をなでつけている。

「さあ、さあ、ベルナルダ」とぼくは彼女をうながした。「楽しんでおいでよ。フェルミンが上着をとりにいくあいだに、ぼくが本を包んでおくからさ」

フェルミンはそそくさと店の奥にいき、髪にくしをいれて、コロンを体にふり、ジャケットを着てもどってきた。ぼくはキャッシャーから金をひきだして、ベルナルダになにかごちそうするように、そっとフェルミンに手わたした。

「どこにつれていきましょうかねえ?」と、フェルミンがぼくにささやいた。少年みたいに緊張している。

「ぼくなら、『クアトロ・ガッツ』につれていきますね」とぼくは言った。「女性を口説くのに、あそこならまちがいないですよ」

　ぼくは本の包みをベルナルダにさしだして、ウインクをした。

「ダニエルおぼっちゃま、おいくらでしょうか？」

「わからない。こんど言うよ。本に値段がついてなかったから、父にきいてみなきゃいけないんだ」と、ぼくは嘘をついた。

　ふたりが腕をくんで歩いていき、サンタアナ通りから姿を消した。天にいる誰かが彼らを見守っていて、ようやく、あのカップルに幸福のひと時をあたえてやったんじゃないかと思えた。

　ぼくはショーウインドーに「閉店」の看板をさげた。父が注文をだした本のチェックをしに店の奥にいくと、入り口のドアがあく鐘の音がチリンと響いた。フェルミンだろうと思った。なにか忘れて取りにもどってきたのかもしれない。でなければ、父がもうアルヘントーナから帰ってきたのだろう。

「誰？」

　数秒たったが、返事はもどってこない。ぼくは本の注文票をめくりつづけた。

　店のなかを歩く音がする。ゆっくりした足音だ。

「フェルミン？　お父さん？」

　返事がない。かみ殺したような笑い声がきこえた気がして、ぼくは注文本の帳簿を閉じた。客の誰かが「閉店」の看板に気づかなかったのかもしれない。応対するつもりで店にいこうとすると、書棚から本が何冊も落ちる音がきこえた。ぼくはごくんとつばを呑みこんだ。

ペーパーナイフをにぎって、店につうじるドアにゆっくり近づいた。もう声をかけようとは思わなかった。また足音がした。こんどは遠のいていく。入り口の鐘の音がふたたびきこえ、表の空気がふわっと入ってくるのを感じた。

店のなかをのぞいた。誰もいない。通りに面したドアまで走って、厳重に鍵をしめた。深く息をすった。自分が滑稽な小心者になった気がした。店の奥にもどろうとしたとき、カウンターのうえにある一片の紙が目にはいった。近づくと、それが写真だとわかった。厚手の印画紙にプリントされた、スタジオ撮影の古いタイプの写真だ。縁が焦げていて、セピア色の映像に、炭でよごれた指先でなぞったような跡がついている。

ぼくは電灯のしたでよく調べてみた。写真には、若い男女がうつっていた。ふたりともカメラにむかって笑いかけている。男のほうは、十七、八というところだろう。明るい色の髪で、育ちのよさそうな、ひ弱な顔つきをしている。女性のほうはすこし年下らしいが、せいぜい彼よりひとつかふたつ若いぐらいだ。透けるような肌で、彫りの深い顔が黒っぽいショートヘアに縁どりされ、喜びにみちた魅力的なまなざしが、ひときわ目をひいた。男の腕が女のウエストをひきよせ、女性のほうは、いたずらっぽい表情で、彼の耳もとでなにかささやいている。

見るからに心温まるイメージで、ぼくは思わずほほ笑んだ。知らないふたりなのに、古い友人を写真のなかに見つけたような、なつかしさを感じたのだ。ふたりの背景に、店のショーウインドーが見えた。昔流行ったみたいな帽子がたくさんならんでいる。ぼくはカップルに注意を集中した。着ている服から判断するに、すくなくとも二十五年か、三十年ぐらいまえの写真だろう。光と希望のイメージ、若者のまなざしのなかにだけ存在する、未来への約束だ。

写真の縁が火で焦げて、ほとんど欠けてしまっている。それでも、古びたカウンターのむこうに、いかめしい顔がかろうじて見えた。幽霊みたいにぼんやり浮かぶシルエット、その手前に、ガラスに刻まれた文字が読めた。

〝アントニ・フォルトゥニーと息子〟帽子店

一八八八年　創業

「忘れられた本の墓場」を二度めに訪れた夜、管理人のイサックは、フリアン・カラックスが父方ではなく、母方の名字をつかっていたことを教えてくれた。フォルトゥニー――カラックスの父は、たしか、ロンダ・デ・サンアントニオ通りに帽子店をもっていたのだ。

ぼくは、写真にうつるカップルの肖像をもういちどながめた。そして、この青年がフリアン・カラックスであることを確信した。

カラックスは過去から、ぼくにむかってほほ笑んでいた。

自分にせまりくる炎が見えないまま。

一九五四年——影の都市

一

翌朝、フェルミンは、キューピッドの羽根に乗って仕事場にとんできた。にこにこして、舞曲《ボレロ》を口笛でふいている。もっと別の状況なら、ベルナルダとのティータイムがどうだったか、フェルミンにきいてみるところだが、その日のぼくは、とても彼みたいな牧歌的気分にはなれなかった。父は、ハビエル・ベラスケス教授に注文された本を、朝十一時に、大学広場にある学部の研究室まで届ける約束をしていた。教授の名をきいただけで、フェルミンがじんましんの反応をおこすので、ぼくはそれを理由に、自分から本を届ける仕事をひきうけた。

「あんな男は、知ったかぶりの堕落者で、ファシストのケツの穴でも平気でなめる、おべっか使いだ」と、こぶしを高くふりあげて、フェルミンは宣言した。抑えがたい正義感にかられたときの、彼特有のポーズだった。「あれはねえ、教授職のはったりと、進級試験を盾にとって、平気で女性を誘惑するようなやつですよ。いざとなれば、共産党書記長のパシオナリアとだって寝るでしょうよ」

「それは言いすぎですよ、フェルミン。ベラスケス教授は金払いがいい。かならず前金だし、それに、うちの店のことを、あちこちで宣伝してくれているんですから」と、父が彼にくぎをさした。

「それこそ、生娘《きむすめ》たちの血で汚れた金じゃないですか」とフェルミンは抗議した。「ちくしょうめ、わたしはねえ、未成年者と寝たことなんて、いちどもないですよ。機会やその気がなかったわけじゃない。あなたがたは、わたしの落ちぶれた姿しかご存じないでしょうが、これでも、昔は筋肉がしっかりついて、人並みにいい男だったんですから。それでもねえ、この娘《こ》は尻が軽そうだなって、ちょっとでも感じるふしがあれば、身分証明書を見せろと要求したし、それがなけりゃ、男親が書いた許可書をもってくるように言ったもんですよ。モラルに背くようなことがあっちゃならんですからね」

父は白眼をむいた。

「あなたと論議しても、とても勝てそうにないなあ、フェルミン」

「だって、わたしの言うことは正しいですもん。そう、正しいんですよ」

ぼくは前日の夜に用意しておいた本の包みを手にした。リルケが二冊、それに、本の表紙といい、国民感情の深さを語る内容といい、あきらかにオルテガを贋作《がんさく》した評論が一冊だ。風紀についての議論に熱中するフェルミンと父を店に残して、ぼくは外にでた。

すばらしい天気だった。ぬけるような青空がひろがり、海の香りがする透明でさわやかなそよ風が吹いていた。ぼくは秋のバルセロナが好きだ。この時期になると、都市の魂が通りをさっそうと駆けめぐり、ぼくらも〈カナレータスの泉〉の湧き水を飲むだけで、知恵がついたような気分になってしまう。不思議なことに、この季節だけは消毒薬の味がしないのだ。街頭の靴磨きや、コーヒー一杯飲んで朝の休憩からもどってくるうだつのあがらない会社員や、宝くじ売りや、点描画家顔負けの念入りさでのんびり街をみがく清掃員の一団と行きちがいながら、ぼくは通りを速足で歩いた。このぐらいの時間になると、バルセロナにはもう車があふれだす。バルメス通りの信号のあたりで、両側の歩道にひとかたまりになって立つ会社員たちの姿が目についた。彼らは一様に灰色のレインコートを着て、ネグリジェ姿のプリマドンナでも見るように物欲しげな目でスチュードベイカーをながめている。

　信号、路面電車や車、サイドカーつきのオートバイをうまくかわしながら、ぼくは、バルメス通りからグランビア通りまで歩いた。ある店のショーウインドーにフィリップスのポスターが貼ってあり、「テレビ」という新たな救世主《メシア》の到来を予告していた。なんでも、ぼくらの生活に変化をもたらして、われわれをアメリカ人みたいな未来型の人間に変えるという。こうした最新の発明品に常にくわしいフェルミン・ロメロ・デ・トーレスは、近い将来になにが起こるか、すでに予言していた。

「テレビはねえ、ダニエルくん、つまり、この世の終わり《アンチクリスト》ですよ。三世代か四世代も先にいってごらんなさい。ぼくらの子孫は自分の力で屁をひることもできなくなりますから。人類は、洞穴生活に帰っていくか、中世の凶暴性にもどるか、更新世以前のナメクジとおなじ無能性に逆行するかのどれかですね。地球上の人間はねえ、新聞が騒ぎたてるみたいに、原爆で滅んだりはしませんよ。笑いすぎて全滅するんです。ばかばかしい話や、冗談しか言えなくなる。しかも、知性のかけらもない、最悪の冗談だけですよ」

　ベラスケス教授の研究室は文学部の建物の三階で、回廊つき中庭を見おろす廊下の突きあたりにあった。廊下には市松模様にタイルが敷かれ、広いガラス窓からさしこむ光線に、粒子みたいにほこりが舞っている。

ぼくは、講義室の入り口で教授を見つけた。彼は女子学生の話にじっと耳をかたむけているようだが、この相手の子というのが、また抜群のスタイルだった。ガーネット色のワンピースに細いウエストの線がくっきり際立ち、シルクの薄いストッキングにつつまれた、まぶしいほど形のいいギリシャ彫刻的ふくらはぎがのぞいている。ベラスケス教授の女好きは有名だ。深窓《しんそう》の令嬢の感情教育は、シッチェス通りのプチホテルで、かの名高き文学教授とふたりきりで会話する「アレクサンドリア学派的教育法」と評判の週末を経て、はじめて修了するとまでいわれていた。

商売人的直感から、ぼくは彼らの会話に立ち入るのを遠慮して、時間つぶしに、この優等女学生のレントゲン写真を頭のなかで描くことにした。速足で歩いてきて気分がよかったのかもしれないし、ぼくの若さのせいかもしれない。あるいは、どんな女性もクララ・バルセロのまぼろしにはとてもおよばない気がして、実在の女の子とすごすよりも、古本に閉じこめられた女神《ミューズ》たちといっしょにいる時間のほうが長かったせいかもしれない。が、理由はともかく、あのとき、女子学生の体の線をひとつひとつ読んでいくうちに、彼女の後ろ姿しか見えないのに、その肉体が三次元のひろがりと遠近感をもって脳裏に映像化され、ぼくは、ほとんどよだれをたらしかけていた。

「これは、これは、ダニエルじゃないか」とベラスケス教授が叫んだ。「このあいだのマヌケじゃなくて、きみが来てくれてよかったよ。ほら、あの闘牛士みたいな名前の男だ。あいつは、酔っぱらってるか、常軌を逸しているとしか思えなかったがね。だって、きみ、『陰茎』という単語の語源を教えろと、いきなり言いだすんだからな。それも、場違いな、非常にいやみな調子でだよ」

「彼、けっこう強い薬を医者に処方されてるんですよ。肝臓かどこか、悪いらしくって……」

「朝から酒びたりじゃ、あたりまえだな」とベラスケスはぶつぶつ言った。「わたしがきみらの立場なら、まず警察を呼ぶがね。やつは、まちがいなくお尋ねものだよ。ああ、それに、あの男の足の臭いことったら！　ここらにはクソみたいな左翼《アカ》連中がうようよしているからな。共和国政府が倒れて以来、風呂にも入ってないような連中だ」

フェルミンを救うための体《てい》のいい言い訳を考えようとしていると、ベラスケス教授と話していた女子学生がふり返った。ぼくはいきなり脳天打ちをくらった気がした。

彼女に笑いかけられて、耳の先まで真っ赤になった。

「こんにちは、ダニエル」と、ベアトリス・アギラールが言った。

ぼくは軽く会釈した。言葉もない。親友の妹だとは露ほども知らず、この女の子に舌なめずりしていた自分に気づいたからだ。そう、あの恐怖のベアに。

「おや、きみたちは知り合いだったのかね？」と、興味ありげにベラスケス教授がきいた。

「ダニエルは、兄の昔からの友だちなんです」とベアが言った。「それに、わたしのことを生意気でうぬぼれ屋だって、面とむかって言うだけの度胸があった、たったひとりの人ですから」

ベラスケス教授は、びっくりしてぼくを見た。

「でも、それって、十年近くもまえの話ですよ」とぼくは言いたした。「それに、本気で言ったわけじゃないです」

「あら、わたし、いつあやまってくれるんだろうって、ずっと待ってるんですけど」

ベラスケス教授は大笑いして、ぼくから本の包みをうけとった。

「どうやら、わたしは、おじゃまみたいだな」と、包みをあけながら、教授は言った。「ああ、これだ、これだ……。なあ、ダニエル、お父さんに伝えてほしいんだが、じつは、だいぶまえからさがしている本があってね。タイトルは『モーロ人殺し《マタ・モーロ》――セウタにおける若き日の回顧録』、著者は、フランシスコ・フランコ・バアモンデだ。ペマンが序文と注釈を書いているんだよ」

「かしこまりました。二週間ぐらいで、なにかしら、お知らせできると思います」

「たのんだぞ。さて、わたしは、おいとまするとにするよ。三十二名の空っぽの頭が待っているもんでね」

ベラスケス教授は、ぼくにウインクをして、教室のなかに消えた。ぼくはベアとふたりきりにされた。彼女のどこを見たらいいのか、わからなかった。

「ねえ、ベア、きみを侮辱したことだけど、ほんとうに……」

「あなたをからかっただけよ、ダニエル。子どもの遊びだってことぐらい、わかってるわ。それに、トマスが、もうさんざん、あなたを懲らしめたでしょうし」

「いまだに傷が痛むよ」

ベアはぼくにほほ笑みかけた。仲直りのしるしか、すくなくとも休戦に思えた。

「それに、あなたの言ったこと、ほんとうだもん。わたしって気どってるところがあるし、たまに、うぬぼれたりもするもの」とベアが言った。「あなた、わたしのこと、あまりよく思ってないでしょ?」

まったく思いがけない質問で、ぼくは、なんと答えていいかわからなかった。敵だと思いこんでいた人間がガラリと態度を変えたとき、こんなに簡単に反感が消えるものだろうかと、自分で驚いた。

「ちがう、そんなんじゃないよ」

「トマスが言ってたわ。あなたは、ほんとうは、わたしのことが気にくわないんじゃない、父にあまりいい感情をもってなくて、それを、わたしにぶつけてるんだろうって。だって、父と張りあえるわけがないもの。あなたのせいじゃないわ。父に逆らおうなんて人は、誰もいないんだから」

ぼくは蒼くなった。でも、つぎの瞬間、笑ってうなずいている自分に気がついた。

「トマスは、ぼくよりも、ぼくのことをよく知ってるんだな」

「不思議でもなんでもないわ。兄はわたしたちみんなのことを、すっかり見抜いているもの。

ただ、なにも言わないだけ。でも、もしいつか兄が口をひらく気になったら、それこそ、世界がひっくり返るわ。トマスは、あなたをとってもたいせつに思っているのよ。知ってた？」

　ぼくは肩をすくめて、目をふせた。

「兄は、いつもあなたのことを話しているのよ。あなたのお父さまや書店のこと、それから、あなたたちのところで働いているお友だちのことも。トマスは、彼のこと、隠れた天才だって言ってるわ。うちよりも、あなたたちを自分のほんとうの家族だって思っているみたいなことが、よくあるもの」

　彼女と目があった。鋭いが、真摯《しんし》で、なにも恐れないまなざしだった。ぼくは言葉を失い、ただ笑顔をうかべただけだった。彼女の誠実さに追いつめられた気がして、視線を中庭《パティオ》のほうにそらした。

「きみがここで勉強しているなんて、知らなかったよ」

「いま一年生なの」

「文学部？」

「科学は弱い性にはむいていないって、父に言われたのよ」

「そうだね。数字だらけだから」

「どうでもいいわ。わたしが好きなのは物を読むことだから。それに、ここにいると、興味のある人とも、たくさん知り合いになれるし」

「ベラスケス教授みたいな？」

ベアは皮肉っぽくほほ笑んだ。

「わたしはまだ一年生かもしれない。でもね、ダニエル、相手がなにを考えているかぐらい、わたしにはちゃんとわかるのよ。とくに、あの先生みたいなタイプの人はね」

じゃあ、このぼくはどんなタイプの人間なんだ、と心のなかで問いかけた。

「それに、ベラスケス教授は父の友人なの。ふたりとも、スペイン民族喜歌劇《サルスエラ》保護振興協会の理事をやっているのよ」

ぼくはとても感心したふうな顔をしてみせた。

「ところで、きみの彼、あのパブロ・カスコス・ブエンディア少尉は元気？」

ベアの顔からほほ笑みが消えた。

「パブロは三週間したら休暇で来るわ」

「じゃあ、うれしいだろ」

「ええ、とってもね。だって、彼、すてきな人だもの。まあ、あなたが彼をどう思っているか、だいたい想像がついてるけど」

さあどうかな、と、ぼくは思った。ベアはぼくをじっと見ている。かすかに緊張した顔だ。ぼくは話題を変えようとした。でも、考えるよりまえに、言葉が口をついて出た。

「きみたちが結婚するって、トマスが言ってたよ。ガリシアのフェロールに住むんだってね」

彼女はまばたきせずにうなずいた。

「パブロが満期除隊になったらね」

「待ちどおしいだろうな」と、言いながら、自分の声にい、や、み、な響きを感じた。あんな横柄な声の色が、どこから出てきたのかわからない。

「べつになにも心配してないわ。ほんとよ。彼の家族があちらに資産をもっているからね。造船所がふたつあるのよ。パブロは、そのひとつを任されることになってるの。彼、とてもリーダーシップがある人だから」

「そうらしいね」

ベアは作り笑いをした。

「それに、バルセロナはもう知りつくしているもの。長いあいだ住んでいたし……」

彼女は疲れたような、悲しい目をしていた。

「フェロールって、すてきな軍港都市だっていうじゃないか。活気があって、それに魚介類がめちゃくちゃうまいって。とくに、ヨーロッパアシガニがさ」

ベアはため息をついて、頭を横にふった。ぼくは、彼女が悔し涙をながすかと思ったが、彼女のプライドがそれを許さなかった。ベアは静かに笑った。

「十年たって、あなたは、まだわたしをバカにしたいのね、ダニエル。さあ、どうぞ、言いたいだけ言えばいいわ。わたしがいけなかったのよ。もしかしたら、あなたと友だちになれるかもしれないなんて思っちゃったから。でも、わたしは兄ほど価値がないものね。ごめんなさいね、時間をとって」

　彼女はきびすを返して、廊下を図書館のほうにむかって歩きだした。離れていく彼女の姿が、白と黒のタイルに映っている。ガラス窓から流れこむ光のカーテンを彼女の影が切り進んだ。

「ベア、ちょっと待って」

　ちくしょうめ、と自分をののしりながら、ぼくはあとを追って走りだした。廊下のまんなかで腕をつかんで、彼女をひきとめた。ベアは激しい目をぼくにむけた。

「ごめん。でも、きみの言うことはちがう。きみのせいじゃない、ぼくが悪かったんだ。きみのお兄さんや、きみほどの価値がないのは、ぼくのほうだよ。きみにいやみを言ったのは、きみの恋人の、あのクソ野郎がうらやましかったからなんだ。きみみたいな女の子が、あんなやつを追って、フェロールだろうと、コンゴだろうと、どこでも行っちゃうのかと思ったら、悔しくて」

「ダニエル……」

「きみはぼくを誤解してるんだ。ぼくがつまらない人間だって、きみにはもうわかっちゃったんだから、許してくれれば、ぼくらは友だちになれる。それに、きみはバルセロナのことも誤解してるよ。この都市をもう知りつくしたって思ってるみたいだけど、そんなことはない。ぼくがきみに証明してみせる」

　ベアの目に涙がうかび、顔がほほ笑みで輝いた。彼女はなにも言わず、涙がゆっくり頬をつたった。

「嘘は言わないほうがいいわよ。あなたの言うことが、もしほんとじゃなかったら、兄に言いつけて、その頭をワインのコルクみたいに引っこぬいてもらうから」

ぼくは彼女に手をさしだした。

「それでいいよ。仲直りしてくれる?」

彼女も手をさしだした。

「あしたの金曜日は、何時に授業がおわるの?」とぼくはきいた。彼女はちょっとためらった。

「五時よ」

「じゃあ、五時ちょうどに回廊で待ってるよ。日が暮れるまえに、バルセロナで、きみがまだ見たことのないところを見せてあげる。あのバカ男にくっついてフェロールくんだりまで行きたいなんて、本気できみが思ってるとは、ぼくには信じられないけど、ともかく、あんなところに行きたいとは思わなくなるよ。だって、もしきみが行っちゃったら、バルセロナの思い出がずっときみにつきまとうだろうし、きみだって、死ぬほど悲しい思いをするにちがいないからな」

「あなた、ずいぶん自信があるみたいね、ダニエル」

ぼくは確信にみちた無知な人間みたいにうなずいた。でも、ほんとうは、いま何時かときかれても答えに困るほど、自信のない男なのだ。永遠につづくあの廊下をベアが歩いて遠ざかるのを、ぼくはずっとながめていた。彼女のシルエットが闇にすいこまれたとき、おれはいったいなにをしたんだろうと、思わず自分に問いかけた。

二

フォルトゥニー帽子店、というより、廃屋と化したその店は、ロンダ・デ・サンアントニオ通り沿いの、ゴヤ広場を見おろす細長い建物の一階で朽ちかけていた。建物の外観はすすで黒ずんでみすぼらしい。汚れのこびりついたショーウインドーに刻まれた文字が、かろうじて読みとれた。山高帽形の看板も店の正面にさがったままで、「ご注文承り」とか、「パリの最新流行」などと宣伝文句が書いてある。入り口のドアには南京錠がしっかりおりていて、すくなくとも十年以上はこんな状態らしかった。ぼくはショーウインドーにひたいをくっつけて、暗い店内をなんとかのぞきこもうとした。

「貸店舗の件でしたら、いまは時間外ですよ」と、ぼくの背後で声がした。「ここの不動産屋さんはもう帰りましたから」

ぼくに声をかけた女性は、年ごろ七十ぐらいに見え、戦争で夫を失った敬虔な女性がきまって身につけるタイプの服を着ていた。髪にかぶるピンクのスカーフのしたから、カーラーがふたつのぞいている。室内履きは、膝丈のタイツとおそろいの肌色だ。この人はビソの管理人にちがいないと、ぼくは思った。

「ここ、賃貸しするんですか?」とぼくはきいた。

「それでいらしたんじゃないんですか?」

「基本的にはちがいます。でも、ひょっとしたら、ってこともありますからね。けっこう気にいったりなんかして」

　管理人の女性は眉をひそめた。ぼくのことを、ただの冷やかし組に分類するか、それとも、借りるかどうか迷っているほうに賭けてみるべきか、きめかねている様子だ。ぼくは天使のように純真な、最高のほほ笑みを彼女にむけた。

「この店は、もうだいぶまえから閉まってるんですか?」

「かれこれ十二年にもなるかしらねえ。あのじいさんが亡くなったときからだから」

「フォルトゥニーさんですね? お知り合いだったんですか?」

「ぼうや、あたしはねえ、ここに住んでもう四十八年になるんですよ」

「それじゃあ、フォルトゥニーさんの息子さんのことも、ひょっとして、ご存じなんじゃないですか?」

「フリアン? もちろんですよ」

　ぼくはポケットから縁の焦げた写真をとりだして、彼女に見せた。

「この写真にうつってる青年がフリアン・カラックスかどうか、ぼくに言っていただけませんか?」

　管理人はちょっと不審げにぼくを見た。写真を手にとって凝視した。

「彼だってわかりますか?」

「カラックスっていうのは、お母さんのほうの名字ですけどね」と、いくらか不満そうに彼女は言い直した。「そう、これ、フリアンですよ。きれいな金髪だったのをよく覚えているわ。この写真だと、もっと茶色っぽく見えますけど」

「いっしょにいる女性が誰か、おわかりになりますか?」

「おたく、どちらさんなの?」

「失礼しました。ぼく、ダニエル・センペーレといいます。カラックスさんについて、ちょっと調べようと思って。フリアンのことですけど」

「フリアンはパリに行っちゃいましたよ。一九一八年か一九年ごろだったかしら。あの子の父親はね、軍隊に入れたがってたんですよ。でも、あたしは、お母さんのほうが、あのかわいそうな息子をつれてって、逃がしてやったんじゃないかって思うんですわ。フォルトゥニーさんは、そのあとひとりっきりで、ここの屋根裏で暮らしてましたがね」

「フリアンがバルセロナにもどってきたかどうか、ご存じですか?」

管理人は黙ってぼくを見た。

「あら、知らないんですか? フリアンは、その年にパリで死んだんですよ」

「え?」

「フリアンは亡くなったんですよ。パリでね。ええ、着いてすぐにです。そんなことになるんなら、軍隊に入ってたほうがよかったかもしれないわよね」

「失礼ですが、どこでおききになったんですか?」

「どこでって、きまってるじゃないですか。あの子の父親からきいたんですよ」

　ぼくはゆっくりうなずいた。

「そうですか。なぜフリアンが死んだのか、フォルトゥニー氏は言ってましたか?」

「じいさんは、くわしいことは話したがらなかったわ、ほんとですよ。ある日、そう、フリアンが発ってまもなくでしたけど、彼宛ての手紙が届いたんです。それで、じいさんにきいてみたら、息子は死んだ、だからこの先、息子になにか郵便物がきても、ぜんぶ処分してくれって言われて……。あら、おたくったら、なんでそんな顔なさってんの?」

「フォルトゥニーさんが、あなたに嘘をついたからですよ。フリアンは、一九一九年には死んでないです」

「なんですって?」

「フリアンはずっとパリにいたんですよ。すくなくとも一九三五年まではね。それからバルセロナにもどってきたんです」

　管理人の顔がぱっと輝いた。

「じゃあ、フリアンはここにいるの? バルセロナにいるんですか? どこに?」

　ぼくはうなずいた。そう思わせておけば、彼女がもっといろんなことを教えてくれるだろうと確信したからだ。

「まあ、なんてこと……。おたく、すごくうれしいニュースをもってきてくれましたよ。そう、生きてたの。そうよねえ、あの子、とってもやさしい、いい子だったですもんねえ。ちょっと変わってて、夢ばっかり見てるみたいでねえ。そうなんですよ。でもね、なんか知らないけど、人の心をひきつけるところがあったんですわ。軍隊に入ったところで、あの子じゃ役に立たなかったでしょうねえ。そんなこと、遠目で見てもすぐわかりますもん。うちのイサベリータが怖い話が好きでね。あたしだって、娘とフリアンが、もしかしたら、いっしょになるんじゃないかって思った時期もありましたよ。まあ、子どものことですからねえ……。その写真、もう一回だけ見せてもらえます?」

　ぼくは写真をもういちどさしだした。管理人は、御守りかなにかのように、若かりしころにもどる往復切符でも手にしたみたいに、写真をじっと見つめていた。

「嘘みたいですよ、ねえ、いまここに、ほんとにあの子がいる感じがしますもの……。それなのに、あの卑しい父親ときたら、息子が死んだなんて、平気で言うんですからねえ。まあ、世間にはいろんな人がいますけど。で、フリアンは、パリでなにしてたんです? きっと、お金持ちになったんでしょうねえ。あの子はいつかお金持ちになるだろうって、あたし、ずっと思ってましたよ」

「いや、そうでもないんですが。彼は物書きになったんですよ」

「お話の?」

「まあ、そんなもんです。小説を書いていたんです」

「じゃあ、ラジオの? あら、ちょっと、すてきじゃないの! 言われてみれば、よくわかるわ。あの子、小さいころから、このへんの子たちに、いつもお話をきかせてましたもんねえ。夏の夜にね、うちのイサベリータと従姉妹たちが屋上にあがって、フリアンの話をきくことがたまにありましたよ。おなじ話は、ぜったいしないんですって。そう、たしかに死人だの、幽霊だのの話ばかりだったらしいけど。ちょっと変わった子にはちがいありませんよ。もっとも、父親があれじゃあ、ふつうの子が生まれるほうが不思議ですけどね。あの子の母親が愛想をつかして出ていったのも、あたしに言わせりゃ当然ですわ。だって、ほんとに、いやらしい男でしたから。いいですか、あたしはねえ、人さまのことには首をつっこまない性質《たち》なんですよ。みなさん、お好きにしてればいいんですから。でもね、あれはよくない男でしたよ。こういう集合住宅にいると、そのうち、いやでもわかりますからね。だって、知ってます？　あの男は自分の女房を殴ってたんですよ。ここにいると、いつも叫び声がきこえてくるんです。警察だって、何度も来ましたしね。たしかにねえ、亭主が自分の女房を殴らざるをえないことがあるのも、わかりますよ。夫は立てなきゃいけないから、やるなとも言いません。だって、身持ちの悪い女はいっぱいいるし、いまどきの若い娘は、昔の女みたいに、きちんとしていませんからねえ。だけど、あの男の場合はそうじゃない、ただ殴りたいから殴るんですよ、わかります？　気の毒な奥さんには、ひとりだけ友だちがいてねえ。ビセンテータっていって、この三階の四号に住んでる若い娘《こ》だったんですけど、あの奥さんたら、かわいそうに、ビセンテータのところに時どき逃げこんでいましたよ。それ以上夫に殴られないようにって。それで、友だちにうちあけたらしいんです……」

「なにをです？」

　管理人は、いましも秘密を明かそうと言わんばかりに、眉をつりあげて、周囲にチラチラ視線を動かした。

「あの子が帽子屋のほんとうの子じゃないってこと」

「フリアンが？　つまり、フリアンはフォルトゥニーさんの息子じゃないってことですか？」

「フランス女――あ、あの奥さんのことですけどね――あの人は、そういうふうにビセンテータに言ったらしいですよ。絶望のあまりか、なんだか、そんなこと知りゃしませんけどさ。あたしがビセンテータからきいたのは、何年もたってからですもの。そのころ、あの人たちは、もうここにはいませんでしたからね」

「じゃあ、フリアンのほんとうの父親は誰だったんですか？」

「フランス女は、ぜったい口をわりませんでしたよ。自分でも、誰だかわからなかったのかもしれないし。おわかりでしょ、外国人の女ってどんなだか」

「そのせいで夫が彼女を殴ったんだって、あなたはお考えなんですか？」

「そんなこと、知るもんですか。あの女は三度病院に運ばれたんですよ。いいですか、三度もですよ。それで、あのブタ野郎ときたら、それもこれも女房のせいだって、まわりじゅうに言ってまわるんですから、見あげたもんじゃないですか。あの女が酒飲みで、飲みすぎて、家のあちこちにぶつかってできた傷だって言うんですよ。あたしゃ、そんなこと信じませんけどね。おまけに、近所の誰かれとなく、いつも訴訟をおこしていましたわ。うちの主人――もう亡くなりましたけどね――あの人も訴えられたことがありました。店の帽子を盗んだって。あの男に言わせると、ムルシア地方出身の人間はみんな、なまけもので、泥棒だそうですよ。でも、ごらんなさいな、わたしたちはアンダルシアのウベダの人間で……」

「この写真で、フリアンの隣にいる女性をご存じですか？」

管理人は、写真にうつっている人物に、もういちど注意をむけた。

「さあ、見たことがないですねえ。すごくきれいな娘《こ》だわね」

「写真だけ見ると、恋人同士みたいに見えますよね」と、ぼくはそれとなく言って、彼女の記憶をよびさまそうとした。

管理人は写真をぼくに返して、頭を横にふった。

「あたしには写真のことはわかりませんよ。それに、知ってるかぎりじゃ、フリアンに恋人はいませんでしたね。でも、いたとしたって、あたしなんかには言わないでしょうよ。だって、うちのイサベリータが、あの息子となんかあったらしいことだって、やっとやっとわかったんですから……。おたくみたいに若い人たちは、なにも言わないでしょ。ぺらぺらしゃべってばかりいるのは、あたしら年寄りだけですわ」

「フリアンの友だちを誰か覚えていませんか？　このへんによく遊びにきた子とか」

管理人は肩をすくめた。

「ああ、だって、もうずいぶん昔の話ですからねえ。それに、最後の何年かは、フリアンをこのへんでめったに見かけませんでしたよ。学校で友だちになった子がいましたけどね。いいうちのおぼっちゃんですよ。アルダヤ家っていえば、そりゃたいしたもんですわ。いまじゃ、うわさもたちやしないけど、当時はほとんど王室みたいなもんですよ。たいへんなお金持ちでね。そりゃあ、わかりますよ。たまにフリアンを迎えに車をよこしてましたから。なにしろ、すごい車ですわ。だってねえ、おたく、フランコ総統でも、あんなのに乗れやしませんよ。運転手つきで、ピカピカなんですから。うちの息子のパコが車のことにくわしいんですけど、あれはロルスロイとかなんとかっていうんですってさ。そりゃ、話のほかですわ」

「フリアンの、その友だちの名前って、覚えていらっしゃいます？」

「あのねえ、おたく、アルダヤっていう姓がついていれば、名前なんていらないんですよ。そういや、もうひとり、男の子の友だちがいたわ。ちょっと散漫な感じの子でね。ミケルとか、そんな名前でしたかしら。やっぱりおんなじクラスの子だったと思いますよ。でも、名字だの顔だのは、きかれても困りますけど」

　どうやら、このへんが限界なようだ。このままでは管理人が興味をなくすだろうと思い、ぼくは、もうひと押しすることにした。

「フォルトゥニー家の住まいのほうには、いま誰か住んでるんですか？」

「いえ、誰も。じいさんは遺言状を残さずに逝っちゃいましたし、奥さんは、たぶんまだ南米のどっかにいると思いますよ。葬式にも来なかったですしね」

「なんで南米になんか?」

「あの男からいちばん遠い場所だったからじゃないですか? 奥さんに罪はないですよ。弁護士にすっかりまかせていきましたし。ずいぶん妙な弁護士ですけどねえ。あたしは見たことないんですが、娘のイサベリータがここの五階の一号に住んでて、ちょうどあの家の真下にあたるんですよ。弁護士は鍵をもってるもんで、夜、ときどき見にきて、家のなかを何時間も歩きまわって、それから帰っていくそうです。いつかなんか、女性のヒールの音がしたって、娘が言ってましたわ。ねえ、どう思います?」

「竹馬にのってたんじゃないですかね?」とぼくは言ってみた。

管理人はキツネにつままれたような顔でぼくを見た。当然ながら、彼女にとっては冗談どころの話じゃない。

「弁護士のほかに、ここ数年でピソに来た人はいませんでしたか?」

「いちどだけ、とっても不吉な男が来たことがありましたよ。ほら、年じゅう笑ってる人間っているじゃないですか。あのいやらしい忍び笑い、はたで見ても、なにか魂胆があるってわかるやつですよ。警察の犯罪捜査班だっていうんですけどね。ピソを見せてもらいたいからって」

「なんで見たいのか、言ってましたか?」

管理人は首を横にふった。

「その男の名前は覚えてます?」

「なんとか刑事だって言ってましたよ。あたしには、警察だなんて思えませんでしたけどね。だって、とっても怪しい感じでしたもの。わかるでしょ？　なにか個人的なことみたいな、いやな感じ。あたし、さっそくたたき出してやりましたよ。鍵はもっていない、だからなにかご用なら、弁護士にかけあってくれってね。また来るって言って帰っていきましたけど、あれ以来、二度と顔を見せません。もう見たくもないですわ」

「あなたは、その弁護士の名前とか住所を、まさか、おもちじゃないでしょうねえ？」

「それは、ここの不動産屋さんにきいてもらうんですね。モリンスさんていって、事務所がこの近くにありますよ。フロリダブランカ通りの二十八番地、中二階ですわ。セニョーラ・アウロラからきいてきた、って言ってもらえばいいですから」

「ありがとう。とても助かります。ところでアウロラさん、フォルトゥニー家のピソは、だったら、いまあいてるわけですね？」

「完全にあいてるわけじゃないですよ。じいさんが死んでこのかた、誰も片づけにくる人なんていませんでしたからね。ネズミだってなんだっているでしょうよ」

「ちょっとだけ、見せてもらうことはできないでしょうか？　フリアンがほんとうはどうなったのか、ひょっとして、手がかりになるものが、見つかるかもしれませんよ……」

「ああ、それはできませんよ。モリンスさんと話してくださいな。あの人がそういうことをやってるんですから」

　ぼくは皮肉っぽく笑った。

「でも、あなたはマスターキーをもってるんでしょ？　その刑事には鍵をもってないって言ったんでしょうけど……。あなただって、家のなかがどうなってるか、きっと、すごく興味がおありだと思いますけどねえ」

アウロラは、ぼくを横目で見た。

「おたくは、まったく悪魔だわ」

玄関のドアが墓場の石みたいにギリギリと激しい音をたててあき、家のなかのよどんだ悪臭をはこんできた。とびらをむこう側に押すと、それまで闇に沈んでいた廊下がうかびあがった。閉めきった空気の、湿ったいやなにおいが充満している。天井のすみでは、ほこりやすすが渦巻き状の飾りになって、白髪みたいにぶらさがっている。割れた床のタイルはほこりだらけで、灰のマントでもかぶっている感じだ。家のなかに入っていく靴跡みたいなものに、ぼくは気づいた。

「なんて、まあ、汚いんでしょ！」と管理人はつぶやいた。「鶏小屋の糞《ふん》だらけの止まり木のほうが、まだましじゃないの」

「よかったら、ぼくひとりでなかに入りますけど」と、ぼくはさりげなく言った。

「それは、おたくがそうしたいだけでしょ？　さあ、入って、入って。あたしは、おたくにくっついていきますからね」

ぼくらは後ろ手にドアを閉めた。一瞬、目が暗闇になれるまで、入り口のところでじっとしていた。管理人の女性の神経質そうな呼吸がきこえ、鼻につんとくる汗くさい発散物のにおいを感じた。物欲しさと焦燥感にかられた墓泥棒にでもなった気分だった。

「ちょっと、なんの音かしら?」と彼女が不安そうにきいた。

闇のなかで、なにかが羽ばたいている。ぼくらに気づいて警戒しているのだ。廊下の突きあたりで、白っぽいものがバタバタ舞っているのが見えたように思えた。

「鳩ですよ」とぼくは言った。「きっと、壊れた窓から入って、ここに巣をつくったんですよ」

「あたしはね、ああいう鳥を見ると、ぞっとするんですよ」と管理人が言った。「糞でも落とされたら、たまったもんじゃない」

「安心してくださいよ、アウロラさん。やつら、腹がすいてるときしか襲ってきませんから」

ぼくらは玄関から廊下に歩を進め、バルコニーのあるダイニングにまず入った。古びたテーブルの輪郭がぼんやりうかんだ。遺骸布を思わせる、ぼろぼろのテーブルクロスがかかっている。椅子が四脚、テーブルをかこみ、ほこりだらけのガラス戸棚がふたつあって、食器とガラスコップがひと揃い、それにティーセットが一式しまってあった。片すみにフリアンの母親のアップライトピアノがおいてある。ほこりがベールみたいにかぶって、黒ずんだ鍵盤は継ぎ目も見えないほどだ。カバーのすりきれたアームチェアが、バルコニーのまえで、さめた色をしていた。サイドテーブルがそばにあり、読書用の拡大鏡と、聖書が一冊おいてある。色あせた革表紙に金の縁どりのある聖書で、当時、初聖体拝領の記念に、子どもたちに贈られていたものだった。しおりがまだついている。緋色の細いひもだ。

「ほら、このアームチェアで、じいさんは死んでたんですよ。亡くなってから二日もああしていたって、医者が言ってましたっけ。ひとりぼっちで、あんな死に方をするなんて、ほんとに哀れですよ。まったく犬とおんなじ。まあ、自業自得ですけどね。それでも、気の毒に思いますわ」

　ぼくは、フォルトゥニー氏が死んでいたというアームチェアに近づいた。聖書のそばに、白黒写真の入った小さな箱があった。スタジオ撮影の古い肖像写真《ポートレート》だ。もっとくわしく写真が見たくて、ひざまずいた。指をふれていいものかどうか、ちょっと迷った。気の毒な老人の思い出を冒瀆しているんじゃないかと思ったのだ。それでも、好奇心には勝てなかった。一枚めは、若い男女と、まだ四歳になるかならないかぐらいの男の子がうつっていた。その子の目で、誰だかすぐわかった。

「ほらね。フォルトゥニーさんの若いころですよ。それから彼女は……」

「フリアンに、きょうだいはいなかったんですか？」

　管理人は肩をすくめて、ため息をついた。

「彼女が夫にけられて流産したってうわさがありましたけど、あたしは知りませんわ。ほら、人って、そういうゴシップが好きじゃないですか。でしょ？　そういえばね、フリアンが、近所の子たちに、こんな話をしたことがありましたっけ。自分にしか見えない妹がひとりいて、その女の子は水蒸気みたいに鏡から出てくる、で、その女の子は、ほかでもない、かのサタンといっしょに湖の底の宮殿に住んでいるんだ、ってね。うちのイサベリータなんて、一カ月も悪夢にうなされてましたよ。あのフリアンって子は、たまにぞっとするようなところがありましたからね」

ぼくはキッチンに目をやった。中庭に面した小さな窓のガラスが割れている。窓のむこうで、鳩が神経質な、いやらしい羽音をたてているのがきこえた。

「この建物は、どのピソもぜんぶおなじ間取りですか?」

「通りに面したピソ、っていうか、一号室の間取りは、どの階もおなじですけど、ここは屋根裏《アティコ》だから、いくらかちがうんですわ」と、管理人は説明した。「ほら、キッチンと洗濯室が中庭に向いているんですよ。この廊下にそって寝室が三つ、いちばん奥はバスルームです。ちゃんと手入れすれば、もっとずっといい感じになりますから。ほんとうですとも。ここは、うちのイサベリータの家とほとんど変わりませんよ。まあ、こんなんじゃ、墓場みたいですけどね」

「フリアンの部屋がどれか、ご存じですか?」

「いちばん手前は夫婦用の寝室で、そのつぎの部屋がいちばん小さいんです。ひょっとして、それかもしれませんわ」

ぼくは廊下を進んだ。壁のペンキがボロボロに剝げ落ちていた。突きあたりにあるバスルームのドアが、半開きになっている。鏡に映る顔がぼくを見つめていた。自分の顔かもしれないし、この家の鏡に住んでいるというフリアンの妹の顔かもしれない。ぼくは、まんなかの部屋のドアをあけようとした。

「鍵がかかってるな」とぼくは言った。

管理人はぼくを見た。びっくりした顔をしている。

「部屋のドアには、錠なんかついてませんけどね」と、彼女はぶつぶつ言った。

「でも、これは閉まってますよ」

「じゃあ、じいさんがつけたんですね。だって、ほかの階のおなじ部屋は……」

視線をおとすと、ほこりのうえについた足跡が、このあかずの間までつづいていることがわかった。

「誰かがこの部屋に入ったみたいですね」とぼくは言った。「それも、つい最近ですよ」

「おどかさないでくださいよ」と管理人は言った。

ぼくはもうひとつの部屋のドアに近づいた。これは鍵がかかっていない。ちょっと押すと、すぐあいた。さびついたようなギイという音をたてて、ドアが内側にすべっていく。部屋のまんなかに、古びた四柱式の寝台がすえてある。ベッドは乱れたままだ。黄ばんだシーツが、死者をおおう布を思わせた。寝台の真上の壁に、磔刑《たっけい》の十字架がかかげてある。小さな鏡台のついた小物だんすがひとつ、洗面器と水差し、それに椅子が一脚。洋服だんすの戸は半開きで、壁にもたれかかるようにして立っている。

ぼくはベッドをぐるりとまわって、サイドテーブルのところに行った。ガラス板のしたに、先祖の写真や、葬儀ミサのしおりや、宝くじがはさまっている。テーブルのうえに、木彫りの箱に入ったオルゴールと、懐中時計がひとつ。時計の針は五時二十分で永遠に凍りついている。オルゴールを動かそうとした。ところが、六つめの音符のあとで、メロディーがとまってしまう。サイドテーブルの引き出しをあけた。空の眼鏡ケースと、爪切りと、刻みタバコ入れの小壜と、ルルドの聖母のメダイをみつけた。あとはなにもない。

「隣の部屋の鍵が、どこかになきゃいけないな」とぼくは言った。

「不動産屋さんがもってるかもしれないじゃないですか。ねえ、ちょっと、そろそろ行ったほうがいいんじゃや……」

ぼくの目がオルゴールにとまった。箱のふたをあけてみた。やっぱりそうだ。装置のあいだにはさまった金色の鍵がみつかった。鍵をひっぱりだすと、オルゴールは軽快なメロディーを奏ではじめた。ラヴェルの曲だとわかった。

「きっとこの鍵ですよ」と、ぼくは管理人にむかってにっこりした。

「ねえ、部屋に鍵がかかってるんなら、なにかしら理由があるんでしょうよ。たとえそうじゃないにしたって、せめて思い出は敬わなきゃ……」

「よかったら、管理人室で待っててくださってもいいんですよ、アウロラさん」

「おたくは、ほんとに悪魔だわね。ほら、さっさと、おあけなさいよ」

三

鍵穴に鍵をさしこんだとき、ひんやりした空気の吐息が、ぼくの指先をなめるようにヒューッと流れてきた。フォルトゥニー氏は息子の空き部屋に、ピソの玄関の三倍も大きい錠をとりつけていた。管理人のアウロラは不安げにぼくを見た。いましもパンドラの箱をあけるみたいに思っているのだろう。

「この部屋は、建物の正面がある通りに面しているんですか？」とぼくはきいた。

管理人は首を横にふった。

「通気の役目をする小さな窓がひとつありますけど、中庭に面していますよ」

ドアを内側に押した。井戸の底みたいな真っ暗闇が、ぼくらのまえに、ぽっかり口をあけた。吐く息のようにかすかに足もとにおちる背後の薄明かりも、深い陰を掻き裂くにはじゅうぶんでない。中庭に向いた窓は、黄ばんだ新聞紙でおおわれていた。紙をひきちぎると、かすみがかった光の針が、まっすぐ闇を突きとおした。

「まあ、なんてことでしょう！」と、ぼくの横で管理人がつぶやいた。

部屋は、キリスト磔刑像の十字架で埋めつくされていた。天井からは、細いひもで先をつるした十字架がぶらさがって、ゆらゆら揺れているし、壁の十字架は、くぎでしっかり打ちつけられていた。何十という数えきれないほどの十字架だ。木製の家具にナイフで刻まれ、床のタイルに掻き傷みたいに残され、鏡には赤いペンキで描かれて、部屋のすみずみにいたるまで、十字架だらけなのが感じられる。

玄関から部屋の敷居までつづいていた足跡が、ほこりを踏みしだいて寝台をぐるりとまわり、むきだしのスプリングに達している。マットレスはほとんど針金の骸骨で、板は虫食いだらけだ。寝室の壁際、中庭を見おろす採光窓のしたに、蓋のついた勉強机があり、金属製の十字架が三つかかげられていた。ぼくは机の蓋を注意ぶかくひらいた。板の接合部には、ほこりがついていない。ということは、わりと最近この机をあけた人がいるのだと想像できた。引き出しが六つある。鍵はこじあけられていた。ひとつひとつ調べてみたが、なかにはなにもない。

ぼくは机のまえにひざまずいた。指先で、表面のひっ掻き傷にふれていった。机に落書きをするフリアン・カラックスの手を思いうかべた。この解読不可能な文字の数々は、時とともにその意味を失ってしまったのだ。机のすみに何冊かノートが積んであり、鉛筆やペンをさしたペン立てがある。

ノートを一冊手にとって、なかをパラパラと見てみた。絵や言葉が殴り書きしてある。計算の練習。文章の羅列や、本からの引用文。未完の詩。どのノートも似たような感じだ。多少バリエーションのあるおなじ絵が、何ページにもわたって、くり返し描かれている。炎でできた人物像らしき絵に目をとめた。ほかに天使みたいな絵もあれば、十字架に巻きついたヘビの絵もある。風変わりな趣味の館《やかた》を思わせるスケッチがあって、大聖堂ふうのアーチ窓や小塔が複雑に描きこまれている。天性をうかがわせる、しっかりした筆のタッチだ。若いころのカラックスには、絵描きの素質があったのだ。でも、どのイメージもみな粗いスケッチでおわっていた。

中身をチェックせずに最後の一冊をもどそうとしたとき、なにかがページのあいだからハラリとぬけて、ぼくの足もとにおちた。少女の写真だった。例の縁の焦げた写真にうつっている女性、ここの帽子店のまえで撮影されたあの写真の彼女とおなじひとだ。少女は立派な庭園にいた。木の枝のあいだにのぞいて見える館が、たったいま見た、若きカラックスのスケッチ画の建物とおなじ形をしている。ぼくは、それがどこの建物かすぐわかった。ティビダボ通りにある〈白い修道士〉だ。

写真の裏に、短い言葉が記されていた。

《あなたを愛するペネロペより》

写真をポケットにしまいこみ、机の蓋を閉じてから、ぼくは管理人に笑いかけた。

「見ました?」と彼女がきいた。

「ええ、ほとんど」とぼくは言った。一刻も早くここから出たそうだった。「たしか、フリアンがパリに発つちょっとまえに、手紙が届いたが、フォルトゥニー氏に処分するように言われたって、さっき、おっしゃってましたよねえ……」

「その手紙なら、玄関の小物だんすの引き出しにしまいましたよ。フリアンの母親がいつか帰ってくるかもしれないって思ってね。まだ、あそこにあるはずだから……」

ぼくらは小物だんすに近づいて、いちばんうえの引き出しをあけた。二十年の歳月のうちに存在感を失った、針のとまった懐中時計だの、ボタンやら硬貨がいっしょに放りこまれ、そのうえにぽつんと黄土色の封筒がおいてあった。ぼくは封筒を手にとって、じっくり見た。

「これ、読んだんですか？」

「ちょっと、おたく、あたしをなんだと思ってるの？」

「怒らないでくださいよ。状況を考えれば、読むほうがふつうじゃないですか。だって、かわいそうなフリアンが、もう死んでしまったんだろうと思われたんでしょうから……」

管理人は肩をすくめ、目をふせて入り口に向かおうとした。そのすきに、ぼくは手紙をサッと上着のポケットにしまいこんで、引き出しを閉めた。

「ねえ、あたしのことを、なにか誤解されたまま帰られたんじゃ、困るんですけどね」と管理人が言った。

「だいじょうぶですよ。で、手紙にはなんて書いてあったんです？」

「ラブレターですわ。ラジオドラマに出てくるみたいなね。でも、もっとずっと悲しいですよ。そう、だって、あの手紙は、作り事みたいな感じがしませんもん。あたしなんて、あれを読んで、思わずもらい泣きしそうになりましたよ」

「あなたは、ほんとに心のやさしい方なんですね、アウロラさん」

「おたくは、ほんと、悪魔ですわ」

フリアン・カラックスの調査でなにかわかったら、いつでも知らせるからと約束して、ドニャ・アウロラに別れを告げたあと、ぼくは不動産業者の事務所にむかった。

かつては華やかな時代を生きたモリンス氏も、いまでは、フロリダブランカ通りの中二階にある薄汚いオフィスで埋もれかけていた。にこやかな、かっぷくのいい男で、口ひげから伸びたみたいな、吸いさしの葉巻を片時も離さなかった。いびきとおなじ呼吸をするので、眠っているのか起きているのか、とっさに判断するのはむずかしい。脂性のべっとりした髪がひたいにはりつき、仔ブタみたいな目が皮肉っぽくて、いかにも、ひとくせありげだ。着ているスーツは、ロス・エンカンテスの蚤の市にもっていったところで、十ペセタでも売れそうにない代物だが、それでも、トロピカルふうの色合いの派手なネクタイのおかげで、どうにかさまになっていた。事務所の様子から判断するに、いまはもう、王政復古以前のバルセロナの地下墓所《カタコンベ》とか、ドブネズミの巣ぐらいしか扱っていないように見えた。

「いま改装中なもんでしてね」と、言い訳でもするように、モリンスは言った。

ぼくは、ドニャ・アウロラの名前をさりげなく口にして、うちとけた雰囲気をつくろうとした。いかにも家族ぐるみの長いつきあいがあるみたいな話しぶりをしたのだ。

「いやあ、彼女も昔はうぶな女性でねえ、ほんとですよ」とモリンスは説明した。「でも、年をとって太っちまったからなあ。もちろん、わたしだって、昔はいまみたいじゃありませんでしたよ。ほんとの話、あんたぐらいの年ごろには、さながらアドニスって感じの美少年でしたからねえ。若い女の子たちにまつわりつかれてさ、ねえお願いよって、よくせがまれたもんでしたよ。でなきゃ、あなたの子がほしいの、なあんてね。まったく、二十世紀なんてクソくらえだ。さてはて、お若い方、ところでご用はなんでしたかな?」

ぼくは、自分がフォルトゥニー家と遠い親戚にあたる者だという、まあ、なんとかもっともらしい話をこじつけた。五分ほどおしゃべりをしたあとで、モリンスは、ファイルキャビネットまで重そうに体をひきずっていき、フリアンの母ソフィー・カラックスの件を担当している弁護士の住所を教えてくれた。

「さあて……、ホセ・マリア・レケッホ。レオン十三世通り五十九番地だ。ただし、うちの事務所からの郵便物は、ライエタナ通りにある中央郵便局の私書箱宛てに送っていますがね」

「レケッホさんを直接ご存じなんですか?」

「何回か、彼の秘書と電話で話したことはありますよ。じつは、この弁護士とのあいだの手続きはぜんぶ郵便ですませているんです。うちの秘書がやってるんですがね。きょうは美容院に行ってていませんが。まったく最近の弁護士ってやつは、昔みたいに礼儀にかなったやりとりをする時間もないとくる。職業的紳士なんぞ、もうどこにもいませんよ」

そうなると、どうやら住所のほうも怪しそうだ。モリンスの机のうえにある市内のガイド地図をちょっと調べてみただけで、疑いが的中したことがわかった。レケッホとかいう弁護士の住所は存在しない。モリンスにそう指摘すると、この新事実をまえに、彼はキツネにでもつままれたような顔をした。

「嘘だろ？」と、笑いながらモリンスは言った。「なんてこった、インチキ野郎め！」

彼は椅子の背にもたれかかり、またも、いびきみたいな音の呼吸をした。

「私書箱のナンバーはおもちですよね？」

「記録には二八三七とあるが、うちの秘書の書く数字は、じつに読みづらいんだなあ。わかるでしょうが、女はね、数字はだめなんですよ。女で役に立つことっていやあ、ただ……」

「その記録カードを見せていただけますか？」

「もちろんですとも。どうぞ、どうぞ」

彼にさしだされた記録カードをじっくり見た。数字ははっきり読みとれる。私書箱のナンバーは二三二一だ。この不動産会社の経理処理がどうなっているのか、それを考えただけで、ぼくはぞっとした。

「フォルトゥニーさんがまだ元気なころ、おつきあいは、だいぶあったんですか？」ときいてみた。

「ええ、それなりにね。でも、あの人はひどい堅物でしたからねえ。フランス人の女房に出ていかれたって知ったときのことは、よく覚えてますよ。あのとき、このへんの仲間といっしょに、彼を商売女のいる店に誘ってやったんですよ。ラ・パロマってダンスホールの隣にあって、わたしが知ってる抜群の店なんだが。そう、下心もなんにもない、ただ元気づけてやろうと思っただけですよ。ところがね、それ以来、やっこさん、二度とわたしと口をきかなくなりましたよ。道で会ったって、あいさつひとつしやしない。こっちのことなんか、まるで目に入らないって感じでね。どんなもんです?」

「そりゃびっくりだなあ。フォルトゥニーさんの家族のことで、ほかに話してもらえることはありませんか? あの人たちのこと、よく覚えていますか?」

「もう昔のことだからなあ」と、当時をしのぶように、モリンスはつぶやいた。「わたしは、フォルトゥニーの先代も知ってましたからね。そう、あの帽子店を開業した親父さんですよ。でも息子のほうはなあ、話っていったって……。ただ、あいつの女房のことなら、いくらでもありますよ。これがまた、すごいべっぴんでねえ、めちゃくちゃいい女でしたよ。それに慎みぶかくてね。まあ、うわさだの陰口だのは、いろいろあったが……」

「たとえば、フリアンが、フォルトゥニーさんのほんとうの子じゃない、とか?」

「どこからそんな話をきいたんです?」

「言ったでしょ、ぼく、親戚ですって。だから、どんな話でも耳に入ってくるんです」

「だからって、ぜんぶ証明されたわけじゃないし」

「でも、うわさは、うわさでしょ?」と、ぼくは相手になにか言わせるようにしむけた。

「人なんてねえ、しゃべってさえいれば、気がすむんですよ。人間はサルから生まれたんじゃない、雛鶏《ひと》から生まれたんだ」

「で、他人《ひと》はなんて言ってたんですか?」

「ねえ、きみ、ラムでも一杯どうです？　カタルーニャのイグアラーダでつくってるやつですけどね。でも、バチバチってくるカリブの味だ……、すごくうまい酒ですよ」

「いや、ぼくはいいです。でも、あなたが飲むのは、おつきあいしますよ。飲みながらでも、話してもらえれば……」

＊

《……〝帽子屋〟と呼ばれていたアントニ・フォルトゥニーは、一八九九年、バルセロナ大聖堂の正面階段のまえで、ソフィー・カラックスと知りあった。いましがた、聖エウスタキオに誓いをたてて、祈願をしてきたばかりだった。大聖堂内に個別の礼拝堂をもつ守護聖人のうち、いちばん熱心なうえ、もったいぶらずに「愛の奇跡」をもたらしてくれるというので評判の聖人だ。フォルトゥニーは三十をすぎて、独身生活がすっかり板についていた。それで、ともかく妻がほしい、それもいますぐほしいと考えていたのである。

ソフィーは若いフランス人女性で、リエラ・アルタ通りの女子寮に住み、バルセロナきっての名家の子女たちにソルフェージュやピアノの個人レッスンをしていた。家族もなければ、資産もなく、父から受けた音楽教育と、若さだけがとりえだった。父親という人はフランス南部の町、ニームの劇場専属のピアノ奏者で、一八八六年に結核で亡くなるまで、娘に音楽の手ほどきをしていた。

フォルトゥニーは、成功への階段をのぼりはじめていた。ロンダ・デ・サンアントニオ通りにある評判の帽子店の商売を最近父親から継ぎ、父に学んだこの仕事を、ゆくゆくは自分の息子にも教えたいと夢みていた。ソフィーは、はかなげで美しく、若くて、従順で、すぐにも子を宿しそうだった。聖エウスタキオは、評判どおり、彼の願いをかなえてくれたのだ。四カ月におよぶ執拗なプロポーズののちに、ソフィーはフォルトゥニーの求愛を受けいれた。

　フォルトゥニーの先代と懇意にしていたモリンスは、アントニ・フォルトゥニーに、あまりよく知らない女と結婚するのはどんなもんだろうか、と注意した。ソフィーは、たしかにいい娘《こ》かもしれない。でもこの結婚は、彼女にとって、あまりに都合よすぎやしないか。せめて一年待ってみてはどうか、と……。だが、フォルトゥニーはモリンスに言いかえした。自分はもう未来の妻をじゅうぶんよく知っている、だから、ほかのことはかまわないのだと。ふたりはピノ教会で式を挙げてから、モンガット山の温泉で三日間のハネムーンをすごすことになっていた。出発の朝、フォルトゥニーは、神秘の初夜に自分はどうしたらいいだろうかと、モリンスにこっそりたずねてみた。モリンスは皮肉たっぷりに、それはあなたの奥さんにききなさい、と答えた。

　フォルトゥニー夫妻は、予定より早く、出発の二日後にバルセロナに帰ってきた。家の建物に入るなりソフィーが泣きだしたと、近所ではもっぱらのうわさだった。女友だちのビセンテータが、ソフィーからきいた話を人に明かしたのは、後年のこと。なんでも、フォルトゥニーは彼女に指一本ふれようとせず、ソフィーが夫を誘おうとすると、自分の妻を娼婦呼ばわりし、態度が淫らだといって、嫌悪感をあからさまにしたという。

六カ月後、ソフィーは夫に、自分が妊娠していることをうちあけた。だが、彼女が宿していたのは、じつは、ほかの男の子どもだった。

父親が母を打つ姿を幼いころから目にしていたフォルトゥニーは、夫として当然と判断する仕置きを妻にたいしておこなった。そして、これ以上やったら殺しかねないぎりぎりのところで、やっと手をとめた。それでも、ソフィーはお腹にいる子の父親が誰か、ぜったいに明かそうとはしなかった。フォルトゥニーは彼独特の論理をもちだして、これは悪魔のしわざだと思いこんだ。あの子どもは〝罪の子〟以外のなにものでもなく、〝罪〟の父親はひとつしかない。〝悪〟だ。〝罪〟がこの家にしのびこんで、妻の腿の内側に入っていったにちがいない。そう納得し、家じゅうにせっせと十字架をかけはじめた。壁といい、部屋の入り口といい、天井といい、いたるところに十字架をかかげた。寝室に監禁されていたソフィーは、部屋のそこかしこに十字架を飾る夫の姿を見て驚き、目に涙をためて、あなたはどうかしてしまったのですか、とたずねた。彼は怒りのあまり気が顚倒《てんとう》し、ふりむいて、思いきり彼女を殴った。

「この売女《ばいた》めが！」

フォルトゥニーは革ベルトでさんざん妻を打ちすえたあと、彼女につばを吐きかけて、足でけりながら、階段の踊り場に追いだした。翌日、階下の帽子店をあけるので、出かけようとして玄関のドアをひらくと、ソフィーはまだそこにいた。全身が乾いた血にまみれ、寒さでふるえていた。医者がどんなに手をつくしても、骨折した彼女の右手はついに完治しなかった。ソフィーはもう二度とピアノが弾けなくなってしまった。でも男の子が産まれたら、亡き父の名をとって〝フリアン〟と名づけようと考えた。彼女がまだ若いころに逝ってしまった父。この父を失ったように、人生のすばらしいものはすべて、若いうちに失われていく。

フォルトゥニーは彼女を家から追いだそうかと考えた。しかし、この手のスキャンダルが商売にいい結果をもたらすはずがない。寝取られ男のレッテルを貼られた店主から、帽子を買おうとする客などいないだろう。あちらを立てれば、こちらが立たぬというわけだ。

ソフィーは、家のいちばん奥にある、暗く寒い寝室にうつった。そして、おなじ建物に住むふたりの女性の手をかりて、その部屋で男の子を産みおとした。フォルトゥニーは、三日たって、やっと家にもどってきた。

「神さまがあなたに授けてくださった子です」とソフィーは言った。「もし誰かを懲らしめたいのなら、わたしを懲らしめて。でも、罪のないこの子には手をかけないでください。子どもには家と父親が必要です。わたしの罪は、この子の罪ではない。お願いです、どうか、わたしたちに情けをかけてください」

はじめの数カ月は、夫にとっても妻にとっても、きびしい日々だった。フォルトゥニーは、妻をただの家政婦の地位にまでおとしめることにした。寝室も食事もともにせず、たまに言葉をかわすことがあっても、家事をやりくりするうえで必要なことにかぎられていた。月にいちど、たいてい満月の晩の夜ふけに、フォルトゥニーはソフィーの寝室にあらわれて、言葉もかけずに、かつての妻にのりかかった。激しい勢いで、なんの心づかいも器用さもない。まれに訪れるこの親密な攻撃の時を利用して、ソフィーは夫の気をひこうとした。愛の言葉をささやいたり、なれた態度で、やさしく彼を受けいれた。しかしフォルトゥニーは、他愛ないしぐさや言葉に心をうたれるような男ではなく、抑えがたい欲望は、あるときは数分で、でなければ数秒で消えていった。彼女の寝こみを襲うかの凌辱《りょうじょく》的な行為でも、ふたりのあいだに子どもはできなかった。何年かたつと、フォルトゥニーは完全にソフィーの寝室を訪れなくなった。夜中すぎまで聖書を読みふけるのを習慣にして、心の嵐にたいする慰めを、そのなかにもとめつづけた。

　福音書の助けをかりて、彼は子どもへの愛情を心によびさます努力をした。子どもは深いまなざしをして、どんなことにも冗談をとばし、影のないところにまぼろしを生みだすのが好きだった。だが、どんなに努力しても、自分の血を分けた子とは感じられなかったし、子どものなかに自身の姿を認めることもできなかった。

　子どものほうはといえば、帽子にも、『カトリック問答集《カテキズム》』にも、あまり興味がなさそうだった。クリスマスになると、キリストの降誕を再現した人形飾り《ベレン》を勝手につくりかえ、怪しげな物語を考えだして遊んでいた。幼子イエスが、なにか不道徳な目的のために、東方の三賢者にさらわれたという話だ。そのうちに、オオカミの牙をもつ天使の絵を描いたり、壁のなかからとびだして、人が眠っているあいだにアイディアを食べてしまう、覆面の精霊の話を考えだすことに凝りはじめた。

歳月とともに、フォルトゥニーは、自分の望む正しい人生の方向にこの子をみちびいてやりたいという希望をすっかり失った。子どもはもともと自分の血をひいていないし、これから先も、この家の子になることはない。フリアンは学校が退屈だといって、ノートいっぱいに絵を描きつけては帰ってきた。妖怪だの、羽根のあるヘビだの、そこいらじゅう歩きまわって不用意な人間をむさぼり食う、生きた建物の絵だ。この子が自分をとりまく日常の現実よりも、空想や創造の世界につきない興味をもっていることが、すでにはっきり見てとれた。積もり積もった人生の幻滅のなかでも、自分をあざ笑うために悪魔が送ってよこしたこの息子ほど、フォルトゥニーの心を深く痛めたものはなかった。

十歳になると、フリアンは、ベラスケスみたいな画家になりたいと言いだした。そして、あの巨匠でも生涯に達しえなかったほどの、すばらしい絵画の作品にとりくむことを夢みていた。この子に言わせれば、かの大画家は、王家の頭の弱い人たちの肖像ばかり描かされていたので、そこまでの大作を残すことができなかったのだという。たぶん、自分の亡き父を思い出し、孤独をおしやろうとしたのだろう、ソフィーが息子にピアノを教えることを思いついたとき、事態はもはや改善の余地がなくなった。フリアンは、音楽や絵画をはじめ、人間社会ではなんの利益にもならない、役立たずのものにばかりあこがれた。それで、ハーモニーの基礎を学びだすや、ソルフェージュの楽譜に習うよりも、自分で曲をつくりたがるようになった。もちろん、そんなことが許されるはずはない。フリアンのこのような欠陥は、フランスの食習慣にかたよった母親の調理法にも原因があるのだろうと、フォルトゥニーは考えた。バターを摂取しすぎると、精神の堕落と思考力の低下をまねくことは、誰もがよく知っている。彼はソフィーに、調理にバターをつかうことを禁じた。結果は、しかし、かならずしも期待したとおりではなかった。

十二歳になったフリアンは、あれほど熱をあげていた絵画とベラスケスへの興味を失いはじめた。だが、フォルトゥニーの当初の期待は、そう長くはつづかなかった。フリアンは、プラド美術館への夢を放棄したのはいいが、もっと性質《たち》の悪い楽しみを見つけたからだ。カルメ通りに図書館があるのを知ると、帽子店の仕事のあいまに父に許された休憩をぬって、この書物の聖地に足しげくかよい、小説から、詩から、歴史物から、手当たりしだいにむさぼり読むようになった。十三の誕生日の前日に、いつかロバート・ルイス・スティーヴンソンとかいう人物のようになりたいと宣言した。いずれにしても、外国人にはちがいない。フォルトゥニーは、おまえみたいなやつはなんにせよ定職にありつければ上等なほうだ、と言いかえした。そのころの彼は、この息子を単なる愚か者としか考えていなかった。

フォルトゥニーには眠れない夜がよくあって、怒りと挫折感にかられながら、ベッドのなかでさんざん寝返りをうった。心の底ではあの子がかわいいんだと、彼はわが身につぶやいた。そして、たとえそれに値しなくても、最初の日から自分を裏切ったあの淫売女のことも愛していた。ふたりを心から愛していた。でも、自分流のやりかたであって、彼はそれが正しいと思っていた。三人で幸福に暮らせる方法をどうか教えてほしい、できれば自分の望むやりかたがいいのですがと、ひたすら神に願《がん》をかけた。合図か、ささやきか、ちょっとしたことでいいから、あなたの存在を知るためのしるしを送ってくださいと、神に懇願した。限りなく知恵にあふれた神は、これほど大きな苦しみをかかえた魂がつぎからつぎへとよせてくる頼みごとにすっかり閉口したのだろう、けっきょく、なにも答えなかった。

フォルトゥニーが自責の念と苦悶に打ちのめされるいっぽうで、壁のむこうにいるソフィーは、身心ともに衰えつつあった。虚偽と、孤独と、罪の意識のなかで、いましも難破しそうな自身の人生をながめていた。仕えている男を愛してはいない、それでもなお、自分は彼のものだと感じていた。そのフォルトゥニーと別れて、どこか別の場所に息子をつれていくなんて、とても想像できなかった。フリアンのほんとうの父親を思いだすたびに、苦い思いにおそわれた。その男の存在を彷彿させるいっさいのものを憎み、嫌悪することを、彼女は時とともに学んでいった。だが、それは同時に、ソフィー自身が激しく望むものにほかならなかった。

じゅうぶんな会話がなされないまま、夫婦はたがいに声を荒らげはじめた。相手にたいする鋭い非難や罵りがナイフのように家のなかを飛びかい、あいだに入って仲裁しようとする者をも傷だらけにした。たいていはフリアンが犠牲になった。フォルトゥニーは、なぜ妻を殴ったのか、あとになってから、理由を正確に思いだせたことはいちどもない。覚えているのは、烈火のような怒りと、屈辱感だけだった。もう二度とこんなことはするまいと、いつも心に誓った。必要なら、自分から警察に出頭して、身柄の拘束を願いでてもいいとさえ思った。フォルトゥニーは、神の助けによって、いつかは自分の父親より立派な人間になれるだろうと信じていた。だがそう思う先から、彼の拳は、またもソフィーの柔らかな肉体にくいこむのだ。彼は時とともに、ひとりの夫として妻を所有できなくても、死刑執行人としてなら、妻を所有できると思うようになった。

フォルトゥニー一家は、こうしてひっそりと、心も魂も沈黙の底におしこめたまま、ただ年月がすぎていくにまかせた。黙りつづけているうちに、ほんとうの気持ちを表現する言葉すら忘れてしまい、いつしか、おなじ屋根のしたに住む他人同士になりかわっていた。

無限大のこの都市に住む、他の多くの家族とおなじように……》

＊

店にもどったら、もう午後二時半をまわっていた。なかに入ると、はしごの高みから、フェルミンが皮肉っぽい視線をなげてきた。彼は、かの名高きベニート・ペレス・ガルドスの『国史挿話』の全集に磨きをかけているところだった。

「おやおや、こりゃ驚いた。われわれは、きみが巨富をもとめて、いよいよ新大陸にでも旅立ってしまったかと思ってましたよ、ダニエル」

「ちょっと道草をくっちゃったんですよ。父はどこ?」

「きみが帰ってこないもんで、ほかの本を届けに出かけられましたよ。で、きょうの午後は、本を値踏みしに近郊のティアナまで足をのばすから、あなたにそう伝えてくれと言《こと》づかりました。ご主人を亡くしたさるご夫人の私設図書館だそうで。お父上も、あれでなかなか羊の皮を被ったオオカミですからな。帰りを待たずに店を閉めていいって、おっしゃってましたよ」

「ぼくのこと、怒ってたみたい？」

フェルミンは首を横にふって、猫みたいにすばしっこく、はしご段からおりてきた。

「とんでもない。お父上は聖人のような方じゃないですか。それにね、とってもご満足そうでしたよ。きみに恋人ができたから」

「恋人？」

フェルミンはぼくにウインクして、くちびるをペロリとなめた。

「ちょっと、黙ってるなんて、水くさいじゃありませんか。しかも、すごくいい女ですねえ！　あんな娘《こ》が通りを歩いたら、それこそ交通だって止まっちまう。それに、あの気品！　お嬢さん学校を出ているのは一発でわかりますよ。ただし、あの娘の目、ありゃ、なかなかの不良ですな……。ねえ、このわたしが、もしベルナルダに心を奪われてなきゃ。そうそう、きみにはまだ、きのうのお茶の話をしてなかったですけどね……、ちょっとさ、きょうの彼女は、ほんと、バチバチッてきましたよ、まるで聖ヨハネ祭の前夜の焚《た》き火みたいに……」

「フェルミン」とぼくは彼をさえぎった。「いったい、なんのことを言ってるんですか？」

「だから、きみの彼女ですよ」

「ぼくには、彼女なんていないよ、フェルミン」

「まあねえ、きみたちみたいに、いまどきの若い子は、もっと別の呼び方をするんでしょ？　ヴィ、ヴィ、ヴィ、ヴィルリフレンドとか、なんとかって……」

「フェルミン、話をもとにもどして。なんのことを言ってるんです？」

　フェルミン・ロメロ・デ・トーレスは当惑したようにぼくを見た。それから、シチリアのマフィアふうに、片手の五本の指先をあわせてふりあげながら、ぼくのほうにぐっとつめよった。

「いいですか。本日、そう、いまから一時間か一時間半ほどまえにですね、ひとりの美しい令嬢が店にやってきて、きみのことをたずねたんです。あなたの父上と、このわたくしめが、その場にいあわせまして、彼女が亡霊などではなかったと、心からの確信をもって申しあげます。わたし、あのにおいまで、はっきりお伝えできますよ。あれはラベンダー、いや、もっと甘い香りだ。焼きたてのペストリーみたいな、いいにおいだったなあ……」

「それで、ひょっとして、そのペストリーは、自分でぼくの彼女だって言ったんですか？」

「いやあ、そうハッキリ言ったわけじゃないですがね、でも、チラッとほほ笑みをもらしたんですねえ。わかるでしょ、その感じ。で、あした、金曜日の夕方にあなたを待ってるから、って。われわれにしてみれば、疑う余地もなかったというわけです」

「ベア……」とぼくはつぶやいた。

「ゆえに、彼女は存在する」とフェルミンは返した。ほらみたか、と言わんばかりだ。

「そう、存在しますよ。でも、恋人なんかじゃないよ」とぼくは言った。

「じゃあ、あの娘は、いったい、きみのなんなんです？」

「ベアトリスはね、トマス・アギラールの妹ですよ」

「あの発明家の友だちの？」

　ぼくはうなずいた。

「だったら、なおさらいいじゃないですか。たとえ彼女が、独立右翼連合をつくったあのヒル・ロブレスの姪っ子だったとしてもだね。だって、ほんと、いい女ですもの。わたしがきみの立場だったら、とっくに準備態勢に入ってますよ」

「でも、ベアにはもう恋人がいるんですよ。いま実務についている少尉ですけど」

　フェルミンはため息をついた。むっとしている。

「ははあ、軍隊ねえ。社会の病根、サルみたいな種族が本能的に集まってできた最後の砦ですな。でも、それならかえって好都合でしょ。だって、きみはなんの良心の呵責もなく、彼女を横取りできるってわけだから」

「とんでもないよ、フェルミン。だいいち、ベアは、彼氏が満期除隊になったら結婚するんだから」

　フェルミンは、ずる賢い笑みをぼくにむけた。

「まあ、きみがどう考えようと自由ですがね、わたしは、それはないと見る。あの娘はね、結婚なんかしないですよ」

「なんで、そんなことが言えるんです？」

「だって、わたしは女というものを知ってるもの。それに世の中のこともね。きみよりは、ずっとよく知ってますよ。フロイトが教えてくれてるじゃないですか。女っていうのは、ほんとうは、自分で心に思い描いてることや、宣言することとは反対のことを望んでいるんだって。つまりね、よく考えれば、それほど手に負えないものでもない。だって男は、いまさら言うまでもないが、女とちがって、逆に生殖器や消化器のいいなりですからねえ」

「講義はもういいからさ、フェルミン。あなたの思ってることはなんとなくわかるけど、言いたいことがあったら、はっきり言ってくださいよ」

「では、要点だけ申しあげましょう。つまり、彼女はですねえ、軍人《カスコーロ》さんの妻なんかに、みすみすおさまるような顔をしてないってことです」

「そう？　じゃあ、どんな顔をしてるんです？」

　フェルミンは内緒話でもするように、ぼくに近づいた。

「情欲の顔」と、ずばり彼は言った。眉をつりあげて、謎めいたことでも明かすような表情だ。「ぜったい、わたしの言うとおりになりますから、よく覚えていてくださいよ」

　いつもそうなのだ。フェルミンの判断は、かならず的を射ている。ぼくはあきらめて、彼のほうに話題の矛先をむけることにした。

「情欲っていえば、ベルナルダのことをきかせてよ。キスしたんですか？　それとも、まだ？」

「逆襲はいけませんよ、ダニエル。きみは、誘惑のプロを相手に話してることを忘れちゃいかんですな。そもそも、キスなんてものは、アマチュアか、玄人気《ディレッタント》どりのためのもんですよ。ほんとにお目当ての女性は、ちょっとずつ攻めていく。心理作戦ってやつですな。闘牛場で牛を巧みにあやつるのとおんなじです」

「ということは、彼女にそっぽをむかれたわけ?」

「このフェルミン・ロメロ・デ・トーレスに、いきなりそっぽをむく女はいませんよ。またフロイトにもどって比喩をお許しいただくと、男の場合は、熱くなり方が電球みたいなんだなあ。あっというまに火がつくけど、すぐ冷える。ところが女ってやつはねえ、これは自然現象なんですが、アイロンみたいに熱くなる。わかるかなあ。じわじわっと、ちょっとずつですよ。シチューをトロ火で煮込むみたいにねえ。ところがだ、いったん熱くなったら、これはもう、どうにもとまらない。まあ、ビスカヤの溶鉱炉みたいなもんですよね」

ぼくは、フェルミンの熱力学説についてじっくり考えてみた。

「そういうのを、あなたはベルナルダにやってるんですか?」とぼくはきいた。「アイロンをじわじわっと熱するみたいなことを?」

フェルミンは片目をつぶってみせた。

「彼女ってねえ、噴火寸前の火山みたいな女なんですよ。マグマのごとく燃えたぎる性衝動《リビドー》と、このうえなく清らかな聖女の心をもっている」と言って、彼は舌なめずりをした。「嘘偽りのない類似例をあげますとね、ベルナルダは、わたしが昔つきあってたハバナの混血女性《ムラータ》を思いださせるんです。あれも、すごく信心ぶかくて、聖女みたいな女だった。でもわたしはね、こう見えても昔かたぎの紳士ですから、頬にひとつキスすれば、それでじゅうぶん。なにも急ぐことはない。でしょ？　待たせてやるほうがいいんです。まあ世間には、女の尻に手をやって、相手がいやがらなきゃ、それだけでもう、その娘をモノにしたと思いこむような野暮な連中もいますけど、そんなやつは、まだまだ修業がたりんのです。女性の心はデリケートな迷路みたいなもんでねえ、ケチな下心をもつ男の無礼な脳みそに、ちゃんと挑戦してきますからね。きみがほんとに女をモノにしたいなら、その女とおなじように考えることだ。まずはハートを射止めるんですな。それ以外のこと、つまり、まともな判断力も貞操もなくしちまうような、真綿みたいにふわっと包んでくれるあの甘いやつは、ちゃあんと、あとからやってきますから」

　ぼくは真顔で彼の講義に拍手を送った。

「フェルミン、あなたって詩人ですね」

「いやいや、わたしはオルテガ派ですよ。実用主義者なんだ。だって、詩なんてさ、きれいごとだし、だいいち、嘘があるでしょ。でも、わたしの言うことは、トマトつきのパンみたいにホンモノですよ。先達も言ってるでしょうが。ドンファンがどういうのか教えてほしいと言われたら、あれは、仮面をかぶった腰抜けだと教えてやれって。わたしのは長もちするし、いつまでも変わらないんだ。きみのまえで誓うが、わたしはベルナルダを女にしてやりますからね。誠実な女なんていいませんよ、だって、彼女はもうじゅうぶん誠実な女ですもの。でも、すくなくとも、幸せな女にしてやりますよ」

ぼくはにっこりしてうなずいた。フェルミンの熱意は伝染する。それに、彼の詩的論法は非のうちどころがない。

「ぼくのためにも、彼女をたいせつにしてくださいよ、フェルミン。ベルナルダはほんとに心のやさしい人だし、さんざんつらい目にも遭ってきたからね」

「わたしがそれに気づかないとでもお思いですか？　だって、彼女の顔に書いてあるじゃないですか。ありゃ戦没者遺族会の会員証をひたいにくっつけてるようなもんだ。言っときますがね、そういう耐え忍ぶ生活を、わたしだって、もういやってほど経験している。だから、あの女性を、めいっぱい幸せにしてやるんだ。生きているあいだに、わたし、それだけできれば、じゅうぶんですよ」

「約束してくれるね？」

フェルミンは、中世の騎士団の宣誓式のように、おごそかに手をさしだした。ぼくは、その手をぎゅっとにぎった。

「約束します。フェルミン・ロメロ・デ・トーレスの名にかけて」

店では退屈な午後がすぎていき、冷やかしの客がふたりほど来ただけだった。様子を見て、ぼくはフェルミンに休みをとるように声をかけた。

「さあ、ベルナルダを誘ってあげて、映画につれていくか、腕をくんで、ポルタフェリッサ通りのウインドーショッピングでもしてきてくださいよ。彼女、そういうの好きだから」

フェルミンは、ぼくの申し出をすぐ受けて、めかしこむために店の奥に走りこんだ。彼はいつも、バシッとしたよそいきを一組と、熟年花形女優コンチャ・ピケールもうらやむほどの、あらゆる種類のコロンだのクリームだのを化粧箱にしっかりそろえている。店の奥から出てきたフェルミンは、さながら映画スターといった風貌だが、三十キロばかり体重が足りないようだ。父のお下がりのスーツをきて、フェルト製の帽子をかぶっている。ただ、サイズが二つほど大きいので、その問題を解決するのに、新聞紙をまるめて、なかにつっこんでいた。

「ところで、フェルミン、出かけるまえに……ちょっとお願いがあるんですけど」

「もちろんですよ。言ってくだされば、なんでもやりますから」

「このことは、ぼくらだけの秘密にしてほしいんだけど。いい？　父にはぜったい、なにも言わないでくださいよ」

彼はにんまり笑った。

「ああ、この不良息子めが。例のイイ女と、なんか関係あることでしょ。ね？」

「いや。これはある謎についての調査なんですよ。つまり、あなたの専門分野ということ」

「そうですか。でも、わたし、女の子のことも専門ですよ。もし、技術的な問題でなにか相談事があったら、いつでもいらっしゃい。秘密は厳守しますし、その意味で、わたしは医者みたいなもんですから。上品ぶったりもしないし」

「心にとめておきますよ。で、さしあたっては、ライエタナ通りにある中央郵便局の私書箱二三二一番が誰のものなのか、知りたいんです。それと、できれば、そこに届く郵便を誰がひきとってるのかも……。手をかしてもらえますか?」

フェルミンは靴下をめくって、ボールペンで足の甲にナンバーを書きこんだ。

「朝飯前ですよ。わたしにたてつこうとする公共機関なんて、まずありませんしね。二、三日、時間をください。そしたら、きっちりご報告させてもらいます」

「父には内緒ですよ。いいですね?」

「ご心配なく。わたし、クフ王のスフィンクスとおんなじですから」

「ありがとう。さあ、じゃあ、行って、彼女と楽しんできてください」

ぼくは軍隊式の敬礼でフェルミンを送りだした。彼が鶏小屋にむかう雄鶏みたいに、ゆうゆうと立ち去るのが見えた。

フェルミンが出かけて、たぶん五分もたたないころだろう、入り口の鐘がチリンと鳴るのがきこえた。ぼくは数字の列やら、抹消線がならぶ帳簿から目をあげた。灰色のレインコートを着て、フェルトの帽子をかぶった男が、なかに入ってきたところだった。チョビひげを生やし、ガラスみたいな目をしている。男はセールスマンふうの笑いをうかべた。偽りの笑いだ。フェルミンがいないのが残念だった。樟脳やらガラクタを売りつけようとして、たまに店に入ってくる訪問販売員を、彼なら、うまく追いはらってくれるからだ。

訪問者は、へつらうような嘘っぽい笑みをこちらにむけて、入り口のそばに積んである本を一冊、無雑作に手にとった。これから仕分けして、値づけするつもりの本だった。男は、目に入るものを、ことごとくばかにしているふうな態度だ。おまえみたいなやつからなんか、あいさつの言葉ひとつ買ってやるもんか、と、ぼくは心のなかで思った。

「文字がいっぱいですねえ?」と男は言った。

「本ですからね。ふつうは文字がいっぱいありますよ。どんなご用ですか、お客さま?」

男は本を、もとの山積みにしてあった場所にもどした。いかにも投げやりにうなずいて、ぼくの問いなど無視している。

「それが言いたかったんですよ。本を読むなんていうのは、時間がありあまって、ほかになにもすることのない人間がやることとです。女たちみたいにねえ。働かなきゃいけない人間には、作り話につきあうひまなんてない。人生は、食っていくだけで精いっぱいですからね。そう思いませんか?」

「それはひとつのご意見ですね。で、とくに、おさがしの本でも?」

「意見じゃない。事実ですよ。まさにこの国で起こっていることとだ。人は働きたがらない。ぐうたらな人間ばかりたくさんいてね。そうは思いませんか?」

「ぼくにはわかりませんよ、お客さん。たぶんそうなんでしょう。ただ、ごらんのように、ここにあるのは本だけですから」

男はカウンターに近づいた。視線が店内をぐるぐるまわり、たまに、ぼくのうえにもそそがれた。男の外見と表情になんとなく見覚えのある気もしたが、それが、どこでのことかわからない。この男には、昔のトランプやタロット占いに描かれた像を彷彿《ほうふつ》とさせるものがあった。揺籃期本《インキュナブラ》の挿絵の版画からとびだしてきたような人物像だ。彼の風貌は、まるで日曜ミサ用の盛装をした呪いみたいに、まばゆいほど不吉だった。

「どんなご用か、おっしゃっていただければ……」

「むしろ、わたしのほうが、あなたのお役に立ちにきたんですがねえ。あなたは、この店の持ち主ですか?」

「ちがいます。店主は父です」

「で、お名前は?」

「ぼくのですか、それとも父のですか?」

男はいやみな笑いをぼくにむけた。薄笑いってやつだ、とぼくは思った。

「ということは、『センペーレと息子』という店の看板は、おふたりのことを言ってると思えばいいんですな」

「とてもお察しがよろしいようで。それで、本にご興味がないんでしたら、ご訪問の目的がなんなのか、おきかせ願えませんでしょうか?」

「わたしがここに来たのは、まあ、これも礼儀からだが、きみに警告するためですよ。あんたがたが、ふしだらな人間どもと、おつきあいがあると耳にしたもんでねえ。とくに、同性愛者とか、犯罪者といった連中ですが」

ぼくはびっくりして男を見つめた。

「はい?」

男は、ぼくの目をしっかり見すえた。

「つまり、ホモや、ごろつきのことですよ。知らないとは言わせませんよ」

「おっしゃっていることが、まったくわかりませんね。それに、これ以上、お話におつきあいするつもりもありません」

男はうなずいた。敵意をむきだしにした、はったりをきかせるような態度だ。

「じゃあ、せいぜい耳の穴でもほじっておくんですね。フェデリコ・フラビアという市民がどんな活動をしてるか、きみだって、当然知っていると思いますがね」

「フェデリコさんは、この近くの時計屋さんです。すばらしい人で、彼がごろつきなんて、ぼくにはとても思えませんね」

「わたしはホモだと言ったんですよ。あの女装のオカマがこの店によく出入りしていることは調べがついている。安っぽい恋愛本やら、ポルノ小説でも買いにくるんでしょうよ」

「だからって、それが、あなたにとって、どうだっておっしゃるんです?」

答える代わりに、男は札入れをとりだして、カウンターのうえにひろげてみせた。あかだらけになった警察の身分証明書に、男の顔写真がついている。いまよりもいくらか若い。記載事項を追うぼくの目が、ふととまった。

《刑事部長　フランシスコ・ハビエル・フメロ・アルムニース》

「おい、若いの。わたしと話すときは、礼儀ぐらい、ちゃんと心得るんだな。でなきゃ、きみら親子をしょっぴいて、たっぷり思い知らせてやることもできるんだ。共産主義者《アカ》の三文本を売っているかどでな。わかったか？」

ぼくは、なにか言ってやりたかった。でも、言葉がくちびるのあたりで凍りついて、ひと言も発することができないのだ。

「まあ、いい。わたしがきょうここに来たのは、そのオカマが目的というわけじゃないから。遅かれ早かれ、やつは手が後ろにまわることになる。あの手のおぞましい連中と運命をともにするわけだ。まあ、いつか、わたしが見せしめにしてやるよ。それよりもわたしの心配はな、あんたがた親子が、この店でコソ泥を雇ってるという報告を受けていることだよ。その手の連中のなかでも、もっとも好ましからぬ人物なんだが」

「誰のことをおっしゃっているのか、ぼくにはわかりませんよ、刑事さん」

フメロはふくみ笑いをした。卑屈で陰湿な笑い、陰謀をたくらむ連中や、陰口をささやく婦人たちがもらす、あの笑いだ。

「いまはどんな名前をつかってるのか知らんがね。何年かまえは、ウィルフレド・カマグエイと人に呼ばせていた。マンボの王様だよ。それから、ブードゥー教の呪術師だとか、バルセロナ伯爵フアン・デ・ボルボン卿のダンス教師だとか、マタ・ハリの愛人だとも言ってたな。大使の名前やら、いろんな分野のアーティストやら、闘牛士の名前をつかっていたこともあったが、われわれも、もう思いだせん」

「お役に立てなくて申しわけないのですが、ウィルフレド・カマグエイっていう人物には、まったく心当たりがありませんよ」

「そうだろうな。でも、わたしが誰のことを言ってるかぐらいは、きみにもわかるだろうが?」

「わかりません」

フメロはまた笑った。あのわざとらしいふくみ笑いは、この男のことを定義し、要約するひとつの指標と言えそうだ。

「きみは、物事をややこしくするのが、どうやら得意のようだな。いいか。わたしは友人になるつもりで来ているんだ。好ましからぬ人物をかくまうような人間は、いつか痛い目に遭う。その警告と、予防措置をおすすめするためにだよ。ところが、きみは、わたしをペテン師あつかいしてくれた」

「とんでもないですよ。ご足労いただいたうえに、ご忠告まで頂戴して、感謝しております。でも、もういちど申しあげますが、ほんとうに……」

「おれのことを、なめやがるなよ。その気になれば、おまえさんに一、二発おみまいして、このボロ屋をたたんでやることだってできるんだからな。わかったか? だがおれは、きょうは虫の居所が悪くない。だから、警告だけして、失礼することにする。誰を仲間にえらぶか、きみが自分できめることだな。オカマやコソ泥のほうがいいんなら、きみにもそういう傾向があるってことだ。このおれとかかわる以上、ことはハッキリしている。おれの側につくか、敵にまわるかだ。それが人生だよ。じつにシンプルだ。さあ、どうするかね?」

ぼくはなにも言わなかった。フメロはうなずいて、また例の笑いを放った。

「よろしい、センペーレくん。好きにするがいいさ。きみとわたしの関係は、あまりいいスタートを切らなかったようだねえ。問題に巻きこまれたければ、いくらでも巻きこまれるがいい。人生は小説じゃない。わかってるかね? 人生は、どちらかにつかなきゃいかんのだ。きみがどっちの側をえらんだかは、はっきりしている。愚か者のほうだ。負け犬の側だよ」

「どうか、もうお帰りねがえませんか」

彼はいわくありげな笑いをひきずりながら、入り口にむかった。

「また会おうな。それと、きみの友だちに伝えてくれたまえ。フメロ刑事がいつも目をつけている、どうかよろしくとな」

刑事の不愉快な訪問と、あの男の言い残した言葉があとをひいて、ぼくの午後はだいなしになった。胃を締めつけられたみたいな気分で、十五分ほどカウンターの後ろを行ったり来たりしていたが、時間まえに店を閉めることにして、あてもなく街を歩いた。

あの殺し屋刑事がほのめかした言葉や、脅し文句が、頭から離れなかった。父とフェルミンに、彼が来たことを知らせるべきかどうか考えてみたが、それこそフメロの思うつぼだ。ぼくら三人のあいだに、疑惑や苦い思い、心配や不安の種をまくのが、あの男の狙いにちがいないのだから。やつのたくらみには乗るまいと思った。そのいっぽうで、フェルミンの過去についてのいわくありげな指摘が警戒心をよびさました。だが、あの刑事の言葉を一瞬でも信じかけたことに気づいて、ぼくは自分が恥ずかしくなった。そして、さんざん考えたすえ、この出来事は取るに足りないこととして記憶の片すみにしまい、フメロの関与は無視しようと心にきめた。

家にもどる途中で、刑事が話題にした時計店のまえをとおった。カウンターのむこうから、フェデリコがぼくに会釈し、店に入るように合図を送ってきた。いつも笑顔を絶やさない穏やかな人物で、人の誕生日や祝い事をけっして忘れないし、困ったことが起こったら、いつでも相談にいける。この人ならきっと解決の手立てを見つけてくれるだろうと、安心して頼れる人物なのだ。その彼の名がフメロ刑事のブラックリストにのっているのを知ったとき、ぼくは思わず背筋が寒くなった。本人に忠告すべきかどうか迷ったが、自分には不案内な分野の事柄について、へたな干渉をせずに告げてあげる方法など、考えもつかなかった。

いつになく混乱した頭をかかえて、ぼくは時計店に入り、フェデリコにほほ笑んだ。

「元気かい、ダニエル？　おやおや、なんて顔してるんだ」

「あまりいい日じゃないんです」とぼくは言った。「調子はどうですか、フェデリコさん？」

「上々だよ。だんだん出来の悪い時計がふえてくるもんで、仕事で手いっぱいだ。この調子だと、誰か助手を雇わなきゃならんよ。きみの発明家の友だちは興味ないだろうかねえ？　こういう手先の仕事に、きっと向くと思うんだが」

自分の息子がフェデリコの店で雇われることを承諾したと知ったら、トマス・アギラールの父親がどんな反応をしめすか、ぼくには容易に想像できた。なんといっても、フェデリコは、この界隈では誰もが知る女装趣味の男だからだ。

「そのうち、彼に言っておきますよ」

「ときに、ダニエル、二週間まえに、きみのお父さんがもってきた目覚まし時計があってねえ。なにをどうしたのか知らんが、修理するよりも、新しいのを買ったほうがいいみたいなんだ」

夏の熱帯夜に父がバルコニーで眠っていたことがあったのを、ぼくは思い出した。

「外に落っことしたんですよ」とぼくは言った。

「そんなことだろうと思ったよ。じゃあ、お父さんに、きいてもらえんかなあ。ラディアントの時計が、とても手頃な値段で手に入るんで、よかったら、これをもって帰って、試してみてほしいんだ。お父さんが気にいれば、あとで代金を払ってくれればいいし、気にいらなかったら、返してくれればいいよ」

「どうもありがとう、フェデリコさん」

彼は、その大きな代物を紙につつみはじめた。

「最新技術だからね」と、うれしそうにフェデリコは言った。「ところで、このあいだフェルミンから買った本、とても気にいったよ。グレアム・グリーンだ。あのフェルミンはたいしたもんだな。最高の人を雇ったもんだねえ」

ぼくはうなずいた。

「とても役に立ってくれています」

「でも、彼が腕時計をしているのは見たことがないな。ここに来れば、なにかみつくろってあげるからと言っておいてくれよ」

「わかりました。ありがとう、フェデリコさん」

目覚まし時計を手わたすとき、フェデリコはぼくの顔をじっくり見て、眉をつりあげた。

「ほんとに、なんでもないのかい、ダニエル？　いい日じゃない、っていうだけかね？」

ぼくはもういちどうなずいて、にっこりした。

「だいじょうぶですよ、フェデリコさん。どうか、お元気で」

「きみもな。ダニエル」

家にもどると、父が胸のうえに新聞をひろげたまま、ソファで眠っていた。ぼくはテーブルに時計をおいて、そばにメモを残した。

《フェデリコさんより伝言あり。古い目覚ましは捨ててしまいなさい、とのこと》

それから、自分の部屋にそっとすべりこんだ。薄闇のなかでベッドに横になって、刑事や、フェルミンや、時計商のフェデリコのことを考えるうちに眠ってしまった。


目がさめると、もう夜中の二時だった。廊下をのぞいてみた。父は新しい目覚まし時計をもって、とっくに寝室に入ったようだ。

ピソは暗闇につつまれている。この世界が、ゆうべ感じたよりも、ずっと暗い、不吉な場所になったように思えた。フメロという刑事がほんとうに存在するなんて、心の底では信じていなかったのだ。でも、いまのぼくには、どこにでもいる多くの人間のひとりになってしまった。台所に行って、冷たいミルクを一杯飲んだ。フェルミンはだいじょうぶだろうか、何事もなく下宿にいるだろうかと考えた。

部屋にもどるあいだに、あの刑事のイメージを頭から追いやろうとした。眠ろうとしたが、電車に乗りそびれたみたいに、もう眠れそうにもない。明かりをつけて、午前中に、管理人の目を盗んでフォルトゥニーの旧宅からこっそり拝借してきた、フリアン・カラックス宛ての手紙を調べてみることにした。手紙は上着のポケットに入ったままになっていた。

机のうえで、封筒をスタンドの光線にかざした。羊皮紙を思わせる紙質で、ギザギザの縁が黄ばんでいて、粘土みたいな手ざわりだ。消印はほとんど消えていた。封蠟がはがれている。ドニャ・アウロラの巧みな手によるものだろう。代わりに、封筒の閉じ目に、口紅をかすったみたいな赤っぽい色がついていて、そこに差出人の名前と住所が読めた。

《バルセロナ市ティビダボ通り三十二番地　ペネロペ・アルダヤ》

ぼくは封をあけて手紙をとりだした。黄土色の便箋で、中央できっちり折ってある。青インクの線が神経質そうに紙のうえをすべり、数文字ごとにかすれかけては、また濃い色をとりもどしている。この手紙が語りかけるものは、すべて別の時代に属していた。インク壺に囚《とら》われたかの筆の運び、ペン先でひっかくようにして厚手の便箋に刻まれた文字。ざらざらした紙の手ざわり。ぼくは机に手紙をひろげて、ほとんどひと息に読んだ。

《愛するフリアンへ

あなたがほんとうにバルセロナをあとにして、夢をさがしにいってしまったことを、けさ、ホルヘからききました。

あなたの夢は、けっしてわたしのものではありえないし、誰のものでもないだろうと、ずっと思っていました。ただ、最後にいちどでいいから、あなたと会って、あなたの目を見つめ、手紙などではぜったいに言えないことを、あなたに伝えたかった。ふたりで計画していたように、物事は進まなかったのです。あなたのことは知りすぎるほど知っている。あなたが手紙を書いてくれることはないだろうし、住所も教えてはくれないでしょう。あなたはもう、別の人に生まれかわりたいのでしょうから。

わたしは、あなたに憎まれて当然なのです。約束の場所に行かなかったのですもの。あなたはきっと、わたしが背いたと思うでしょう。わたしには勇気がなかったのだと。

あなたの姿を何度思い描いたかしれません。わたしに裏切られたと思いこんで、あの列車にひとり乗ったあなたの姿を。ミケルを通じて、何度もあなたをさがそうとしたのです。でも、あなたがもう、わたしのことなど、なにも知りたくないと言っているとききました。

まわりの人たちは、あなたに、どんな嘘をついたのですか？　わたしのことを、なんて言ったのかしら? なぜ、あなたは、その人たちの言うことを信じてしまったのでしょう? あなたを失ってしまったことは、わかっています。わたしは、なにもかも失ってしまった。それでも、あなたが、わたしから永久に離れてしまうのを、だまって見ているわけにはいかないのです。あなたを恨んでなんかいないのに、それをあなたが知らないまま、わたしのことを忘れてしまうのを許すわけにはいかない。あなたをいつか失うだろう、わたしがあなたのなかに見ているものを、あなたは、けっしてわたしのなかに見いださないだろうと、わたしには最初からわかっていました。でも、はじめて会ったときから、あなたを愛していました。いまでもあなたを愛している、いいえ、まえよりいっそう深く愛しているのです。たとえあなたに望まれなくても。それを、どうかわかってください。

誰にも見られないように、隠れてこの手紙を書いています。ホルヘは、こんどあなたに会ったら、あなたを殺すと言っている。わたしはもう家から出してもらえないし、窓から外をのぞくこともできないのです。家族は二度とわたしを許してくれないでしょう。信頼のおけるある人が、この手紙を出してくれると、わたしに約束してくれました。名前は言えません。その人を危険にさらしてはいけませんから。わたしの言葉があなたに届くかどうかわかりません。でも、もし想いが届いて、わたしのところに帰ってきてくれる気持ちになったら、こちらでちゃんとその方法を考えます。

こうして、あなたに手紙を書きながら、あの列車に乗っているあなたを思っています。夢いっぱいの、でも裏切られ、傷ついた魂をかかえて、わたしたちみんなから、そして自分自身からも逃げようとしているあなたを思っています。

あなたに言えないことが、あまりにもたくさんあるのです、フリアン。わたしたちがまったく知らなかったこと、そして、願わくは、一生あなたに知ってほしくないことが。

この世でわたしが望むのは、ただ、あなたが幸せでいてくれることだけよ、フリアン。

あなたの希望することが、すべて実現されるように祈っています。

時とともに、あなたは、わたしのことを忘れるかもしれない。でも、わたしがどれほどあなたを愛していたか、あなたにわかってもらえる日が、いつかきっと来てくれることを、わたしは願っています。

永遠にあなたのペネロペより》

四

その晩、ぼくは、ペネロペ・アルダヤの手紙を暗記するほど何度も読みかえした。フメロ刑事の訪問が残した不愉快さも、手紙のまえに、いちどに消えた。文章のむこうに感じられる彼女の声にひきずりこまれて、とうとう夜を明かしてしまい、朝もまだ早い時間に家を出た。音をたてずに服を着てから、《いくつかすませたい用事があるので出かけますが、九時半には店にいきます》という父宛てのメモを、玄関の小物だんすのうえに残しておいた。

建物下のアーチから通りをのぞくと、夜半にぱらついた小雨の水たまりや、影をなぞる蒼いマントのしたで、街はまだ薄闇に沈んでいた。ぼくはハーフコートのボタンを襟もとまでしめて、足早にカタルーニャ広場の方面に歩いていった。

地下鉄の階段が、銅色の光線に燃える生暖かい蒸気を一面に放散している。カタルーニャ鉄道の窓口で、ティビダボ駅行きの三等車の切符を買った。ぼくが乗った車両には、事務員ふうの人びとや、家政婦らしき女性や、レンガほど大きいサンドイッチ《ボカディージョ》を新聞紙に包みもつ労働者たちがつめこまれていた。電車が都市の腹をくぐってティビダボの丘のふもとまで走るあいだ、ぼくはトンネルの暗闇に身を隠して、なかば目を閉じたまま、窓に頭をもたせかけていた。

ふたたび外の世界に出たとき、別のバルセロナに出会った気がした。夜が明けそめて、雲をつらぬく薄紫の光線が、ティビダボ通りの両側にならぶ宮殿ふうの建物や、大邸宅の正面にとび散っていた。

靄のなかを、青色の路面電車がのろのろと車両をひきずっていく。ぼくは走って路面電車に追いつき、車掌のきびしい目ににらまれながら、後部車両の乗降口にとび乗った。床が板張りの車両内は、ほとんどがら空きだった。修道士がふたり、それに黒ずくめの服で、顔色の悪い中年女性が、見えない馬にひかれた馬車もどきの揺れにあわせて、体を左右に動かしながら、こっくりこっくり居眠りしていた。

「三十二番地まで行くだけなんですけど」とぼくは車掌に言い、最高の笑顔をうかべてみせた。

「最果ての岬フィニステーレに行こうが、どこに行こうが、かまいませんが」と冷淡に車掌は言いかえした。「ここでは、キリストの兵士さんからでも電車賃をいただくんですよ。乗りますか、降りますか。まあ、ジョーク代はサービスですがね」

フランシスコ修道会の地味な茶の粗織りマントを着て、サンダル履きの修道士ふたり組が、ふんふんとうなずきながら、それぞれピンクの乗車券をしめしてみせた。

「それなら、降ります」とぼくは言った。「小銭がありませんから」

「お好きにどうぞ。でも、つぎの停車駅まで待ってくださいよ。わたし、事故はごめんですからね」

路面電車は、人が歩くのと変わらない速度で斜面をのぼった。木々の影をなでながら、古城の風格をもつ豪邸の石塀や庭園を順に見おろしていく。彫像や噴水池、厩舎《きゅうしゃ》、秘密の礼拝室が、こんな大邸宅の内部にぎっしりつまっている様子を、ぼくは想像した。乗降口の片側から顔をだすと、木立のあいだにそそり立つ〈白い修道士〉のシルエットが目にはいった。

ロマン・マカヤ通りの角に近づいたところで、路面電車はスピードをおとし、やがて完全に停止した。運転手が鐘をチリンと鳴らし、車掌はぼくに、とがめるようなまなざしをむけた。

「さあ、おりこうさん。さっさと降りるんですね。三十二番地はもうそこですよ」

ぼくは路面電車を降りた。青色の車体がゴトンゴトンと音をたてて、靄のなかに消えていった。

アルダヤ家の住まいは、ロマン・マカヤ通りをへだてたむこう側にあった。

ツタのからまる鉄柵の門扉と、落ち葉が、屋敷を守っている。太い鉄の棒のあいだから、正面玄関の輪郭がうかがわれ、入り口のドアが完璧に閉ざされているのが見てとれた。鉄門の上部に、黒い鉄のひもを縒《よ》りあわせてつくった鎖状の飾り数字がついている。「三十二」と読めた。そこの位置から敷地内を観察してやろうと思ったが、薄暗い塔のアングルとアーチ窓がぼんやり見えるだけだ。

門扉の鍵穴から、鉄さびのあとが、血みたいにつたい落ちている。庭をもっとよく見ようとして、ひざまずいた。伸び放題の雑草と、噴水池だか貯水槽らしきものが、かろうじて認められた。その池のなかから、ひろげた片手がニュッと突きでて、天を指《さ》ししめしている。石で彫られた手だとは、すぐに判断がつかなかった。体のほかの部分や、なにか判別できない形のものも、噴水池に沈んでいるようだ。先のほうに目をやると、生い茂った雑草のむこうに、崩れかかった大理石の階段がかいま見えた。石段は、瓦礫《がれき》や落ち葉でおおわれている。アルダヤ家の繁栄と栄光は、はるか以前に方向を変えていたのだ。ここはもう墓場でしかない。

ぼくは二、三歩さがり、角を曲がって、館の南側をのぞいてみることにした。そちらからのほうが、小塔のひとつを、もっとはっきり視覚にとらえることができた。そのとき、ひとりの男の影が、目の端にちらりと映った。青いつなぎの作業服を着た、物欲しそうな顔つきの男で、大ぼうきをふりまわして、舗道に散った落ち葉をいためつけている。彼は不審な目でこちらをじろりと見た。どうやら、このあたりの屋敷の門衛らしい。ぼくは、長い時間ヵウンターで客相手をする者だけが心得ている笑顔を彼にむけた。

「おはようございます」と、ていねいな語調でぼくは言った。「アルダヤさんのお宅が、もう長いこと閉まりっきりなのかどうか、ご存じですか?」

解答不可能な質問を受けたみたいな顔で、門衛はぼくをじっと見た。あごをしゃくる小柄な男の指先が黄色くなっているのを見て、フィルターなしの「セルタ」ばかり吸っている人なんだろうと、ぼくは想像した。彼と懇意になるために、タバコの一箱ももちあわせていなかったことを悔やんだ。相手の気をひくようなものがなにかないかと、上着のポケットのなかをひっかきまわした。

「すくなくとも、三十年ぐらいは、ずっとこのままですねえ」と門衛は言った。いつも力ずくで他人に仕えさせられている人間にありがちな、何事もあきらめたような、従順な声色だ。

「あなたは、ここでは、もうお長いんですか?」

男はうなずいた。

「てまえは、一九二〇年より、ミラベル家にお仕えしておりますが」

「じゃあ、アルダヤ家の人がどうなったかなんて、よもやご存じないでしょうねえ?」

「ええ、あの一族も落ちぶれまして……」と彼は言った。「『風のなかで蒔《ま》き、嵐のなかで刈りとる』って言うでしょ。まあ、悪いことをすりゃ、その倍の罰を受けるわけで……。いえ、てまえが知っているのは、ミラベル家で耳にしたことだけですがね、昔はご家族同士でおつきあいがあったもんで。たしか、長男のホルヘさんは外国に行きましたよ。アルゼンチンですって。あちらに工場をもっているとかで。まあ、大金持ちですからねえ。むずかしいことがあったって、ちゃんとうまくやるもんですよ。ときに、あなた、タバコなんて、おもちじゃないですよねえ?」

「ごめんなさい。でも、キャラメルならありますよ。スグスです。なんでも、ニコチンの量はキューバ葉巻の『モンテクリスト』とおなじだって証明ずみらしいですよ。おまけに、ビタミンがめちゃくちゃいっぱい入っているし」

門衛は信じられないというふうに眉をひそめたが、ふん、とうなずいた。ぼくは、もう思いだせないほど以前にフェルミンにもらった、レモン味のスグスを彼にさしだした。ポケットの袋にくっついていたのをみつけたのだ。古くなった味がしなきゃいいけど、と思った。

「おいしいですねえ」と門衛は感想を言い、ソフトキャラメルの味を楽しんでいた。

「わが国の菓子産業の誇りを存分に味わってくださいよ。フランコ総統なんて、砂糖焼アーモンドみたいに、このスグスを呑みこまれるそうだから。ところで、アルダヤ家の令嬢についいて、なにか話をきいたことがありますか? ペネロペというんですが」

門衛は大ぼうきによりかかった。ロダンの「考える人」の彫刻をそのまま立たせたみたいなポーズだ。

「勘違いじゃないですか? アルダヤ家に女の子はいませんよ。息子だけでしたから」

「ぜったいですか? 一九一九年ごろ、ペネロペ・アルダヤという若い女性がここに住んでいた、ときいているんですがねえ。たぶん、ホルへの妹だと思うんですが」

「かもしれないです。でも、申しあげたように、てまえがここにおりますのは一九二〇年からですから」

「で、この屋敷は？　いまは誰のものなんです？」

「てまえの知るかぎりでは、まだ売りにだされている最中ですよ。これを撤去して、学校を建てようって話もあるみたいですがね。そうだ、そうすりゃ、いちばんいいんだ。こんなもん、建物の基礎ごと、ぶっ倒しちまったほうがいい」

「なんで、そんなふうにおっしゃるんです？」

　門衛はいわくありげな表情でぼくを見た。彼がにんまり笑ったとき、上の歯茎の歯がすくなくとも四本分ぬけているのが見てとれた。

「あの人たち、あのアルダヤって一家は、そりゃもう、かなり後ろ暗いところがありましたからねえ。あなただって、おききになってるでしょ」

「いえ、知りませんね。どんなことですか？」

「つまりですね。音がしたり、まあいろいろねえ。いえ、てまえは、そんな話なんて信じちゃいませんよ。でも、この屋敷にしのびこんで、パンツをぬらしちまったって人間は、どうやら、すくなくないらしいんですわ」

「まさか、この館に幽霊が出るっていうんじゃないでしょうねえ」と、ぼくは笑いをかみ殺して言った。

「笑いたけりゃ、どうぞ。でも『火のないところに煙は立たぬ』ですよ」

「じゃあ、あなたは、なにかごらんになったんですか?」

「見たってわけじゃないですよ。でも、音をきいたことはある」

「きいた? なんの音です?」

「いいですか、もう何年もまえの話ですよ。ある晩、ジョアネットぼっちゃんにつきあって、屋敷に行ったことがあったんです。なにせ、しつこく頼まれたもんでねえ。さもなきゃ、あんなところに行く理由なんてなかったんですが……で、言いたかったのはね、なんか妙な音がきこえたんですよ。泣き声みたいでしたが」

門衛は、自分の声でその音を真似てみせた。ぼくには、肺を患う人が長々と民謡《コプラ》でも口ずさんでいるようにきこえた。

「風じゃないんですか?」

「そうかもしれませんよ。でもね。そりゃもう、怖かったのなんのって。ほんとですよ。ちょっとすみませんが、さっきのキャラメル、もうないですよねえ?」

「ファノーラのトローチはどうです? 甘いもののあとは、すごくスッキリしますよ」

「じゃあ、それでもいい」と門衛は承知し、受けとろうとして手をさしだした。

ぼくは入れ物ごと彼にあげた。甘草《かんぞう》エキス入りのトローチをひとつまみ口に入れたおかげで、門衛の舌は、さらになめらかになったようで、アルダヤの屋敷にまつわる不気味な物語をぺらぺら話しだした。

「あなたには、お話しすることがたくさんありますよ。あるとき、ミラベル家の息子さんのジョアネットがね。そう、彼はあなたの二倍ぐらい体がでかくて、ハンドボールのスペイン代表チームの選手だって言えば、まあ想像がつくとは思うんですが。そのジョアネットぼっちゃんの悪友が、アルダヤの館の話をききつけて、彼を誘いこんだんですよ。で、彼は彼で、このわたしを道づれにしようとしたんですね。大人みたいな口をきいたところで、いざとなると、ひとりで出かけていく勇気もありゃしない。おわかりでしょ、金持ちのぼうやなんて、そんなもんですよ。ガールフレンドのまえでカッコつけようとして、夜、屋敷に入るといってきかないんですね。でも、あの息子ったら、すんでのところでおもらしするところでしたよ。あなたはいま、明るいときに見ているから、わからんでしょうが、これが夜になると、屋敷はまるでちがって見えるんですから。そのとき、ジョアネットぼっちゃんは三階まであがったそうです。わたしは、家のなかまで入るのを断りましたよ。だってそうでしょう。空き家になって、すくなくとも十年はたっていたが、それでも不法侵入にはちがいないんですから。ぼっちゃんは、あの屋敷にはなにかあると言うんですねえ。どこかの部屋で声がきこえたみたいなので、入ろうとしたら、ドアが目のまえでバタンと閉まったらしいですよ。ねえ、どう思います？」

「風でも入ったんでしょう」とぼくは言った。

「それとも、ほかのことかもしれません」と門衛は指摘して、声をひそめた。「先日、ラジオで言ってましたよ。この宇宙は謎にみちているって。なんでも、バルセロナ近郊のセルダンジョラの中心街で、ほんもののキリストの聖骸布が見つかったっていうじゃありませんか。映画のスクリーンに縫いつけてあったって。イスラム教徒の目をかすめるためですよ。異教徒のやつらは、イエス・キリストが黒人だって言うために、聖骸布を利用しようとしたらしいんだ。ねえ、どう思います?」

「言葉もないですね」

「だから言ったでしょ。謎だらけなんですよ。こんな屋敷はさっさととりこわして、地面のうえに石灰でもまくことですね」

ぼくは、情報を提供してくれた門衛のレミヒオに感謝した。

通りの坂をくだって、サンジェルバシ通りとの交差点まで歩こうと思った。視線をあげると、朝靄のなかで明けていくティビダボの丘が見えた。急に、ケーブルカーで斜面をのぼって、丘の頂上にある昔の遊園地に行きたい気分になった。あてもなく、メリーゴーラウンドやからくり人形館をめぐりたかった。でも、時間内に店に帰る約束をしている。

地下鉄の駅にむかいながら、このおなじ舗道を歩くフリアン・カラックスを想像した。玄関の石段や、彫像のある庭園をもつ、おそらく当時とほとんど変わらない豪邸の立派な門構えを、彼がながめているところを想像した。もしかしたら、彼も路面電車がくるのを待っていたかもしれない。空にむかってよじのぼっていく、あの青色の路面電車を。

通りのふもとについたとき、ぼくはペネロペ・アルダヤの写真をとりだしてみた。自宅の庭先でほほ笑んでいる彼女。その目には、穢れのない魂と、来るべき未来が約束されていた。

《あなたを愛するペネロペより》

ぼくとおなじ年ごろのフリアン・カラックスがこの写真を手にもっている姿を想像した。もしかしたら、いまぼくをつつんでくれている、このおなじ木立のしたにいたのかもしれない。

ぼくには、彼が見えるような気がした。ほほ笑んで、自信にみちて、この通りのように広々として光にみちた未来をながめている彼。だが、その瞬間、まぼろしとはまさに、いまそこにいないもの、失われたもののことなんだと考えた。ぼくにほほ笑んだあの光は、仮のものでしかない。一瞬一瞬、この目で捕らえることのできるあいだだけ、光はほんとうに存在するのだ。

五

サンタアナ通りにもどると、フェルミンか父が、もう店をあけているのがわかった。朝食を簡単にすませに、いそいでピソにあがった。父がダイニングのテーブルに、トーストと、ジャムと、ポットに入ったコーヒーを用意してくれていた。そこにあるものをさっと平らげてから、十分以内で階下におりて、建物の正面ホールに通じる書店の裏口から店内に入った。

ロッカーに駆けつけて、エプロンをつけた。本の箱や書棚のほこりで服が汚れないように、店にいるあいだは、いつもエプロンをつけるようにしているのだ。ロッカーの奥にブリキの箱がおいてある。蓋をあけると、いまだにカンプロドンのクッキーのにおいがした。ぼくは小物をぜんぶそこにしまっていた。なんの役にも立たないが、どうしても手離せないものばかりだった。腕時計や、壊れてしまって修理してもつかえない万年筆、昔の硬貨、ミニチュアの部品、ビー玉、ラベリント公園でひろった薬莢《やっきょう》、世紀初めのバルセロナの古い絵はがき。こうした小物でいっぱいの箱のなかに、古びた備忘録の切れはしが、まだ浮遊していた。『風の影』を隠しに「忘れられた本の墓場」を訪ねた夜、イサック・モンフォルトが娘ヌリアの住所を書き記してくれた紙片だ。書棚や山積みの箱のあいだからこぼれ落ちる、ほこりっぽい光のしたで、ぼくは紙切れをよく見てみた。箱の蓋をしめて、紙片は小銭入れにしまいこんだ。店をのぞき、いちばん手のとどきやすい仕事に、頭も手も専念させることにした。

「おはようございます」と、ぼくはあいさつした。

フェルミンは、サラマンカの収集家から数個口で届いた荷箱の内容を分類し、父は、ドイツ語のカタログを解読するのに苦労していた。ルター派の贋作が記載されているカタログだが、本のタイトルは、高級腸詰の商品名とおなじ名前だった。

「午後はもっとステキになりましょう」と、フェルミンが鼻歌ふうに口ずさんだ。ベアとのデートのことを暗にほのめかしているのだ。

でも、ぼくは彼にこたえる気にならなかった。月々避けてとおれない面倒な帳簿づけの作業をまずは片づけようと思い、伝票の山を一枚一枚チェックしていった。ラジオの音楽が、ぼくらの静かな単調さを揺り動かす。流れているのは、最近とみに人気が高いアントニオ・

マチンの歌のベストセレクションだ。カリブ系の音楽は父の神経にさわるのだが、懐かしのキューバを思いだしているフェルミンのために、がまんしてきいている。毎週、おなじ場面のくり返しだ。父は音楽にまったく耳をかさず、かたやフェルミンは、キューバダンスのリズムにあわせてさりげなく体を揺らしている。そして、ラジオのコマーシャルのすきに、ハバナでのアバンチュールのエピソードを語るというわけだ。

店の入り口はあいていた。気分を上向きにしてくれる焼きたてのパンの甘いにおいと、コーヒーの香りが、店のなかにふわっと流れこんだ。そのすぐあとで、ここの四階に住むメルセディータスが、ボケリア市場での買い物帰りに、店のショーウインドーのまえで立ちどまり、入り口から顔をのぞかせた。

「ごきげんよう、センペーレさん」と、彼女は歌うような声で言った。

父は顔を赤くして、ほほ笑んだ。ぼくの印象では、父がメルセディータスを気にいっているように思えるのだ。でも、カルトゥジオ修道会士なみの、きびしい道徳観をもつ父は、徹底して寡黙をきめていた。フェルミンは横目でちらりと彼女を見た。ロールケーキが入り口からひょっこり入ってきたのを目撃したみたいに、くちびるをぺろりとなめ、リズムに乗ってゆるやかに腰を動かしている。メルセディータスは紙袋をあけて、つやのいいリンゴを三つ、ぼくらのまえにさしだした。想像するに、彼女には、いまだにうちの店で働きたいという思いがあるのだろう。だから、フェルミンへの対抗意識をわざわざ隠そうとしない。仕事を彼に横取りされたと思っているのだ。

「ねえ、おいしそうでしょう。このリンゴを見て、すぐ思ったの。これはセンペーレさんたちにさしあげたいわ、って」と、彼女は気どった声で言った。「あなたがた知識人《インテリ》はリンゴがお好きだって知ってますもの。ほら、あのイサック・ペラルみたいに」

「アイザック・ニュートンですよ、薄のろちゃん」と、フェルミンが愛想よく言い正した。

メルセディータスは、刺し殺すような目でフェルミンをにらんだ。

「ほら、ほら、おりこうさんは口がへらないこと！　あなたにも一個もってきてあげたんですから、せいぜい感謝することね。ほんとなら、グレープフルーツで、たくさんでしたのに」

「でもお嬢さん、こんな禁断の果実を、あなたのようなお年ごろの女性の手からいただいては、わたしなんぞ、つい興奮して熱く……」

「ちょっと、フェルミン」と父がさえぎった。

「わかりました、センペーレさん」と、フェルミンは父に言われるままに、素直にひきさがった。

メルセディータスがフェルミンになにか言いかえそうとした、ちょうどそのとき、外で騒ぎがもちあがった。いったい何事かと、ぼくらはみんなで耳をすました。表で怒りの声がきこえ、人びとがいっせいに騒ぎだした。メルセディータスは用心ぶかく店のドアから外をのぞいた。商店街の人たちが声をひそめて毒づきながら、いらだった顔で店のまえを通りすぎていくのが見えた。

うちの集合住宅を代表して王立言語アカデミーの非公式スポークスマンを自称する、アナクレト・オルモが、まもなく登場した。アナクレトは中学校の教師で、スペイン文学と何某かの人文学の学士号をもち、ここの三階一号のピソに七匹の猫といっしょに住んでいる。教育者としての仕事のほかに、時間があるときは、さる有名な出版社で本のカバーの宣伝文を書き、うわさによれば、頽廃的な官能詩を創作して、ロドルフォ・ピトンのペンネームで本をだしているともいう。知り合いのあいだでは人あたりのいい、すてきな人物だが、公の場に出ると、吟遊詩人の役をはたす使命感にかられるあまり、それが語りにも影響するところから、誇飾主義の詩人、ゴンゴラの異名をとっていた。

この朝、アナクレトは、苦しげな、紫色の顔をしていた。象牙の杖をつかむ手も小刻みにふるえている。ぼくら四人は不安な好奇心にかられて、彼を見た。

「アナクレトさん、なにがあったんです？」と父がきいた。

「『フランコが死んだ』ねえ、そう言ってくださいよ」と期待をこめて、フェルミンが触発した。

「黙んなさいよ、このけだもの」とメルセディータスがさえぎった。「先生にお話ししていただくんですから」

アナクレトは深く息をすい、落ち着きをとりもどすと、事件の顚末を、いつもの彼らしい威厳にみちた口ぶりで語りはじめた。

「みなさん、人生はドラマであります。そして、神の創られたもう、もっとも気高き被造物でさえ、気まぐれで、強情な運命の苦渋を味わわされるのです。昨夜、夜半すぎ、勤勉なる市民たちの享受すべき、深い眠りが都市をつつむあいだに、この書店からわずか三軒先に店をもつ、われらが敬愛すべき隣人、時計商として地域の繁栄と慰めにこよなく貢献した、かのフェデリコ・フラビア・イ・プハーデス氏が、警察によって逮捕されたのでありました」

ぼくは目のまえが真っ暗になった。

「まあ、なんてことでしょう《ヘスス・マリア・ホセ》！」と、メルセディータスが言い放った。

期待がはずれ、フェルミンはふんと鼻をならした。国家元首フランコ総統が健康そのもので、まだ死にそうにもないことは、どうやらはっきりした。アナクレトはエンジンがかかったらしい、ひと息いれて、また話をつづけた。

「警察署長に近い筋がわたしに明かした信頼できる情報によれば、犯罪捜査班の名だたる秘密公安捜査員二名が、昨夜、真夜中すぎに、フェデリコ氏に不意討ちをかけた模様です。フェデリコ氏は熟女ふうの装いをして、エスクディジェルス通りにあるあばら屋の仮設舞台にあがり、きわどい歌詞の俗謡をつぎつぎと披露しておりました。それもこれも、聴衆をできるかぎり楽しませてあげようという目的にほかなりません。聴衆の大半は、当日午後、さる修道院付属の養護施設から脱走した少年たちで、舞台のショーに興奮してズボンをさげ、恥も外聞もなく踊りまくって、直立した秘部をさらし、よだれをたらしながら拍手喝采しておったのです」

この一件が淫らな展開を見せはじめたことに恐れをなして、メルセディータスは思わず胸で十字を切った。

「哀れなる、この罪なき子らの母親の何人かは、不祥事を耳にするや、風紀紊乱《びんらん》、ならびに、道徳規範にたいする違反行為のかどで、警察に通報いたしました。案の定、人の不幸や不名誉を食いものにする猛禽《もうきん》のごときジャーナリズムが、プロの垂れこみ屋の巧みな口をつうじて、早々と死肉のにおいを嗅ぎつけました。そして、警察当局の捜査員二名が現場に到着して四十分とたたぬうちに、『醜聞あばき《レメナメルダ》』の異名で知られる日刊紙、『事件』の花形記者が駆けつけたというわけです。キコ・カラブイグというこの記者は、スキャンダラスな記事を翌日発刊分の締め切りにまにあわせるべく、騒動を徹底取材するかまえでした。言うまでもなく、あばら屋における昨夜のショーは、扇情的な小新聞特有の下品さで、けさ、大きな活字を使った堂々たる大見出しによって、『おぞましい地獄篇《ダンテ》ふうの出来事』と評されたのでありました」

「そんなことってありますかねえ」と父が言った。「フェデリコさんはすっかり足をあらったと思っていたんだが」

アナクレトは、聖職者のような熱情をこめてうなずいた。

「そうなんです。でも、格言を忘れてはなりませんよ。格言は、われらの心情の奥底にある代々の共有遺産であり、共通の声ですからな。ほれ、こう言うじゃありませんか。『ヤギはいつも山にのぼろうとする』、つまり、もって生まれた性質は変えられないんです。あるいは『人は平凡なだけでは生きられない』ともね。それに、みなさんは、まだ最悪の部分をおききになっていませんよ」

「ねえ先生、早いとこ本題に入ってもらえませんか？　こんなふうに、もってまわったような比喩がつづいたんじゃ、わたしだって、腹につまったクソをいっきにだしたい気分になりますよ」とフェルミンが抗議した。

「こんなけだものの言うことなんか、きいちゃだめですわよ。わたしは、あなたがお話しになるようなのが好きなんですから。『ニュース映画《ノー・ドー》』のアナウンサーみたいですもの、ね、先生」と、メルセディータスが口をはさんだ。

「お嬢さん、ありがとうございます。でも、わたしめは、いっかいの教師でしかありませんよ。さて、話をもとにもどしましょう。これ以上先をひきのばさずに、前置きも、まわりくどい言い方もせずにですね。フェデリコ氏はどうやら、逮捕されたときに、〝櫛《くし》の少女〟なる芸名で呼ばれておったようです。おなじような状況下で、すでに二度ほど捕まっており、警察の犯罪事件簿にも記載されておりました」

「警察なんて言わずに、〝バッジをつけた悪党ども〟って言ってもらえますか？」と、フェルミンが吐きだすように言った。

「わたしは政治のことには関与いたしません。ただ、みなさんに申しあげられるのは、フェデリコ氏が酒のボトルで殴られて、舞台からひきずりおろされたあと、二人の捜査官によって、ライエタナ通りの警察署まで連行されたということです。これが、運よくほかの状況であれば、ただの笑い話ですんだのかもしれません。まあ、せいぜい往復ビンタか、軽いいやか、らせをうける程度だったのでしょう。ところが、なんとも運の悪いことに、ゆうべは、かの名高きフメロ刑事があの界隈におったのです」

「フメロ……」とフェルミンがつぶやいた。その不倶戴天《ふぐたいてん》の敵の名を耳にして、それだけで彼の全身に悪寒が走ったのだ。

「そう、フメロですよ。話をつづけますと、市民の治安維持を指揮するこの人物は、ゴキブリレース賭博などの不法な活動をおこなっていたビガタンス通りのある店で、一斉検挙をおえてもどってきたところでした。その刑事をつかまえて、胸もはり裂けん思いで事の次第を通告したのは、道を踏みはずしてしまった養護施設の収容者のひとりで、このたびの逃亡劇の首謀と思われるペペット・グアルディオーラなる少年の母親でした。名だたる刑事は、どうやら夕食以後、ヘレス産ブランデー〈ソベラーノ〉入りのコーヒーを十二杯も満喫していたらしいが、みずからこの一件に乗りだすことにいたしました。そして、状況の深刻さを慮り、当直の巡査部長にたいして、つぎのような指令をくだしたのです。淑女のまえではありますが、本件における記録的価値を尊重する理由から、ずばりそのままの語彙《ごい》表現をつかわせていただきますと、『こういうホモ野郎どもは痛い目に遭わせなきゃならん。あの時計屋――すなわち、バルセロナ近郊リポジェット出身の独身者、フェデリコ・フラビア・イ・プハーデス氏のことでありますが――は、警察署の共同地下牢に放りこんで、選りすぐりの悪党どもといっしょにしてやる必要がある。やつのためにも、あの頭の弱いガキどもの不滅の魂のためにもだ。あの場にいたガキどもはお飾りにすぎんが、本件を決定する要素にはちがいない』みなさんもおそらくご想像されますように、くだんの地下収容施設は、犯罪者のあいだでも、劣悪な環境と衛生状態で有名な場所であります。しかも、平凡な一市民が収容者リストにくわわることは、そこに収監されている者にとって、つねに祝い事の口実になるのです。単調な拘禁生活に、気晴らしと、変化をあたえてくれるからにほかなりません」

ここまで話したところで、アナクレトは、手短ながら心温まる表現で、犠牲者の人物像を描いてみせた。ぼくらみんなが知るフェデリコ氏の横顔だ。

「お集まりのみなさんに、いまさら申しあげるまでもないが、フラビア・イ・プハーデス氏は、か弱くデリケートな人格で、キリスト教徒としての心のやさしさと、慈愛にみちた人物であります。時計店にハエが一匹飛びこめば、ひと思いに靴底でたたきつぶす代わりに、神の被造物たるこの昆虫が風の流れのままに生態系にもどっていけるように、ドアや窓をいっぱいにあけてやるのです。フェデリコ氏が信仰篤き人であることを、わたしは確信しております。彼はとても敬虔な信者であり、教区教会の活動にも参加しています。しかしながら、生涯にわたり、悪癖への暗い衝動を自己のうちにかかえて生きてこざるをえませんでした。そしてその衝動が、ごくまれではあれ、彼を屈従させ、女性の装いで外に出ることを強いたのでありました。腕時計からミシンまで修理してしまうという彼の腕前は、まさに伝説的でした。また、その人となりは、彼を直接知り、時計店によく出入りする、われわれみんなから慕われておりました。いや、わたしたちだけでない。たまにかつらをかぶって、髪にかんざしをさし、水玉模様のドレスを着て夜の街に出かけていった、かのフェデリコ氏をよく思わない人びとからさえも、彼は一目おかれていたのでありました」

「まるで、フェデリコさんが亡くなったみたいな言い方じゃないですか」と、フェルミンがおそるおそる言った。かなりショックをうけている。

「いいえ、亡くなったわけじゃありません。おかげさまで」

ぼくはほっとして、ため息をついた。フェデリコは、聴覚を完全に失ってしまった八十代の母親と住んでいた。この界隈ではラ・ペピータの名で親しまれ、バルコニーのスズメが恐れおののいて落下するほど、ハリケーンなみの腸内ガスを放出するので有名な人だった。

「ラ・ペピータは夢にも思わんことでしょう。まさか自分の息子のフェデリコが」と、アナクレトは話しつづけた。「あの汚物にまみれた地下収容施設で一夜をすごしたなんて。やくざものやチンピラがよってたかって、まるで祭りの夜に客をひく女をもてあそぶごとくにフェデリコを奪いあい、しなびた彼の体をあきるほど堪能しおえるや、つぎつぎと殴打をくわえたのでありました。他の収容者らはそれを見ながら、喜んで声をあげておりました。『オカマ、オカマ、クソでも食らえ、オカマ野郎』と……」

墓場のような沈黙が、ぼくらをつつみこんだ。メルセディータスはすすり泣いていた。フェルミンがやさしく抱いてなぐさめようとした。だが、彼女はさっと身をかわした。

六

「みなさん、その場面を、どうかご想像ください」と、アナクレトは話を結んだ。ぼくらはみんな深い衝撃をうけた。

結末も、けっして望ましいものではなかった。午前中、警察の灰色の護送車が、フェデリコを自宅まえに放りだしていったのだ。時計商は血だらけで、服がひきちぎられ、かつらも、しゃれたイミテーションのアクセサリーもつけていなかった。体に小便をひっかけられて、顔は打撲と切り傷だらけだった。門のまえで身をちぢこめている彼を、ベーカリーの息子が見つけた。フェデリコは子どものように泣きじゃくって、ふるえていたという。

「なにも、そこまですることないじゃないですか」とメルセディータスが意見を言った。フェルミンの手がとどかないように、店の入り口のまえに立っている。「かわいそうに。あんないい人、いないのに。誰にもいやな思いをさせないし……。女王さまみたいな格好して、歌いに出かけるからですって？　だから、どうだっていうんです？　世の中には悪い人が多すぎますよ」

「悪いんじゃない」とフェルミンが言った。「ばかなんです。悪人とはちがう。悪いやつには特定のモラルと、意図と、ある種の思考性が前提にありますからね。でもばかな人間、つまり野蛮な人間は、じっくり考えたり、論理的に思考することをしないんだ。本能だけで行動する。動物とおんなじですよ。やつらは、自分がいいことをやっていると思っている。自分はいつも正しいと思いこんでいる。そして、自分とは別種とおぼしき人間を、片っぱしからやっつけていくことに、誇りを感じているんですよ。肌の色だろうが、宗教だろうが、言語でも、国籍でも、なんでもかまわない。フェデリコ氏の場合みたいに、個人の習癖に目をつけられることもある。世の中に必要なのはね、ほんものの悪人であって、物事の良し悪しの区別もつかないようなばかな連中は、これ以上いらないってことです」

「わけのわからないこと言わないでくださいよ。必要なのは、いくらかでもよけいにキリスト教の慈愛の精神をもつことですわ。意地悪はもうたくさん。これじゃ、まるで害獣の国にでもいるみたいじゃありませんか」とメルセディータスがさえぎった。「みなさん、教会のミサには行くくせに、イエス・キリストの言葉に耳をかたむける人なんて、誰もいやしないんだから」

「ねえ、メルセディータス、教会のミサビジネスを引き合いにだすのはやめましょうぜ。それも問題のひとつなんだ。解決策になんかなりませんよ」

「ほらね、さっそく無神論者のご登場だわ。じゃあ、うかがいますけどね。神父さまたちが、あなたに、いったいなにをなさったって言うんです？」

「ほれ、口論はやめてくださいよ」と父が口をはさんだ。「さあ、フェルミン、フェデリコさんのところに行って、入用なものがないかどうか、様子を見てきなさい。誰かに薬局に行ってほしいとか、市場で買い物をしてきてほしいとか、なにかあるかもしれないから」

「かしこまりました、センペーレさん。すぐ行ってまいります。そう、口は災いのもとなんだ。ごらんのとおり、話しだすととまらないもんで……」

「あなたの災いのもとは、その厚かましさと、無礼きわまりない態度ですわ」とメルセディータスが指摘した。「罰あたりな人。塩酸でもあびて、魂を浄化することですね」

「すみませんがねえ、メルセディータス、あなたがいい人だってことはわかってますよ。まあ、わりあい心がせまいし、かなり無知のようですけど。ただね、いまわれわれは、地域社会の緊急事態に直面していて、そちらにむけた努力を優先しなくちゃいけないんです。そうでなきゃ、教会がいったいなにをしているか、いますぐはっきりさせてやるところだ」

「フェルミン！」と父が叫んだ。

フェルミンは口を閉じて、店のまえから立ち去った。メルセディータスは非難にみちた目で、彼の後ろ姿を見つめていた。

「あの男は、そのうちにきっと、あなたがたを厄介事に巻きこみますよ。いいですか、わたしの言うことに、まちがいありませんからね。すくなくとも無政府主義者で、フリーメイソンで、おまけにユダヤ人かもしれないわ。だって、あの鼻の大きさったら……」

「彼のことは気にしないでください。なんでも逆らいたいんですよ」

メルセディータスはむっとして、そうじゃないわよ、とでも言いたげに、黙って首を横にふった。

「さあ、わたし、これで失礼しますわ。いくつも仕事をかけもちしていますから、時間がいくらあっても足りないんです。ごきげんよう」

　ぼくらは会釈した。そして、彼女が背筋をピンとのばして、靴のヒールで舗道をいためつけながら去っていく姿を見送った。父は深呼吸した。とりもどした平和を思いきりすいこみたいかにみえる。父の隣で、アナクレトがしょんぼりしていた。急に顔色が悪くなり、まなざしも悲しげで憂鬱そうだ。

「この国はクソみたいに堕落しちまった」と彼は言った。あの非のうちどころのない話しぶりから、もう解放されている。

「さあ、元気をだしてくださいよ、アナクレトさん。よくあることじゃないですか。ここだけじゃない。世界じゅう、どこに行ってもおなじですよ。物事がうまくいかない時期があって、それが身近におこると、とたんに目のまえが暗くなる。でも、見てごらんなさい、フェデリコさんは、きっと立ち直りますから。われわれが想像するより、彼はずっと強い人にちがいない」

　アナクレトは低い声で否定した。

「潮のようなもんですよね」と彼は放心したように言った。「わたし、人間の残虐さのことを言ってるんですよ。潮がひいて、ああ助かったと思う。だが、潮はいつももどってくるんです。そう、かならずもどってくるんだ……。それで、いつか、われわれは溺死する。わたしはね、毎日学校で見ているんですよ。ああ、なんてこった。サルなんですよ、教室にくるのは……。ダーウィンは夢想家でしかない、保証してもいいです。進化もへったくれもあったもんじゃない。まともに物を考えることのできる人ひとりのために、わたしは、九匹のオランウータンと闘わなきゃならんのです」

　父もぼくも、言われるままにうなずくしかなかった。アナクレトは片手をあげてあいさつしてから去っていった。首をうなだれたその姿は、ここに来たときより五歳も年とったように見えた。

　父はため息をついた。ぼくと目がちらっとあった。でも、ふたりとも口から言葉も出ない。フメロ刑事の来訪を父に話すべきかどうか考えてみた。これは予告なんだ、とぼくは思った。そう、警告だ。かわいそうなフェデリコ氏を、フメロは電報代わりにつかったのだ。

「なにかあったのか、ダニエル？　顔が真っ青だぞ」

　ぼくはため息をついて、視線をおとした。それから、きのうの夕方の出来事を父に話しはじめた。フメロ刑事にまつわる話、それに、あの刑事がほのめかした脅し文句についても。父はぼくの話をきいていた。抑えつけた怒りが、父の目の奥で燃えていた。

「ぼくのせいだよ」とぼくは言った。「フェデリコさんに、なにか言ってあげなきゃいけなかったんだ……」

　父は首を横にふった。

「いや、おまえには知りようがなかったよ、ダニエル」

「でも……」

「そんなことは金輪際考えるな。それに、フェルミンにも、ひと言も言っちゃならん。あのフメロとかいう男が自分のあとをつけまわしていると知ったら、フェルミンがどんな反応をするか、わかったもんじゃない」

「でも、なんとかしなきゃいけないでしょ?」

「面倒なことに巻きこまれないようにするだけだ」

あまり納得していなかったが、ぼくは、ともかくもうなずいた。そして、フェルミンが手をつけた仕事をつづけることにした。父は手紙の整理にもどった。ひと段落読みおわるごとに、父は横目でこちらを盗み見た。でも、ぼくは気づかないふりをした。

「そういえば、きのうのベラスケス教授の件はどうだったんだ? 万事うまくいったのか?」と、父はきいた。話題を変えようとしているのだ。

「うん。もっていった本、気にいったみたいだよ。そう、そう、フランコの著書をずっとさがしてるって言ってたっけ」

「『モーロ人殺し《マタ・モーロ》』だな。でも、あれは贋作なんだがなあ……。マダリアーガの冗談本だよ。で、おまえ、なんて言ったんだ?」

「かしこまりました、二週間以内には、なにかご報告できると思います、って言っといたよ」

「よしよし、いいぞ。この件はフェルミンにやらせよう。それで、教授からたっぷり儲けさせてもらおうじゃないか」

ぼくはうなずいた。それからふたりとも、表向きはいつもの作業にもどった。父はまだこちらを見ている。さあ来るぞ、とぼくは思った。

「きのう、とても感じのいいお嬢さんが店に来たなあ。トマス・アギラールの妹さんだって、フェルミンは言ってたが、そうか？」

「うん」

父はうなずいた。偶然のなせるわざについて思いめぐらしているのか、意外そうな表情をしている。ぼくに一分ほど休戦の猶予をあたえてから、また攻撃をかけてきた。こんどは、急になにかを思いだしたような顔つきだ。

「ところでダニエル、きょうは、ほとんど客が来そうにもない。それで、ひょっとしたら、おまえ、休みでもとって、自分の用事をすませたいんじゃないかと思ったんだが。それに、ここしばらく、おまえは働きすぎているようだし」

「ありがとう。でも、だいじょうぶだから」

「いや、じつはお父さんもな、フェルミンに店をまかせて、バルセロといっしょにリセウ劇場に行こうかと考えていたところなんだ。きょうの午後、『タンホイザー』の公演があって、それに招待されているんだよ。バルセロは、一階のいい座席の切符を何枚ももっているらしい」

父は郵便物を読むふりをしていた。まったく、役者としては最悪だ。

「ねえ、でも、いつからワーグナーなんて好きになったの？」

父は肩をすくめた。

「『もらいものにはケチをつけるな』っていうだろうが……。それに、バルセロとは、なんのオペラを見てもおなじことなんだ。あの人は上演のあいだじゅう、役者の演技についてコメントしたり、衣装やら、歌のテンポの批評をしてるんだから。おまえがどうしているか、バルセロにしょっちゅうきかれるぞ。いつか、彼の店にでも顔をだしてみるんだな」

「近いうちにね」

「じゃあ、おまえがよければ、きょうはフェルミンに店をまかせて、わたしたちふたりは、ちょっと息ぬきをしようじゃないか。ちょうどいい機会だ。それと、おまえ、もし金が必要だったら……」

「お父さん、ベアは恋人なんかじゃないよ」

「誰が恋人だなんて言ったかね？　さあ、話はきまりだ。あとは、おまえしだいだよ。金がいるなら、キャッシャーからもっていきなさい。でも、ちゃんとメモを残しておけよ。フェルミンが締めのときに驚かないようにな」

父はそれだけ言うと、あとは知らんふりをして、満面に笑みをうかべながら店の奥に消えてしまった。ぼくは時計を見た。朝の十時半。大学の回廊でベアと待ちあわせたのは、午後の五時だ。ぼくの意思とは反対に、きょうの一日は、どうやら『カラマーゾフの兄弟』よりも長くなりそうだった。

すこしたつと、フェルミンがフェデリコの家からもどってきて、ぼくらに報告した。隊を組んだ近所の人たちが常時介護にあたり、気の毒なフェデリコの面倒をみている、医師の診断では、肋骨が三本折れ、全身に打撲傷、それに医学書に引用されそうなほど、きわめて深刻な裂傷を直腸に負っているという。

「なにか買わなくちゃいけないものはありましたか?」と父がきいた。

「薬だの軟膏だのは、薬局がひらけるほど、すっかりそろってましたよ。だもんで、花束と、オーデコロンの『ネヌーコ』ひと瓶と、『フルーコ』のピーチジュースを三本もっていかせてもらいました。フェデリコさん、あのジュースが好きでねえ」

「そうか、ごくろうだったね。金がいくらかかったか、あとで言ってくださいよ」と父は言った。「で、彼は? どんな感じでしたか?」

「はっきり言って、ぼろぼろでした。ベッドのなかで毛糸玉みたいに丸くちぢこまって、もう死にたいって言いながら、うめき泣いてる彼の姿を見ただけで、わたしは、きゃつらをぶっ殺してやりたい気分になりましたよ。わかるでしょ? いますぐにでもね、わたし、完全武装して、警察に乗りこんでやりますよ、それで、ラッパ銃でもぶっぱなして、あの腰抜けどもを、ひとまとめにして殺してやる。まずは、あの膿《うみ》みたいなフメロからだ」

「フェルミン、まあ、落ち着きましょうよ。なにか事を起こすようなことは、わたしがぜったい許しませんからね」

「おっしゃるとおりにします、センペーレさん」

「ラ・ペピータはどうでした?」

「いやあ、元気のお手本みたいなもんですな。近所のご婦人たちがブランデー入りのなんかを飲ませたもんで、わたしが見たときには、ソファのうえで熟睡してて、ピクリとも動きゃしませんでした。ブタみたいに、でかいいびきをかいて、ソファのカバーが穴あくぐらい、すげえ屁をこいてましたっけ」

「あの人も変わらんなあ。ところでフェルミン、きょうは、あなたに、このまま店に残ってほしいんだが。わたしは、ちょっとフェデリコさんの様子を見にいってきますよ。そのあと、バルセロと約束をしてるんです。ダニエルも、なにか用事があるらしいし」

ぼくが目をあげると、ちょうどフェルミンと父が、共犯者めいた目配せをかわしているところだった。

「仲人のおふたりさん、ってわけか」とぼくは言った。

ぼくのことをまだ笑っているふたりを残したまま、顔から火の出る思いで、ぼくは店の外に出た。


身をきるほど冷たい風が街をふきぬけ、通りしなに刷毛《はけ》でなでるように、霧を散らしていった。鉄球のような太陽が、ゴシック地区にならぶ人家の屋根や、教会の鐘楼のうえに、銅色の反射光をつくりだしている。大学の回廊でベアと待ちあわせた時間まで、まだ何時間もあったので、運にまかせて、ヌリア・モンフォルトを訪ねてみようと思った。いつか彼女の父親が教えてくれた住所にまだ住んでいることを願った。

サンフェリペ・ネリ広場は、ゴシック地区を織りなす迷路のような路地筋のちょっとした息ぬき場所で、古代ローマ時代の城壁の裏側に隠れていた。内戦当時に機関銃がふいた火の痕跡が、教会の壁にまだ散らばっている。この日の朝は、子どもたちが何人かで兵隊ごっこをして遊んでいた。石に残された記憶など、彼らには無縁なのだ。女性がひとり、ベンチにすわって、子どもたちをながめていた。髪には銀色の筋が走り、手のうえで本をなかばひろげて、うつろなほほ笑みをうかべている。住所によれば、ヌリア・モンフォルトが住んでいるのは、この広場の入り口に隣接した建物だ。正面を飾る黒ずんだ石のアーチのうえに、いまもまだ建設年号が読みとれた。

《一八〇一年》

玄関ホールに立つと、陰に沈む空間から上階につづく、螺旋状によじれた階段がぼんやり見えた。蜂の巣みたいにならぶブリキ製の郵便受けを調べてみた。最近よくあるタイプだ。郵便受けの溝に黄ばんだ厚紙の小片がさしこまれ、そこに住人の名前が書いてある。

《ミケル・モリネール／ヌリア・モンフォルト　四階二号》

ぼくはそろそろと階段をのぼった。人形の家を思わせるほど華奢なつくりの階段で、しっかり足で踏みつけでもしたら、建物ごと崩れおちそうで怖かった。各階のホールごとにドアがふたつ。でもピソの番号もないし、見分けもつかない。

四階についてから、当てずっぽうで片方をえらんで、ドアをノックしてみた。階段は湿ったにおいがした。それに、古びた石と、粘土のにおいもする。何度かドアをたたいたが、返事はない。もう一軒のほうにも挑戦することにした。三度、思いきりドアをノックした。家のなかで、ラジオがめいっぱいのボリュームで流れているのがきこえる。マルティン・カルサド神父の番組、『省察の時』だ。

ドアをあけたのは中年の女性だった。キルティングでできたターコイズブルーのチェック模様の部屋着をはおり、スリッパをはいて、頭にはヘアカーラーをヘルメット状につけている。薄暗いところにいるので、潜水服をきているみたいに見えた。彼女の背後から、ビロードのようになめらかなマルティン・カルサド神父の声がきこえてくる。番組のスポンサーのためにアウロリンという美粧ブランドについて語っているが、なんでも、聖地ルルドの巡礼者に人気の製品で、膿疱《のうほう》とか、大きなイボに、奇跡的な効きめがあるらしい。

「こんにちは。セニョーラ・モンフォルトはいらっしゃいますか？」

「ヌリアちゃんのこと？　だったら、ここじゃないわよ、ぼうや。彼女はそっちの家」

「申しわけありません。何度かノックしてみたんですが、誰もいないみたいなんで」

「まさか、あんた、借金取りじゃないでしょうねえ？」と、まえにもそういう訪問客があったかのように、隣家の女性は警戒してぼくを見た。

「ちがいますよ。ぼく、モンフォルトさんのお父さんからきいて、ここに来たんです」

「あら、そうなの。ヌリアちゃんは、下の広場にいると思うわ。本でも読んでるわよ。ここにあがってくるまえに、見かけなかった？」

表に出ると、髪に銀のまじった女性が本を手にしたまま、まだ広場のベンチに腰をすえているのがわかった。

ぼくは彼女をしっかり観察した。ヌリア・モンフォルトは、ただの魅力的以上の女性だった。ファッション雑誌か、写真スタジオのポートレートのモデルにでもなりそうな顔立ちだが、憂いのあるまなざしから、若さが逃げてしまっているようにも見える。細い体の線が、どこか彼女の父親を彷彿とさせた。四十歳ちょっとぐらいだろうかと推測した。ぼくにそう思わせたのは、ひょっとして、銀髪のまじった髪と、顔を老けてみせる輪郭のせいかもしれない。薄暗いところなら、十歳は若く見えただろう。

「モンフォルトさんですか?」

彼女はトランス状態からさめた人間みたいに、ぼくを見つめた。でも、ぼくをほんとうに見てはいない。

「ぼく、ダニエル・センペーレと申します。まえに、あなたのお父さんから住所をいただいたんです。フリアン・カラックスのことを、あなたなら、お話しくださるだろうと言われまして」

ぼくの言葉をきいたとたん、彼女の顔から、夢心地の表情がすっと消えた。彼女の父親の名をだしたのが、まずかったのかと直感した。

「なんのご用?」と、彼女は不審そうにきいた。

いま、この瞬間に、彼女の信用を得ることができなければ、ぼくはチャンスを失うだろうと感じた。切り札があるとすれば、真実をうちあけることでしかない。

「ちょっと説明させてください。じつは九年ほどまえ、ほんの偶然から、『忘れられた本の墓場』でフリアン・カラックスの小説をみつけたんです。この作家の本を焼却しようとする男の手から救おうとして、あなたが隠した一冊でした」

彼女はぼくをしっかと見つめた。微動だにしない。ちょっとでも動いたら、自分をとりまく世界がいちどに崩壊してしまうとでもいうふうだった。

「ほんの数分だけ、お時間をいただければいいんです」とぼくは言いたした。「約束します」

彼女はうなだれて、うなずいた。

「父はどうしてます？」ぼくの視線をさけながら、彼女はきいた。

「お元気ですよ。まえよりは、お年をとられましたが。とてもあなたに会いたそうでした」

ヌリア・モンフォルトは、ため息をもらした。ぼくには読みきれないため息だ。

「家にあがってください。こういう話は、わたし、外ではしたくありませんから」

七

ヌリア・モンフォルトは影のなかに住んでいた。細い廊下の先にある居間が、キッチンと、書庫と、仕事場をかねていた。窓のない質素な寝室が、途中でちらっと目に入った。家といってもそれだけだ。あとは狭いバスルームに集約される。シャワーも洗面台もなく、階下にあるバルの調理場のにおいから、百年もつかっているみたいなガス管や配水管を伝ってあがる悪臭にいたるまで、ありとあらゆるにおいが入ってくる。この家全体が永遠の闇に横たわっていた。ペンキの剝げた壁だけで支えられる薄闇のバルコニーのようだった。タバコのにおい、寒さと喪失感のにおいがする。

　ヌリア・モンフォルトがぼくを見ていた。家のみすぼらしさに、ぼくは気づかないふりをした。

「このピソは明かりがほとんど入らないの。それで、本を読むのに、外に行くのよ」と彼女は言った。「主人が、こんど帰ってきたときには、電気スタンドを買ってくれるって、約束してくれたわ」

「ご主人、ご旅行かなにかですか?」

「ミケルは刑務所にいるんです」

「すみません。そんなこと、知らなかったから……」

「だって、あなたに、そんなことわかるはずないものね。でも、言っても、べつに恥ずかしくなんかないわ。主人は犯罪者じゃないですもの。このたびは、冶金《やきん》工業界の労働組合のために反政府的な宣伝ビラを印刷して、それで、つれていかれたの。もう二年にもなるわ。近所の人たちは、彼がアメリカにいると思っているのよ。このことは父も知らないし、知ってほしくもないわね」

「心配しないでください。ぼくの口から、あなたのお父さんに伝わるようなことは、ぜったいにないですから」

張りつめた沈黙が紡《つむ》がれていく。父親が自分の様子をさぐるために、このぼくをよこしたんじゃないかと、彼女に疑われているような気がした。

「ひとりでやっていくのは、たいへんでしょうね」と、ぼくは間のぬけたことを言った。この時のすきまを埋めようとしたのだ。

「そう、簡単じゃないわね。翻訳の仕事をして、なんとかしのいでいるわ。でも、夫が刑務所にいたんじゃ、焼け石に水よね。弁護士には搾るだけ搾りとられて、借金で首もまわらない。翻訳なんて、本を書くのとおなじぐらい、ほとんどお金にならないから」

彼女は、なにか返事を待つみたいに、ぼくをじっと見つめた。ぼくは、素直にほほ笑むだけにした。

「本を訳しているんですか?」

「出版物の翻訳はもうやめたわ。いまは印刷物や、契約書や、税関の書類とかの翻訳をはじめたの。そのほうがお金になるから。文学の翻訳なんて、いくらにもならないもの。まあ、本を書くよりは、ましだけど。ここの建物に住む人たちは、もう二回もわたしのことを追いだそうとしたのよ。共同管理費を滞納したからって、たったそれだけの理由でね。外国語をしゃべって、男みたいに仕事して、それでこのざまですものね。わかります? この家がいかがわしいことに使われているって、そう言ってわたしを中傷する人だって、ひとりやふたりじゃないのよ。ほかの生き方ができたら、どんなによかったかしら……」

ぼくは、赤面した自分の顔が、薄暗がりに隠れて見えないことを願った。

「ごめんなさい。なんでこんな話をしちゃったのかしらね。あなたに、居心地の悪い思いをさせてしまったわ」

「いえ、ぼくのせいです。ぼくが、いろんなこと、きいちゃったから」

彼女は神経質そうに笑った。この女性が、剝がれ落ちる自身の孤独に痛めつけられているようにみえた。

「あなた、どこかフリアンに似ているわ」と、彼女が突然言った。「視線の感じとか、しぐさとか。彼も、あなたとおなじようだった。黙ったまま、こちらを見ているんだけど、彼がなにを考えているのかわからない。それで、わたしったら、黙っていればいいようなことまで、ぜんぶしゃべってしまうのよ……。ねえ、なにか召しあがります？　カフェ・コン・レチェかなにか？」

「いや、けっこうです。どうか、おかまいなく」

「かまいやしないから、だいじょうぶ。わたしが自分で飲みたいんですから」

彼女の昼食が、ほんとうはそのコーヒー一杯だけなんじゃないかと、なんとなくそんな気がして、ぼくはもういちど遠慮した。彼女が、居間のすみにある電気コンロのところに行くのが見えた。

「楽にしてくださいね」と、こちらに背をむけたまま、彼女は言った。

周囲に目をやる。どうやって楽にすればいいんだろう、とぼくは心のなかで考えた。バルコニー脇におかれた、部屋の片すみの書斎机が、ヌリア・モンフォルトの仕事場のすべてだった。アンダーウッドのタイプライターが一台。そのそばに、石油ランプと、辞書だの手引書がぎっしりつまった書棚がある。家族の写真はない。机の正面の壁が絵はがきで埋まっていた。ぜんぶおなじ橋の写真だ。どこかで見た気もするが、どこで見たのか思いだせなかった。パリか、ローマかもしれない。この壁のしたで、すきもなく、ほとんど強迫的なまでに整頓された机に、彼女のきちょうめんさがただよっていた。鉛筆はぜんぶ芯の先がとがって、完璧な列をなしているし、用紙もファイルもきちんと端がそろって、三列に平行に重なっている。

ふり返ると、ヌリア・モンフォルトが、廊下の暗がりから、ぼくを観察しているのがわかった。彼女は黙ってぼくをながめていた。通りや地下鉄のなかで、知らない人間を見るみたいな感じだった。タバコに火をつけて、そこにじっとしている。渦巻き状にのぼっていく青いけむりが、彼女の顔を隠した。本人はおそらくいやがるだろう、でもヌリア・モンフォルトには、男を惑わせる危険な女の面影があると、ぼくは思った。フェルミンを夢中にさせる女たち――この世のものとは思えない不思議な光につつまれて、ベルリン駅の霧の奥からあらわれるような、あのスクリーンの女性のタイプだ。きっと本人のほうが、そんな自分の姿にうんざりしているにちがいない。

「お話しできることは、そんなにないのよ」と、彼女は語りはじめた。「フリアンを知ったのは、かれこれ二十年以上まえのこと。パリでだったわ。当時、わたしはカベスタニー出版社に勤めていたの。社長のカベスタニー氏は、フリアンの小説をスペインで出版する権利を、ただ同然で手に入れていたのよ。わたしは、はじめ総務部で働いていたんだけど、わたしがフランス語とイタリア語と、それにドイツ語もちょっと話せるのを知って、カベスタニーさんが、わたしを版権部にまわして、自分の個人秘書にしたの。わたしの担当には、うちの会社と取引がある外国の作家や出版社との手紙をやりとりする仕事もあって、そんなことから、フリアン・カラックスと連絡をとるようになったのよ」

「あなたがフリアン・カラックスと、とても親しくされていたって、お父さんからうかがってますが」

「父はきっと、わたしたちのあいだに情事《アバンチュール》かなにかあったって、あなたに言ったんでしょ。そうじゃありません？　父にしてみれば、わたしなんて、男と見れば誰にでもくっついていく、さかりのついた雌犬とおなじですものね」

歯に衣着せないこの女性の真摯さに、ぼくはすっかり言葉をなくした。彼女に認めてもらえそうな返答が、なかなかひねりだせなかった。ヌリア・モンフォルトは自分にむかってくすっと笑い、頭を横にふった。

「父の言うことなんて、まともにきかないで。わたしがパリに出張したときのことで、父はそんな考えをもちだしたのよ。一九三三年に、パリのガリマール社とのあいだに、カベスタニー氏が片づけなくちゃならない一件があったの。わたしは一週間パリにいて、そのあいだ、フリアンのアパートに泊めてもらったのよ。理由は簡単、カベスタニーさんがホテル代を節約したがったから。ね、ロマンチックでしょ？　それまで、わたしとフリアン・カラックスとのつきあいは、手紙のやりとりにかぎられていたの。たいていは、著作権のこととか、ゲラの校正や、本の出版に関することよ。わたしが彼について知っていること、想像していたことっていえば、うちの会社に送ってくる手書き原稿を読んで、そこから判断したことだけだったわ」

「パリでの生活について、彼はあなたに、なにか話してくれましたか？」

「いいえ、なんにも。フリアンは自分の本のことも、彼自身のことも、話すのをいやがったからね。パリでは、そんなに幸せそうじゃなかった。もっとも、どこにいても幸せになれない人っているでしょ？　フリアンにも、そんなふうな印象があったわ。ほんとう言うと、彼という人を最後まで完全には理解できなかった。彼自身がそうさせなかったのよ。とても閉鎖的だし、世間のことも、ほかの人のことも、この人はもうすっかり興味をなくしているんじゃないかって、そう思うことがよくあったわ。カベスタニ一氏は、彼のことをすごく内気で、ちょっとおかしな考えをする人ぐらいにしか思っていなかったみたい。でも、わたしには、フリアンが過去に生きているように見えたの。思い出のなかに閉じこもってね。フリアンは自分のなかで、自分の本のためだけに生きていた。彼は本のなかに住んでいたのよ。ぜいたくな囚人みたいに」

「彼のことを、うらやましがっているみたいにおっしゃいますね」

「言葉よりも残酷な牢獄があるものなのよ、ダニエル」

彼女の言う意味があまりよくわからないまま、ぼくは、ただうなずいてみせた。

「フリアンがその思い出について、つまり、彼がまだバルセロナにいたころについて、なにか話してくれたことはありましたか?」

「ほんのすこしだけね。わたしが彼の家にいたあいだに、家族のことを、ちょっと話してくれたわ。お母さまはフランス人で、音楽の教師だったそうよ。お父さまは帽子店かなにかを経営していたみたい。とても信心深くて、きびしい人だったらしいけど」

「父親とはどんなふうな関係だったか、フリアンは話してくれましたか?」

「あまりうまくいってなかったみたいね。ずいぶん昔からの話らしいけど。事実、フリアンがパリに行ったのは、その父親の手で軍隊に入れられそうになったからなんですって。お母さまがね、そんなことになるまえに、あの男の目のとどかないところにつれていってあげるからって、息子の彼に約束したそうよ」

「でも、あの男って、つまりは彼の父親じゃないですか」

ヌリア・モンフォルトはほほ笑んだ。くちびるのすみに、ちらりとかすっただけの笑みだった。彼女のまなざしが、物憂げで、悲しそうな輝きをおびていた。

「だとしても、その人はいちども父親らしいことをしなかったし、フリアンのほうでも、その人を自分の父親だと思ったことは、いちどもなかったようよ。あるとき、フリアンがうちあけてくれたのよ。彼のお母さまは、結婚まえに、ある男性とつきあっていたの。でも、その人の名前はぜったいに明かそうとしなかった。その男性が、フリアンのほんとうの父親なんですって」

「なんか、『風の影』の書き出しみたいだなあ。フリアンの言ったこと、あなたは信じているんですか？」

ヌリア・モンフォルトはうなずいた。

「わたし、フリアンからきいたことがあるの。彼は自分の父親のことを帽子屋って呼んでいたんだけど、その父親が、母親をどれだけ侮辱して、どんなに殴ったか、小さいころからずっと見ながら育ったんだって。父親は、自分の妻を殴ったあとでフリアンの部屋に入ってきて、こう言うんだそうよ。おまえは罪から生まれた息子だ、軟弱で卑しい母親の性格をゆずりうけたから、一生みじめな思いをするだろう、なにをやろうとしても挫折するにちがいない……」

「フリアンは、自分の父親に恨みをいだいていたんだろうか？」

「そんな熱も、時が、いつか冷ましてくれるものよ。フリアンが父親を憎んでいるようには、わたしはいちども感じたことはないわ。もしかしたら、憎んでいるほうがよかったのかとも思うけど。あんなことが続けざまに起こって、それでフリアンが父親を敬う気持ちを完全に失ったんじゃないかという印象を受けたわ。フリアンはぜんぜん気にしていないみたいに話していたけどね。そんなのは過去の一部でしかない、もう、とうの昔においてきたことだとでも言いたげだった。でも、そういうことって、ぜったいに忘れられないものよ。さもしい根性から出たものであれ、無知によるものであれ、子どもの心を毒してしまった大人の言葉って、その子の記憶にしっかり刻まれて、いつしか魂を焼き焦がしていくものだから」

彼女は自分の経験から言っているのだろうか、と考えるうちに、ぼくの脳裏に、またしても友人のイメージがうかんだ。やんごとなき父上の演説にかしこまって耳をかたむけるトマス・アギラールの姿だ。

「当時、フリアンは何歳だったんでしょう?」

「八歳とか、十歳とか、そのぐらいじゃないかしら」

ぼくはため息をついた。

「兵役にとられる年齢になってすぐ、彼の母親がパリにつれていったのよ。父親には、別れも告げなかったんだろうと思うわ。あの父親は自分が家族に見捨てられたって、最後までわかっていなかったみたいね」

「フリアンの口から、ペネロペという女性の名前をきいたことがありますか?」

「ペネロペ? きいたことないと思うけど……。きいていれば、覚えているはずだから」

「フリアンの彼女だったんです。彼がまだバルセロナにいたときのことですけど」

ぼくはカラックスとペネロペ・アルダヤの写真をとりだして、ヌリアにさしだした。少年のフリアン・カラックスを見て、彼女の顔がほほ笑みで輝いた。なつかしさと喪失感が彼女を浸食していくようだった。

「まあ、彼がこんなふうに若かったなんて……。これが、そのペネロペとかいう女の子?」

ぼくはうなずいた。

「すごくきれいな子ね。フリアンって、いつだって、すてきな女性に不足することはなかったものね」

　あなたみたいにすてきな女の人にも、とぼくは思った。

「フリアンには、そういう女性が何人もいたんでしょうか?」

「恋人? それとも女友だちのこと? 知らないわ。ほんとう言うと、フリアンの口から特定の女性の話をきいたことはないの。いちど、彼をたきつけてやろうと思って、きいてみたことがあったのよ。フリアンが娼館のサロンでピアノを弾いて生活していたこと、あなたも知ってるでしょ? 手をのばせばいつでもとどくような、あんな美人たちに一日じゅうかこまれていて、誘惑にかられることはないのって。でも、彼にはそんな冗談がおもしろくもなんともなかったみたい。自分には誰のことも愛する資格がない、ひとりでいるのが当然の報いなんだ、っていう答えがもどってきたわ」

「なぜなのか、言ってました?」

「フリアンは、いちども理由を教えてはくれなかった」

「それなのに、フリアン・カラックスは、最後には結婚しようとした。一九三六年にバルセロナに帰ってくるちょっとまえでしたね」

「そういう話らしいけど」

「信じてないんですか?」

　彼女は肩をすくめた。信じていないふうだった。

「さっきも言ったけど、彼と知りあって以来、本人の口から特定の女性についてきかされたことはなかったし、ましてや、結婚を考えている女性がいるなんて思いもよらなかったわ。結婚式のうわさは、もっとずっとあとに、わたしの耳にとどいたの。フランスでカラックスの小説を最後に出版したヌーヴァル氏がカベスタニーに語った話では、相手の女性はフリアンより倍近くも年上の、お金持ちで病身の方だったそうよ。ヌーヴァルの話によると、どうやら、その女性が、長いあいだ資金援助みたいなことをして、彼を支えていたらしいの。医者は、彼女の命があと六カ月、よくても一年だって言ったらしいわ。それで、彼女はフリアンと結婚して、彼に財産を相続させようとしたんだって、ヌーヴァルは言っていたそうよ」

「でも、その結婚式は、けっきょく、おこなわれなかったんですよね」

「まあ、そういう計画がほんとうにあって、そんな境遇の女性がいたとしたらね」

「ぼくがきいた話では、カラックスは決闘に巻きこまれた、結婚式をあげるはずだった日の明け方です。誰との決闘だったのか、なんのためだったか、ご存じですか？」

「ヌーヴァルの想像では、その女性と関係ある誰かじゃないかって。彼女の遠い親戚で、財産がよそものの手にみすみすわたるのを見かねた、欲深な人間だろうって言うの。ヌーヴァルの出版社で主にあつかったのは恋愛三文小説だったから、それで、あそこの社長が、その手の物語にすっかりのぼせちゃったんじゃないかしら」

「あなたは、その結婚式や決闘の話を、あまり信じていないみたいですね」

「もちろんよ。信じたことなんてないわ」

「じゃあ、その当時、彼になにが起こったんだと思われますか？　カラックスは、なぜ、バルセロナに帰ってきたんだろう？」

　彼女は悲しげにほほ笑んだ。

「もう十八年も、わたしは自分にむかって、その質問をしつづけているわ」

　ヌリア・モンフォルトは、またタバコに火をつけた。彼女に一本すすめられた。すいたい気分にかられたが、断った。

「でも、あなたなりの考えがあるでしょう？」と、ぼくは彼女をうながした。

「わたしが知っているのは、ひとつだけ。一九三六年の夏、内戦がはじまってまもない時期に、バルセロナ市の死体安置所《モルグ》の職員から、うちの出版社に電話があったの。なんでも、三日まえにフリアン・カラックスの死体が運ばれてきたっていうのよ。ラバル地区の路地で、ぼろぼろの服を着て死んでいるのが見つかったの。胸を撃たれていたのよ。彼は本を一冊もっていた。『風の影』だった。それからパスポートもね。彼がその一カ月まえに国境を越えていたことが、パスポートのスタンプでわかったらしいわ。ひと月のあいだどこにいたのか、誰も知らないのよ。警察は彼の父親に連絡したんだけど、父親は、自分には息子なんていないからって言い張って、遺体をひきとるのを断ったそうよ。二日後に誰も死体のひきとり手がないまま、モンジュイックの共同墓地に埋葬されたの。わたしは花一本もっていけなかった。だって、彼がどこに埋められているか、わたしに教えてくれる人なんて、誰もいないんですもの。フリアンの上着に入っていた本を保管していた死体安置所の職員が、埋葬された翌日に、カベスタニー社に連絡することを思いついたっていうわけ。わたしが彼の死を知ったのは、そんな経緯からなの。わたしには理解できなかった。もしフリアンがバルセロナで誰かに頼るとすれば、このわたしのはずよ。でなければ、すくなくとも、カベスタニーさんのところに行くでしょう。わたしたちふたりが、フリアンの唯一の知りあいですもの。でも、彼がここに帰ってきたなんていう連絡は、わたしたちのところには、いちどもなかったわ。フリアンがバルセロナにもどってきたのを知ったのは、彼がすでに死んだあとだったのよ……」

「彼が死亡したって通知を受けたあとで、なにかほかに、わかったことはありませんでしたか？」

「なにもないわね。あのころは内戦がはじまったばかりだったし、なんの痕跡も残さないで消えた人なんて、フリアンのほかにも、いくらだっていたもの。いまじゃもう誰も口にしないけど、フリアンとおなじような身よりのない人のお墓って、すごくたくさんあるのよ。答えをさがそうなんていうのは、壁にむかって頭を打ちつけるみたいなもんよ。カベスタニーさんは、当時もうだいぶ体が悪くなってたんだけど、彼の助けをかりて警察に要請して、できるかぎり調べてみたの。でも、若い刑事の訪問をうけただけで、おわってしまったわ。見るからにぞっとする感じの、横柄な刑事で、答えをさがそうとするのはいいかげんにやめて、もっと身のためになる仕事に精力をそそいだほうがいいって、そうわたしに言いふくめていったわ。この国はいま全面的な聖戦の最中なんだからって。それが、その男の言葉だった。

フメロっていう名前よ。わたしが覚えているのはそれだけ。いまじゃ、ずいぶん有名人になったようね。新聞にしょっちゅう名前が出ているもの。あなたも、ひょっとして、その刑事のことをきいたことがあるんじゃない？」

　ぼくは不快な気持ちをぐっと抑えた。

「はい、なんとなくですけど」

「その後、ある不審な人物が、うちの出版社を訪ねてくるまで、フリアンについては誰の口にものぼらなかったわ。その男は、うちの倉庫にまだ残っているカラックスの小説を全部買いとりたいようなことを言ってきたのよ」

「ライン・クーベルト……ですね？」

　ヌリアはうなずいた。

「その男の正体について、なにか、心あたりはありますか？」

「気になることがあるといえばあるわ。ただ、たしかとまでは言えないの。一九三六年の春、そう、ちょうど『風の影』の出版準備にかかっていたころだったから、よく覚えているんだけど、フリアンの住所を教えてほしいって、うちの社に電話してきた人がいたのよ。昔の友だちで、パリにいるフリアンを訪ねたいからって。突然訪ねて、彼をびっくりさせたいんですって。その電話がわたしのところにまわってきたの。でも、個人情報をお教えする許可は得ていないからって、わたし、その人に断ったのよ」

「相手は名乗りましたか？」

「ホルヘ、って」

「ホルヘ・アルダヤですか?」

「そうかもしれない。フリアンから何回かそんな名前をきいたことがあったから。聖ガブリエル学園の同級生じゃないかしら。いちばんの親友みたいに、フリアンが話してたような気もするわ」

「ホルヘ・アルダヤがペネロペの兄貴だって、ご存じでしたか?」

ヌリア・モンフォルトは眉をひそめた。当惑しているみたいだった。

「それで、アルダヤには、パリのフリアンの住所は教えなかったんですね?」

「そうよ。なんだか、いやな感じだったもの」

「なんか言ってましたか?」

「わたしのことを笑って、別の方法でさがすからいいって。それで電話を切られたわ」

なにかが彼女をさいなんでいるようにみえた。この会話をとおして、いったいどこにつれていかれるのか、ぼくは不安になりだした。

「でも、あなたは、その男をまた思いだすことになった、そうじゃありませんか?」

彼女は落ち着かない感じでうなずいた。

「さっきお話ししたように、フリアンが亡くなってすぐ、不審な人物がカベスタニー社に訪ねてきたの。そのころ、カベスタニーさんはもう仕事のできる状態じゃなかったから、長男が会社をしきっていたのよ。訪問者、つまりライン・クーベルトは、フリアンの小説の在庫分を全部買いとりたいというオファーをしてきたの。わたしは、悪い冗談かなにかかと思ったわ。だって、ライン・クーベルトって、『風の影』の登場人物ですもの」

「悪魔でしたよね」

ヌリアはうなずいた。

「あなたは、そのライン・クーベルトを見たんですか？」

三本めのタバコに火をつけながら、ヌリアは首を横にふった。

「いいえ。ただ、カベスタニーのオフィスで長男と話しているのが、ところどころきこえてきて……」

彼女の言葉がそこで途切れた。ぜんぶ言ってしまうのを恐れているような、あるいは、どう言えばいいか考えあぐねているみたいな感じだ。タバコをもつ指先がふるえていた。

「声よ」と彼女は言った。「フリアンの居所を知りたいって、まえに電話をかけてきた男と、おなじ声をしていたの。〝ホルへ〟と名乗った男の声だったのよ……。傲慢で物知らずのカベスタニーの息子が相手の言い値以上の額を要求したら、クーベルトとかいう人は、自分のオファーについて、もういちどよく考えてみると言って帰っていったわ。その日の夜なのよ。プエブロ・ヌエボにある、うちの社の倉庫が火事になって、フリアンの本もいっしょに燃えてしまったのが」

「そのまえに、あなたが書庫からもちだして、『忘れられた本の墓場』に隠した本をのぞいて、ですよね」

「そういうこと」

「フリアン・カラックスの本を残らず燃やしてしまおうなんて、どんな理由があって、そんなことを考えつくやつがいるんだろうか、思いあたることはありますか？」

「どうして本を灰にするのかって？　その人間が愚かだから、無知だから、憎悪から……そんなこと、わかるもんですか」

「でも、あなたは、なんでだと思います？」と、ぼくはくいさがった。

「……フリアンはね、本のなかに生きていたのよ。最後にあの死体安置所に行きついた体は、彼の一部でしかない。フリアンの魂は、彼自身の物語のなかにあるんですもの。わたし、いちど、彼にきいてみたの。登場人物をつくりだすのに、誰か着想のモデルになるような人はいるのかって。そうしたら、彼、言ってたわ。誰もいない、登場人物はぜんぶ自分自身なんだって」

「ということは、もし誰かがフリアンの存在を破壊しようとすれば、彼の創った物語や、その登場人物をぜんぶ破壊しなきゃいけない、そうじゃないですか？」

彼女の顔に、またあのほほ笑みがうかびあがった。打ちのめされて挫折したような、疲れたほほ笑みだ。

「あなたを見てると、フリアンを思い出すわ」と彼女は言った。「まだ信じていたころの彼のこと」

「信じていた、って、なにをですか？」

「なにもかもよ」

薄闇のなかで、彼女はぼくに近づいて、ぼくの手をとった。手相でも読もうとしているみたいに、黙って、ぼくのてのひらをやさしくなでた。彼女の指先を感じて、ぼくの手はふるえていた。着古した、借り着みたいな洋服のしたにある彼女の体のラインを、頭のなかで思い描いている自分に突然気づいて、はっとした。彼女の体にふれたかった。あの肌のしたで熱く打つ、彼女の脈を感じたかった。視線が行きかったとき、ぼくの欲していることが、彼女にはちゃんとわかっているのだと確信した。これほどひとりぼっちの女性を、こんな間近に感じたことはなかった。ぼくは目をあげた。彼女と目があった。聡明な、寄る辺のないまなざしだった。

「フリアンはひとりで死んでいったの。自分のことも、自分の本のことも、誰も思いだささないだろう、自分の人生はなんの意味もなかったって、そう納得して死んでいったのよ」と彼女は言った。「フリアンは知りたかったにちがいないの。自分に生きていてほしいと思っている人がいる、誰かが自分を覚えていてくれるって。『誰かしら覚えてくれている人間がいるかぎり、ぼくらは生きつづけることができる』彼は、いつもそう言っていたわ」

この女性にキスしたいという、痛いほど強い欲求におそわれた。いままでいちども経験したことのない息苦しさだ。クララ・バルセロのまぼろしが訪れるときでさえ、これほど強い思いにかりたてられたことはない。

ぼくのまなざしを、ヌリア・モンフォルトは読んだらしい。

「もう遅くなるわ、ダニエル」と、彼女はささやくように言った。

ぼくの一部がここに残りたがっていた。この見知らぬ女性との、薄闇にただようこの奇妙な親近感のなかで、われをなくしてしまいたい、そして、自分のどんなしぐさが、どんな沈黙が、フリアン・カラックスを思いださせるのか、彼女の口からききたいと強く望んだ。

「そうですね」と、ぼくはつぶやいた。

彼女はなにも言わずにうなずいて、玄関までぼくを見送りに出た。廊下が永遠につづくほど長く思えた。ぼくにドアをあけてくれてから、彼女も階段ホールに出た。

「父に会うことがあったら、わたしが元気にしていると伝えてください。そう嘘をついてちょうだい」

ぼくはかすかな声で別れをつげた。時間をさいてくれたことに礼をのべ、失礼にならないように彼女に片手をさしのべた。ヌリア・モンフォルトは、ぼくのかしこまったしぐさを無視した。ぼくの両腕に手をかけて、ちょっと体をかしげて、ぼくの頰にキスをした。ぼくたちは黙って見つめあった。こんどは、ぼくのほうから、彼女のくちびるをさがした。ほとんどふるえていた。彼女のくちびるが、かすかにひらき、彼女の指先がぼくの顔をさぐっているように感じた。最後の瞬間に、ヌリア・モンフォルトは体を離して、目をふせた。

「もう行ったほうがいいわ、ダニエル」と彼女がささやいた。

彼女が泣きだしそうに見えた。ぼくが口をひらくまえに、彼女はドアを閉めた。

ぼくは階段ホールにひとり立ちつくした。ドアのむこう側に、じっと動かずにいるヌリアの存在を感じ、あのなかでなにが起こったのだろうかと、自分にむかって問いかけた。反対側の家で、ドアののぞき穴の目がしばたいた。お隣さんに手をふって、ぼくは階段をいっきに駆けおりた。

表に出たあとも、心に刻まれたヌリア・モンフォルトの顔が、声が、においが、そのままぼくについてきた。この肌に感じた彼女のくちびるのふれた跡や、彼女の息をひきずるようにして、ぼくは通りを歩いた。街は、オフィスや商店から出てきたばかりの、おなじような顔をした人びとであふれかえっていた。カヌーダ通りに曲がったとき、突然、冷風がぼくを直撃して、通りの雑踏を切り裂いていった。まともに顔にうけた冷たい空気に、心のどこかで感謝しながら、ぼくは大学めざして歩いた。

ランブラス通りを横ぎってから、タジェーレス通りまで歩を速め、薄闇のせまい峡谷に迷いこんだ。あの暗い居間に、自分がいまだに囚われている気がした。そして、いまあそこにいるはずのヌリア・モンフォルトを思った。ひとり影のなかに腰をおろし、鉛筆や、ファイルや、思い出を、沈黙のうちにととのえている彼女、涙で毒された目をした彼女の姿を思いうかべた。

八

不意討ちのようにして、突然日が暮れた。冷たい空気が走り、紫の光のマントが路地のすきままをすべっていく。ぼくは足を速めた。二十分後、大学の正門が、宵に座礁した黄土色の戦艦みたいに、目のまえにうかびあがった。文学部の守衛が、詰め所のなかで、スペインでいまいちばん人気の高い『スポーツの世界』の夕刊を読んでいた。

構内にはもうほとんど学生がいないらしい。靴音の響きがぼくのあとを追いながら、通路や廊下を通りぬけていく。回廊はその先にあった。ふたつの灯火からもれる黄ばんだ光に、夕闇は揺れる気配もない。ぼくは急に、ベアにからかわれたんじゃないかと思いはじめた。ぼくのうぬぼれに復讐するつもりで、こんなふうに人っ子ひとりいない時間の約束に応じるふりだけしてみせたのかもしれない。

中庭《パティオ》に植わったオレンジの木の葉が銀の涙みたいにチラチラ光り、噴水の静かな水音が、回廊のアーチを蛇行しながら流れていく。ぼくは中庭を注意ぶかく見まわした。がっかりすることになっても仕方ないと思いつつも、いっぽうでは、いかにも小心者っぽい、どこかでほっとしたような気分だった。

でも、彼女は、ちゃんとそこにいたのだ。

噴水の正面に、ベアの輪郭がうかびあがった。ベンチのひとつに腰をかけ、回廊の円蓋の高みに視線をすえている。ぼくは入り口で立ちどまって、彼女をながめた。一瞬、ベアのなかに、広場のベンチでぼんやり空想にふけるヌリア・モンフォルトの面影を見た気がした。彼女はファイルも本ももっていない。ひょっとして、きょうの午後は、授業なんてなかったんじゃないか。もしかしたら、ただぼくに会うためだけに、ここに来たのかもしれない。

つばをごくんと呑みこんで、ぼくは回廊に入った。石畳をふむ靴音がぼくの存在を暴露して、ベアは視線をこちらにむけた。そして、びっくりしたようなほほ笑みをうかべた。ぼくが偶然そこにあらわれたとでも言いたげな顔だった。

「来ないかと思ってたわ」とベアが言った。

「ぼくもおなじこと考えてたよ」とぼくは答えた。

彼女はすわったままだった。背筋をぴんとのばし、ひざがしらをきっちりあわせて、両手をひざのうえにおいている。こんなに距離を感じながら、それでいて、くちびるの微妙なひだまで読めるほど近くにいる人が存在するなんて、ぼくには、とても信じられない気がした。

「わたしがここに来たのはね、ダニエル、きのう、あなたがわたしに言ったことが、まちがっているって証明したかったからよ。わたし、パブロと結婚するわ。あなたが今夜なにを見せてくれようと、わたしには関係ない、パブロが除隊になったらすぐ、彼についてフェロールに行くの」

ぼくは、出ていってしまったばかりの電車を見送るような目で、彼女を見つめた。きのう、きょうと二日間、雲のうえでも歩くみたいに夢心地ですごしながら、急に苦い現実を見せつけられて、呆然としている自分に気がついた。

「そうか。ぼくはまた、きみがぼくに会いたくて来たのかと思ったんだけど」と、力なく笑って、ぼくは言った。

彼女の顔が、羞恥でみるまに赤くなるのが見てとれた。

「冗談だよ」とぼくは嘘をついた。「でも、きみに約束したことはマジメだよ。きみがまだ見たことのないバルセロナの顔を見せてあげるって言ったろ。すくなくとも、それで、ぼくのことや、バルセロナのことを思いだす口実ぐらいにはなるだろうからね。きみがどこに行こうとだよ」

ベアはちょっと悲しげにほほ笑んで、ぼくから目をそらした。

「わたし、もうすこしで映画館に入るところだったのよ。わかる？　そうすれば、あなたと会わないですむから」

「どうして？」

ベアは黙ってぼくの顔を見つめた。それから肩をすくめ、視線をうえにむけた。逃げていった言葉を宙でつかまえようとするみたいだった。

「もしかしたら、あなたの言っていることが正しいかもしれないって、そう思うのが怖かったからよ」と、彼女はとうとう言った。

ぼくはため息をついた。見知らぬもの同士を結びつける、あの寄る辺のない静寂と黄昏に、ぼくたちふたりはつつまれていた。心の命ずるままに言葉が言えそうな度胸がわいた。これが最初で最後でもいいと思った。

「彼のこと好きなのか？　それとも好きじゃないのか？」

彼女は、いまにも壊れそうなほほ笑みをぼくにむけた。

「あなたの知ったことじゃないわ」

「たしかにそうだ」とぼくは言った。「きみだけの問題だよな」

彼女の目つきが冷たくなった。

「だから、どうだって言うの?」

「ぼくがどう思おうと、きみには関係ないことだね」とぼくは言った。

ベアはほほ笑まなかった。くちびるがふるえていた。

「わたしをよく知ってる人たちは、わたしがパブロのことをたいせつに思っているって、ちゃんと知ってるわ。うちの家族も、それに……」

「でも、ぼくは、ほとんどきみのこと知らないぜ」と、ぼくは彼女の言葉をさえぎった。

「だから、きみの口から、ちゃんとききたいんだよ」

「なにをききたいのよ?」

「彼のことが、ほんとうに好きだってことをさ。彼と結婚するのは、きみが家から出たいからじゃない、誰からももう傷つけられないほど遠くに行くために、バルセロナや、家族のもとを去るわけじゃないってこと、きみは、自分で望んで行くんであって、逃げるためじゃないってことをだよ」

ベアの目が悔し涙で輝いた。

「あなたにそんなこと言われる筋合いはないわ、ダニエル。あなたなんて、わたしのこと、なんにも知らないくせに」

「ぼくがまちがってるって言ってくれよ。そうしたら、もう行くから。彼のこと、好きなのか?」

ぼくらは長いあいだ、なにも言わずに見つめあった。

「わからない」と彼女は最後につぶやいた。「わからない」

「誰かのことを愛しているかどうか、一瞬でも考えてしまうようなら、その人はもう、その相手を愛してはいない、その先も永遠に愛することはないって、そう言った人がいるよ」とぼくは言った。

ベアは、ぼくの表情に皮肉な色をさがしているみたいだった。

「そんなこと、誰が言ったの?」

「フリアン・カラックスっていう人」

「お友だち?」

うなずく自分に、ぼくは自分で驚いた。

「まあ、そんなところかな」

「紹介してほしいわ」

「今晩ね。きみが、よければだけど」

紫のあざみたいに燃える空のした、ぼくらは大学をあとにして、あてもなく歩きはじめた。どこかに着きたいからというよりも、相手の歩調にうまくあわせようとするために歩いているみたいな感じだった。ふたりして、共通する唯一の話題に逃げ場をもとめた。彼女の兄、トマスの話だ。とても慕っていながら、そのじつ、ほとんど知らない人について語るみたいなロぶりで、ベアは自分の兄のことを話した。ぼくから目をそらして、落ち着きのなさそうなほほ笑みをうかべている。大学の回廊でぼくに言ったことを、彼女が後悔しているみたいに感じられた。自分の心をさいなむ言葉に、いまだに痛みを感じているようだった。

「ねえ、さっきあなたに言ったことだけど」と、彼女が唐突に言いだした。「トマスにはぜったい言わないでよね。いい？」

「もちろんさ。誰にも言わないよ」

彼女は神経質そうに笑った。

「わたしったら、どうしちゃったのかしら。ねえ、怒らないでほしいんだけど、自分のことをよく知っている人よりも、知らない人に話をするほうが、楽な気分になれることってあるでしょ。なんでかしらね？」

ぼくは肩をすくめた。

「知らない人間のほうが、ありのままの自分を見てくれるからじゃないのかなあ。知ってる人たちが、ぼくらにこうあってほしいって思うようにじゃなくさ」

「それも、お友だちのカラックスの言葉？」

「いや、これは、ぼくがいま思いついたんだ。きみを感動させてやろうと思って」

「じゃあ、あなたには、わたしがどんなふうに見える？」

「謎に見える」

「そんなへんなお世辞、誰からも言われたことないわ」

「お世辞じゃないよ。これは脅迫だ」

「どういう意味？」

「謎は明かさなきゃいけない。なにが隠されているのか、調べてみなきゃいけない」

「中身を見たら、ひょっとして、幻滅するかもよ」

「ひょっとして、びっくりするかもしれない。きみだって、おなじことだよ」

「あなたがそんなにずうずうしい人だって、トマスはわたしに教えてくれなかったわ」

「ぼくのずうずうしさは、そっくり、きみのためにとってあるんだ」

「なぜ？」

きみが怖いからだよ、と、ぼくは心のなかで言った。

ポリオラマ劇場のそばにある昔ながらのカフェに、ぼくらは入ることにした。窓際の席に腰をおろして、生ハムのボカディージョと、体が温まるように、カフェ・コン・レチェをふたつ注文した。ちょっとすると、小悪魔みたいにおどけた顔つきの、やせこけた店の責任者が出てきて、いかにも仕事熱心な感じで、ぼくらのテーブルに近づいた。

「生ハムのボカディージョをご注文されたんは、おたくさんがたっすか？」

ぼくらはうなずいた。

「たいへんに申し訳ございませんが、ただいま当店では生ハムをすっかり切らしておるんでして。カタルーニャ産ソーセージ《ブティファーラ》の黒か、白か、ミックス、あとは、ミートボール、ナバーラ産の細腸詰《チストーラ》がございますんです。最高級品で、仕入れたばかりのもんですが。あとは、イワシの酢漬けもございますんです。宗教的な理由かなんかで、もし肉類がお召しあがりになれませんでしたらですが。なにせ、きょうは金曜日ですっし……」

「わたし、カフェ・コン・レチェだけでけっこうよ」とベアが答えた。

　ぼくは、死にそうに腹がへっていた。

「あと、ポテトのチリソース添え《ブラバス》をふたつもらえますか?」とぼくは言った。「それから、パンもすこしください」

「さっそく、おもちいたします、お客さま。品切れの件、まことに申し訳ございませんでした。ふだんは、こんなこと、ございませんですが。ソビエト《ボルシェビキ》産のキャビアだってございますんですが。でも、午後にサッカーのヨーロッパ杯の準決勝がありましたですから。店がいっぱいだったんでございまして。いやあ、たいした、たまげた試合でしたが」

　店の責任者はおごそかな顔つきで、ぼくらのテーブルを離れた。ベアは愉快そうな顔で、彼を観察していた。

「あれ、どこの方言かしら?　ハエン県?」

「サンタコロマ・デ・グラマネット」とぼくは正確に答えた。「あまり地下鉄には乗らないみたいだね?」

「地下鉄には品の悪い人間がいっぱいいる、おまえがひとりでなんか乗ったら痴漢にあうぞって、父に言われているのよ」

　なにか言いそうになったが、ぼくは口をつぐんだ。ベアは笑った。注文した食べものとカフェ・コン・レチェが運ばれてくると、ぼくはさっそく、なりふりかまわず平らげた。ベアはひと口も食べなかった。湯気のたつコーヒーカップを両手でつつむようにして、ぼくをじっと観察している。好奇心と関心のあいだにゆれる、かすかなほほ笑みだ。

「で、きょうは、なにを見せてくれるの？　わたしがまだ見たことのないもの、って言うけど」

「いろいろさ。じつは、これから見せるものって、ある物語の一部なんだ。きみ、本を読むのが好きだって、きのう、ぼくに言ったろう？」

ベアは眉をつりあげてうなずいた。

「よし。これはねえ、本の物語なんだ」

「本の物語？」

「呪われた本たち、それを執筆した男、その本を燃やすために小説のページから抜けだした人物、裏切りや、失われた友情の物語だ。風の影のなかに生きる愛と、憎しみと、夢の物語なんだよ」

「なんだか三文小説のカバーにある宣伝文句みたいね、ダニエル」

「書店で働いて、そういうのを見すぎてるからだろうね。でも、これは実際にあった話なんだ。ぼくらのテーブルに運ばれてきたパンとおなじ、まったく現実そのものだよ。まあ、さっきのパンは、焼いてから三日はたってるみたいに硬かったけどさ。で、実話の例にもれず、この物語も墓場ではじまって、墓場でおわる。もっとも、きみが想像するような墓場じゃない」

謎かけや、手品のトリックに胸をワクワクさせる子どもみたいな顔つきで、彼女はにこっとした。

「ちゃんときいてるから、話して」

カフェ・コン・レチェの最後のひと口を飲みほしてから、ぼくはなにも言わずに、ちょっと彼女を見つめた。手をのばした先から逃げていきそうなまなざし、透明で、空虚かもしれない、このまなざしのなかに逃げこみたいと、自分がどれほど望んでいるかを考えた。きょうの夜、それ以上偽っていっしょにいられるだけのトリックも、物語もなくなって、ベアと別れたあとに、自分をつつむはずの孤独感を考えた。彼女にあげられるものなんて、ほんのすこししかないのに、彼女からどれほど多くをほしがっているかを考えた。

「あなたの脳みそから音がきこえてきそうよ」とベアが言った。「なにをたくらんでるの?」

あの遠い夜明け、目がさめたときに母の顔が思いだせなかったあの朝のことから、ぼくは彼女に語りはじめた。そして、きょう、ヌリア・モンフォルトの家で感じた影の世界を回想するところまで、いっきに話しつづけた。ベアは黙って耳をかたむけていた。自分なりの判断をしたり、憶測したりするそぶりは見せなかった。

「忘れられた本の墓場」をはじめて訪れたときのこと、その晩、『風の影』を読みあかしたことを、ぼくは話した。顔のない男と遭ったこと、ペネロペ・アルダヤのサインが入った例の手紙について、そして、自分でもなぜかわからないままに、その手紙をずっともち歩いていることを話した。クララ・バルセロとも、誰ともキスすることのなかったぼくが、ほんの数時間まえ、ヌリア・モンフォルトのくちびるを肌に感じたときに、どれほど手がふるえたか。あの瞬間にはじめて、これが不在と喪失の物語であり、孤独な人間たちの物語なんだと理解した。この物語のなかに逃げこんで自分の人生に重ねてしまったのは、たぶん、それでだったのだろうと。小説に逃げ場をもとめる者のように。なぜなら、そういう者にとって、自分の愛したいと思っている人たちは、知らない人間の魂に住む影でしかないからだと。

「もうなにも言わないで」とベアがつぶやいた。「そこにつれていってくれるだけでいいから」


アルコ・デル・テアトロ通りの陰にある「忘れられた本の墓場」の門扉のまえで足をとめたとき、すでに夜の帳《とばり》がおりていた。ぼくは小悪魔のドアノッカーをにぎって、とびらを三回たたいた。炭のにおいがたっぷりしみこんだ冷たい風が吹きぬけた。ぼくらは入り口のアーチのしたに立って、門扉があくのを待った。ベアのまなざしが、ぼくからほんの数センチのところにある。彼女の目はほほ笑んでいた。やがて、とびらのほうに足早に近づいてくる音がして、疲れたような管理人の声がきこえた。

「どちらさんです?」とイサックがたずねた。

「ぼく、ダニエル・センペーレです、イサックさん」

彼が小声でぶつくさ言っているみたいにきこえた。つづいて、複雑きわまりないカフカ式錠前が、何千もの金属音や、きしむような音を奏ではじめた。最後にやっと、とびらが数センチほどあいて、カンテラの明かりに照らされたイサック・モンフォルトの鷲のような顔がうかびあがった。ぼくを見て、管理人はため息をつき、それから白眼をむいた。

「わしも、なんで名前をきいたりしたのか、わからんわい」と彼は言った。「こんな時間に訪ねてくるような人間は、ひとりしかおらんのにな」

イサックは、ガウンと、バスローブと、ロシアの軍隊ふうオーバーをまぜこぜにしたような、奇妙な上着をまとっていた。キルティングの室内履きが、チェック模様で房飾りのついたウールの帽子とみごとに調和している。

「まだお寝《やす》みの時間じゃなかったですよね」とぼくは言った。

「まさか。いまやっと、お祈りをはじめたところですよ」

彼はベアに鋭い視線をなげかけた。足もとに、火のついたダイナマイトの弾薬筒がひと束おいてあることに、たったいま気づいたみたいな目つきだった。

「疑われるようなことは、せんでもらいたいね。あんた自身のためにだ」と彼は脅し文句を言った。

「イサックさん。彼女、ぼくの友だちのベアトリスです。あなたにお許しいただいて、彼女にここを見せてあげたいんです。心配しないでください。ぜったいに信用できる友だちですから」

「なあ、センペーレくん。言っとくがね。わしの知ってる乳飲み子のほうが、あんたよりよっぽど常識がありますよ」

「ほんのちょっとの時間でいいんですけど」

イサックは降参の深いため息をはいてから、警察官のようにじっくりと、疑りぶかい目でベアを観察した。

「で、お嬢さん、あんたといっしょにおるのは、おつむの弱い男だって、ちゃんとわかっておいでかな?」と、イサックがきいた。

ベアは愛想よくにっこり笑った。

「いま、やっと、わかりはじめたところです」

「なんて無邪気なこった。で、規則はおわかりでしょうな?」

ベアはうなずいた。イサックは、ぼそぼそ言いながら、あきらめたように首を横にふり、いつものように通りの物陰をうかがってから、ぼくらをなかにとおしてくれた。

「娘さんのヌリアさんを訪ねてきましたよ」と、言葉がなんとなく口について出た。「お元気でしたよ。仕事がたいへんみたいだけど、お元気でした。あなたによろしくおっしゃってました」

「はいはい、とんだ皮肉でございだ。なあ、センペーレくん、あんた、嘘をつくのがほんとにへただねえ。でも、その努力には感謝しますよ。さあ、おはいんなさい」

いったんなかに入ると、彼はカンテラをぼくにさしだして、こちらのことなど、もうおかまいなしに、ふたたび錠をかけはじめた。

「おわったら、わしのところにいらっしゃい」

闇のなかにうかぶまぼろしのような一角に、本の迷宮がかいま見えた。カンテラが、蒸気みたいに淡い泡状の光を、ぼくらの足もとに投射した。ベアは、迷宮の入り口で足をとめた。呆然としている。ぼくは思わずほほ笑んだ。彼女のその表情に、十年近くまえに父が見たはずの、ぼく自身とおなじ表情を認めたからだ。

ぼくらは、迷宮のトンネルや通路を進んだ。ひと足踏むたびに、きしんだ音がする。まえにここに侵入したときにつけておいたマークが、まだ残っていた。

「ぼくのあとについてきて。きみに見せたいものがあるから」とぼくは言った。

自分がとおったはずの道のりを何度も失い、そのたびに、最後に見たマークのところまで、ひき返さなければいけなかった。ベアは不安と感動の入りまじった表情で、ぼくをじっと観察している。頭のなかの方位磁石が、迷宮の心臓部にむかってゆっくりあがっていくはずの螺旋階段と交差するところで、ちがう道をとってしまったことを告げていた。もつれた糸みたいな廊下やトンネルのなかで、やっと正しい道を見つけ、暗黒にむかって架かるつり橋みたいな細い通路を進んだ。最後の書棚のまえで、ぼくはひざまずいた。本の列を埋めつくした厚いほこりが、カンテラの明かりのしたで、霜のように輝いている。ぼくは、書物の奥に隠れている昔からの友人をさがしあてた。本を手にとって、ベアにさしだした。

「フリアン・カラックスを紹介するよ」

「『風の影』……」と、消えかかったカバーの文字を指先でたどりながら、ベアはタイトルを読んだ。

「もっていってもいい?」と彼女がきいた。

「その本以外なら、どれでもいい」

「それって、ずるいわ。あんな話をきいちゃったんだもの。わたしがほしいのは、この本なのよ」

「いつかね。たぶん。でも、きょうはだめだ」

ぼくは彼女の手から本をとりあげて、また、もとの場所に隠した。

「わたし、ひとりでここにもどってきて、あなたにわからないように、その本、もっていってやるわ」と、彼女はからかうような口調で言った。

「千年かかっても、見つけられないぜ」

「あなたがそう思ってるだけよ。あなたがつけたしるし、ちゃんと見たもの。わたしだって、ミノタウロスの神話ぐらい知ってるわ」

「でも、イサックがなかに入れてくれないぜ」

「そんなことないわ。あなたより、わたしのほうが、あの人と気が合うもの」

「なんで、そんなことわかる?」

「彼の顔に書いてあったわ」

悔しいが、彼女のほうが正しい気がして、ぼくは自分の意見をひっこめた。

「なにか、ほかの本をえらびなよ。ほら、これなら、おもしろいかもしれないぜ。『カスティーリャの豚、この知られざるもの――イベリア豚の脂身のルーツを求めて』アンセルモ・

トルケマーダ著。この本、まちがいなくフリアン・カラックスの小説よりたくさん売れてるよ。豚って、捨てる場所がないもんな。頭の先から足の先まで利用できるし」

「こっちの本のほうが、まだいいわ」

「『ダーバヴィル家のテス』これ、オリジナルだぜ。トマス・ハーディに英語で挑戦するつもり？」

彼女はむっとしたように、ぼくを横目で見た。

「じゃあ、きまりだな」

「ね、だから言ったでしょ？　この本、わたしのこと待ってたみたいじゃない。きっと、わたしが生まれるよりまえから、わたしに会うために、ここにずっと隠れていたんだわ」

ぼくはあ然として彼女を見つめた。ベアはくちびるをすぼめて、ほほ笑んだ。

「わたし、なんか言った？」

そのとき、ぼくは考えるより先に、くちびるにかするようにして、彼女にキスをした。


ベアの家のまえについたとき、すでに夜中の零時に近くなっていた。

ぼくらはほとんど口をきかずに、ここまでずっと歩いてきた。自分の考えていることを、ふたりとも、あえて相手に言おうとはしなかった。

たがいに隠れあうようにして、離れて歩いた。ベアは彼女の『テス』を小脇にかかえ、背筋をしゃんとのばして歩いていた。ぼくは、キスの味をくちびるに感じながら、その彼女の一歩後ろを歩いた。「忘れられた本の墓場」を出るときに、じろりと横目でぼくを見たイサックのまなざしが、ぼくについてまわっていた。あのまなざしを、ぼくはよく知っている。父に何度となく向けられたまなざし。おまえは自分でやっていることが、ほんとうにわかっているのか、とぼくに問いかけるまなざしだった。最後の数時間は、まるで別世界にいるみたいにすぎていった。ふれあいの宇宙、理解できないまなざし、そのなかに、ぼくの理性も気恥ずかしさも呑みこまれていった。市街の陰からいつもこちらをうかがう、あの現実の世界に帰りつつあるいま、魔法は消え、ぼくに残ったものといえば、痛いほどの欲求と、名づけようのない不安だけだった。でも、ベアをちらっと見ただけで、ぼくのもどかしい思いなんて、彼女の心に吹き荒れる嵐のような風にくらべれば、ほんの微風にすぎないんだと理解させられた。

ぼくらは門のところで立ちどまり、下手にとりつくろったりせずに、たがいに見つめあった。夜警《セレーノ》がベアのために門をあけようと、鼻歌まじりにゆっくり近づいてきた。鍵束が奏でるシャラシャラという心地よい音を伴奏に、ボレロを口ずさんでいる。

「ひょっとして、もう会わないほうがいいと思ってるんだろ」と、自分で納得もしていないくせに、ぼくは彼女に言ってみた。

「わからないわ、ダニエル。なにもわからない。あなたは、そのほうがいいの？」

「いや、ぼくは会いたいよ。でも、きみはどうなの？」

彼女は肩をすくめた。力ないほほ笑みが、かすかにうかんだ。

「あなたはどう思うの？」と彼女がきいた。「わたし、さっき、あなたに嘘ついたのよ。知ってた？　大学の回廊でよ」

「嘘って、なんの？」

「きょうはあなたと会いたくなかった、って言ったこと」

　夜警がにやにや笑いながら、ぼくらのそばを歩きまわっている。ぼくにとって、家のまえで女性にささやきかけるシーンはこれがはじめてなんだと、この男は露ほども知らないのだ。熟練した夜警には、こんなのはどこにでもある、ありきたりのシーンに見えたにちがいない。

「わたし、べつに急いでいませんからね」と彼は言った。「そこの角で一服やってますから、声をかけてくれればいいですよ」

　ぼくは、夜警が遠ざかるのを待った。

「こんどはいつ会える？」

「わからないわ、ダニエル」

「あした？」

「お願いよ、ダニエル、わからないの」

　ぼくはうなずいた。ベアがぼくの顔をなでた。

「きょうはもう、行ったほうがいいわ」

「すくなくとも、ぼくがどこにいるか、わかってるだろ？」

　彼女はうなずいた。

「待ってるよ」

「わたしも」

彼女から離れても、ぼくの目は彼女にくぎづけになっていた。こういうことに慣れているベテランの夜警は、ベアのために、さっと門をあけた。

「この不良めが」と、そばを通りしなに、夜警が耳打ちしてきた。いくらか、このぼくを見直したらしい。「すごい美人じゃないか」

ベアが建物のなかに入るまで、ぼくは彼女を見守った。そして、ひと足ごとに後ろをふり返りながら、足早にその場をあとにした。不可能なことはなにもない、そんな非常識な確信が、ぼくのなかでゆっくりひろがり、人っ子ひとりいない通りや、身を切るような風にまで、希望のにおいを感じた。

カタルーニャ広場についたとき、鳩の群れが広場の中央に集まっているのに気づいた。広場を鳩が埋めつくしている。静寂を揺らす白い羽のマントみたいだった。彼らの領域をよけていこうと思った。ところが、鳩の群れは飛びたつこともせず、ぼくの足もとに道をあけてくれていることに、そのとき気づいた。ぼくは、おそるおそる歩みを進めながら、ぼくの進む先から通り道をあけ、ぼくの後ろでまた道をふさぐ鳩たちの様子を観察した。

広場の中央までくると、夜中の零時を告げる大聖堂の鐘音がきこえてきた。ぼくはちょっと足をとめた。大洋のように広がる銀色の鳥の波にただよいながら、きょうという日が、これまでの人生でいちばん不思議な、とてつもなくすばらしい日だったと考えた。

九

店にはまだ明かりがついていた。もしかしたら、オペラから帰ってきた父がこんな時間まで店に残って、たまった郵便物を整理しているか、適当な口実でもつくって、寝ないでぼくの帰りを待ち、ベアとのデートについて、うまくききだすつもりなんだろうと思った。

山積みの本をととのえている人影に目をとめた。やせぎすの、落ち着かない顔のフェルミンが、一心に仕事をしている。ぼくはショーウインドーのガラスをコツコツたたいた。フェルミンが顔をあげて、驚いたように、ぱっと表情を輝かせた。彼は店の裏口から入ってこいという合図を送ってきた。

「まだ働いてたんですか、フェルミン？　こんな遅い時間なのに」

「ほんとはね、時間つぶしをしてたんですよ。このあとで、あの気の毒なフェデリコさんのところに行って、看病することになってるもんでね。眼鏡店のエロイと交替でやってるんです。それに、わたし、そんなに寝ないほうですから。日に二時間か、三時間も眠りゃ、じゅうぶんですわ。でも、そういうききみだって、なかなかやるじゃないですか、ダニエル。もう真夜中だもの。つまり、あの娘《こ》とのデートは、大成功におわったってわけですね」

ぼくは肩をすくめた。

「正直言って、わからないですよ」と、ぼくは認めた。

「さわっちゃいましたか？」

「いや」

「それはけっこう。最初のデートで、そういうことを許すような女性は、ぜったい信用しちゃならんです。でも、もっと信用できないのは『神父さまがいいっておっしゃったら』なんてぬかす女ですわ。失礼ながら肉料理を例にひかせていただくと、ヒレ肉のステーキはミディアムがいい。もちろんチャンスがありゃ、上品ぶらずに、いただいちゃうことです。でも、真剣なつきあいを考えているんなら——そう、わたしのベルナルダみたいにですが——黄金の鉄則を忘れちゃいかん」

「あなたのは、真剣なつきあいなんですか？」

「まじめもまじめ、大まじめ。きわめて精神的なつきあいですよ。で、きみの、そのベアトリスちゃんは、どうなんですか？　最高の値がつくお肉だっていうのは、一目見ただけでわかるが、ただね、問題の鍵はこれですよ。つまり、きみに恋心をいだかせる女なのか、それとも、きみの下半身を興奮させるだけの女なのか」

「まるでわかんないです」と、ぼくはうちあけた。「たぶん、両方だと思うけど」

「いいですか、ダニエル、それって、消化不良とおなじなんだなあ。きみ、このへんに、そう、胃の入り口のあたりに、なんか感じます？　レンガを呑みこんだような感じがする？　それとも、体全体がポッポと熱いだけですか？」

「どっちかっていうと、レンガですね。」とぼくは言った。もっとも、熱を全面的に否定したわけでもない。

「それじゃあ、ことは深刻だってことです。こりゃ、えらいこっちゃ！　ちょっと、まあ、おすわりなさいよ。いま、ハーブティーをいれてあげますからね」

　本と静寂にかこまれて、ぼくらは店の奥にあるテーブルに腰をおろした。都市は眠りにつき、ぼくらの店は、安らぎと影の大洋に漂流する小舟のようだった。フェルミンは、湯気のたつカップをぼくにさしだして、いくらかぎこちない笑みをうかべた。

「ねえ、ダニエル、個人的な質問をしてもいいですか？」

「もちろん」

「どうか、まじめに答えてくださいよ」と言って、彼は軽く咳ばらいした。「このわたしが父親になれると思いますか？」

　ぼくの表情に当惑を読みとったにちがいない、フェルミンは慌てて言いたした。

「いや、生物学的な父親のことを言ってるんじゃないです。わたしじゃ、ちょっと頼りない感じがするでしょうからね。でも、これでもねえ、おかげさまで、闘牛なみの精力と激しさは天から授かってますがね。いえ、わたしが言いたいのは、もっと別の意味での父親のことなんです。つまり、いい父親ってこと、わかるでしょ？」

「いい父親？」

「そう、あなたのお父上みたいなです。頭と心と魂のある男ですよ。子どもの話に耳をかたむけて、その子をみちびいて、認めてやれる男。自分の欠点で子どもを窒息させるようなことはしない男です。子どもが、自分の父親だからという単にそれだけの理由で好いてくれるんじゃなく、ひとりの人間として敬愛すべき人だから慕ってくれるような、そんな父親ですよ。自分もこの父のようになりたいと、子どもに思ってもらえる人間です」

「なんで、そんなことときくんです、フェルミン？　ぼくはまた、あなたが、夫婦とか、家族なんて信じていないのかと思ってたけど。くびきで繫がれるみたいなこと。そうじゃなかったですか？」

フェルミンはうなずいた。

「いいですか。そういうのはね、趣味の問題なんです。夫婦とか、家族とかは、わたしらが、そう見せかけているものにすぎない。その見せかけがなければ、家庭なんて、食いものにありつくための、偽善のまぐさ桶でしかありませんよ。がらくたと、中身のない言葉の山ですな。でも、ほんものの愛があれば、つまり、言葉にしたり、みんなにきこえるように宣言するもんじゃなくて、黙っててもわかるし、自然とにじみでるような……」

「なんだか、人が変わったみたいですね、フェルミン」

「じつは、そうなんですよ。ベルナルダがいるおかげで、いまの自分より、もっとましな男になりたいって気になったんです」

「どういうこと？」

「彼女にふさわしい男になるためですよ。きみはまだ若いから理解できないかもしれないけど、そのうちにわかります。つまり、なにを相手にあたえられるかじゃなくて、どれだけ譲れるかってことが、時にはたいせつなんですよ。ベルナルダといろいろ話をしましてね。あなたもよく知ってるが、彼女って、母性愛のかたまりみたいな女じゃないですか。いや、彼女、自分からは言わないですよ。でも、彼女にとって、人生で最大の幸せがあるとすれば、それは母親になることだろうって、そんな気がするんです。わたしね、彼女のほうが、桃の缶詰よりずっと好きなんですよ。もっと言えば、彼女のためなら、三十二年来いちども足をふみいれてない教会にだって行きますし、聖セラフィムの賛美歌だろうが、なんだろうが、必要ならなんだって歌ってみせますから」

「それって、ずいぶん気が早いような感じがするんだけど、ねえ、フェルミン。だって、まだ彼女と知りあったばかりじゃないですか……」

「いいですか、ダニエル、わたしぐらいの年になるとねえ、自分のゲームがはっきり見えはじめるか、もう完全に投げだしちまってるかのどっちかなんだ。人生なんて、せいぜい三つか四つのことのために生きる価値があるんであって、それ以外のことは、畑にまく肥やしみたいなもんですよ。わたし、これまでの人生で、さんざん愚かなことをやってきましたからね。いまはただ、ベルナルダを幸せにしてやって、いつか彼女の腕のなかで死ねれば、それだけでもうじゅうぶんだって、自分でよくわかってるんです。人から尊敬してもらえるような男に、もういちどなりたいんだ。わかります？　自分のためじゃないですよ。だいいち、人道主義とかって、あのサルの合唱もどきで人から尊敬されることなんて、わたし、屁とも思ってませんからね。そうじゃなくて、ベルナルダのためにそうなりたいんです。だって、ベルナルダって、そういうことを信じてるんですから。ラジオの連続ドラマとか、神父さんとか、立派な人格とか、ルルドの聖母とかをです。彼女はそういう女だし、わたしは、そのままの彼女が好きなんですよ。わたしのために、なにひとつ変わってほしくない、あのあごに生えてる毛一本もですわ。だからね、彼女が自慢にできるような男になりたいんだ。わたし、彼女にこう思ってほしいんです。『わたしのフェルミンって、いっぱしの男だわ。ケーリー・グラントとか、ヘミングウェイとか、闘牛士のマノレーテみたいよ』ってね」

ぼくは腕組みをして、事態の重さを推し量った。

「で、あなたは、そういうことをみんな、もうベルナルダと相談したんですか？　ふたりの子どもをもとう、とかって？」

「まさか！　やめてくださいよ。わたしをなんだとお思いです？　このわたしが、女という女に『あんたを孕《はら》ましてやりたい』なんて、言って歩いてるとでも思ってるんですか？　いや、そう言われりゃ、その気がないわけじゃないですよ。たとえば、あのメルセディータスのバカ女にならいますぐ三つ子の胤《たね》をおとしてやって、神さまみたいな顔してることだって、わたし、できますからね。でも……」

「ベルナルダには、いっしょに家庭をもちたいって、もう言ったんですか？」

「そういうことって、口にだして言う必要はないんですよ、ダニエル。顔を見れば、わかるんです」

ぼくはうなずいた。

「だったら、ぼくの意見が役に立つかどうかわからないけど、まちがいなく、すごくいい父親と夫になれると思いますよ。あなたはそういう世間的なことを信じてないだろうから、だからなおさら、努力をおろそかにはしないと思うし」

フェルミンの顔がうれしそうにほころんだ。

「本気で言ってくれてるんですか？」

「もちろんだよ」

「やあ、きみのおかげで、ずいぶん楽になりましたよ。だって、わたし、自分の親父のことを思いだしてさ、このわたしもいつか、あの親父みたいな父親になるのかと考えたら、それだけで、パイプカットしたい気分になりますからね」

「心配無用ですよ。それに、あなたの強い授精能力を妨げる処置法なんか、たぶん、存在しないだろうし」

「まあ、それもそうだ」と彼は考えこんだ。「さあ、きみはそろそろお休みなさいよ。これ以上ひきとめられてやしないから、だいじょうぶですよ、フェルミン。それに、眠れそうにもないし」

「ひきとめちゃ、気の毒だから」

「苦しみも悦びのうちですな……。ところで、きみに言われた、例の私書箱の件ですけど、おぼえてるでしょ？」

「なにか、もうわかったの？」

「おまかせくださいと言ったでしょうが。じつは、きょうの昼どきに、わたし、郵便局まで足をのばして、昔の知り合いとちょっと話をしてきましてね。私書箱二三二一号は、ホセ・マリア・レケッホとかいう名前で登録されてましたわ。レオン十三世通りに事務所をもつ弁護士だっていうんです。で、そこの住所を確認させてもらったんですが、そんな番地なんか存在しないことがわかって、はは あ、やっぱりな、と思いましたよ。たぶん、きみはもうそこまで知っていたんでしょう。でね、問題は、この私書箱宛てに届いた郵便物を、何年来、ひきとりにきている人間がいたってことです。なんでわかったかと言いますと、不動産事務所から届く郵便物のなかに書留扱いの書類もあって、それを受けとるには、身分証明書を提示して、受領書にサインをしなくちゃならんのですよ」

「誰でした？　レケッホの事務所に働いてる人？」とぼくはきいた。

「そこまではつかめませんでしたが、まあ、怪しいところですな。わたしが相当な思い違いをしているのか、それともレケッホなる人物の存在が『ファティマの聖母』とおなじレベルの信憑性なのか。いま、きみに言えるのは、その郵便物をひきとりにくる人物の名前です。ヌリア・モンフォルトっていうんですよ」

ぼくは頭のなかが真っ白になった。

「ヌリア・モンフォルト？　それ、まちがいないんですか、フェルミン？」

「わたし、この目でちゃんと、その受領書を見てきましたからね。ぜんぶ、名前と身分証明書番号が記載されてましたよ。きみの、そのいまにも吐きそうに真っ青な顔からすると、判明したこの事実に驚いたみたいですねえ」

「うん、かなり」

「ヌリア・モンフォルトが何者なのか、きいてもいいですかね？　なんせ、わたしが話した郵便局員は、彼女のことをしっかり覚えてましたから。つい二週間ほどまえにも郵便物をとりにきたそうですが、この郵便局員の客観的な意見によれば、ミロのビーナスよりいい女で、バストもずっと堅そうな感じだそうですわ。この男の評価なら、わたし、信じられるんですよ。だって、内戦のまえに、大学で美学を専門にしていた教授ですからねえ。でも、共和国政府のラルゴ・カバリェーロ元首相の遠い親戚とかで、ご承知のとおり、いまはペセタの収入印紙をなめさせられてるってわけなんで……」

「ぼく、きょう、その女性といっしょにいたんですよ。彼女の家で」と、ぼくはつぶやいた。

フェルミンはぼくを見つめた。呆然としている。

「ヌリア・モンフォルトと？　わたし、きみって男を勘違いしてたのかもしれないって、いまごろ思いはじめましたよ、ダニエル。それじゃ、正真正銘のドンファンじゃないですか」

「あなたが考えてるようなことじゃないよ、フェルミン」

「なんだ。じゃあ、もったいないことをしましたね。わたしがきみぐらいの年ごろには、『エル・モリーノ』のバラエティーショーみたいなこと、朝に昼に晩にやってましたがねえ」

ぼくは、やせて骨ばったこの男の顔をじっと見つめた。鼻がばかでかくて、顔色は青白い。その彼が、自分の最高の友人になりつつあることに気がついたのだ。

「ちょっと話してもいいですか、フェルミン？　だいぶまえから気になって、頭から離れないことなんだけど」

「もちろんですよ。なんでもどうぞ。きわどい話とか、あの危険な女のことなら、とくにききたいね」

この日の夜ふたたび、ぼくはフェルミンに、フリアン・カラックスの物語と、彼の謎の死について話をした。フェルミンは、きわめて注意ぶかく耳をかたむけていた。ノートにメモしたり、たまにぼくの話をさえぎっては、細かい点について質問し、ぼくがうっかり見落としていたことを明らかにしてくれた。

自分のする話を自分でききながら、この物語のなかに底なし沼がますます大きくひろがっていくのを、ぼくははっきり感じた。何度も頭のなかが真っ白になった。ヌリア・モンフォルトが、どういうわけでぼくを偽ろうとしたのか、その答えをさがそうとするほうに、考えがそれてしまうのだ。存在しない弁護士事務所宛ての郵便物を、何年も彼女がひきとっていたという事実は、いったい、なにを意味するのだろう？　しかも、その架空の弁護士というのは、ロンダ・デ・サンアントニオ通りにあるフォルトゥニー家のピソを管理していることになっている。わいてくる疑問を声にしていることに、ぼくは自分で気づかなかった。

「その女が、なにを隠しているのか、われわれには、まだ知りようがない」とフェルミンが言った。「ただ、そこから、こうも推測できますよ。つまり、なにかで彼女が嘘を言ったとしたら——いや、おそらくそうだと思いますが——ほかのことでも、彼女は嘘をついてるってことです」

ぼくは途方にくれて、ため息をついた。

「あなたには、どんな考えがあるんです、フェルミン？」

フェルミン・ロメロ・デ・トーレスは、哲学者みたいな表情をして、ため息をついた。

「わたしらにできることを申しあげましょうかね。あさっての日曜日、きみの都合がよければ、いかにもなにげないふうに、聖ガブリエル学園を訪ねてみましょう。それで、カラックスの友人関係の発端を、ちょっとばかり洗ってみるんです。あの例の少年とのですよ。ほら、あの金持ちの息子の……」

「アルダヤですね」

「わたし、こんな不良修道士みたいな顔してますけど、神父さんの扱いには、かなり慣れてますからね。まあ、見てなさいよ。ちょいとおだててやりゃあ、すぐ、こっちの思う壺ですわ」

「ということは？」

「さよう！　モンセラット修道院の少年聖歌隊が歌うがごとくに、なめらかな舌でぺらぺらしゃべりだすこと、請けあいですよ」

十

店のカウンターにはりついたまま、土曜日いっぱい、トランス状態ですごした。いましもベアがあらわれてくれるのを、ぼくは期待していたのだ。電話のベルが鳴るたびに、走って電話のところにとんでいき、父やフェルミンから受話器をもぎとった。あちこちの客から二十件も電話が入りながら、午後のなかばになっても、ベアからは依然音沙汰がなく、この世界も、みじめな自分の人生も、もう終わりに近づいているのだという事実を、ぼくはそろそろ受けいれはじめた。あるコレクションの値踏みをするので、父がサンジェルバシ地区に出かけてしまい、フェルミンは状況を見はからって、例のごとく、恋愛術の秘密に関するすばらしい教訓を授けてくれた。

「落ち着きなさいよ。でないと、そのうちに、胆石ができちゃいますよ」とフェルミンが助言した。「この口説きってやつはねえ、タンゴを踊るみたいなもんなんですよ。つまり、不条理で、純粋なお飾りってことです。でも、きみは男なんですから、リードしなきゃいかんのです」

彼のその言葉は、ぼくのなかに不安な影をおとしはじめた。

「リードする？　ぼくがですか？」

「どうしたいんです？　立って小便ができるんだから、なにかしら、代償をはらわなきゃいかんでしょうが」

「でも、ベアは、自分のほうから連絡するって、ぼくに言ったんですよ」

「きみは、女のことを、まだよくわかってないみたいですねえ、ダニエル。わたし、クリスマスのプレゼントを賭けてもいいですが、その娘っこは、いまごろ、まちがいなく自分の家にいて、椿姫にでもなった気分で、窓辺から物憂げに外をながめてますよ。きみが凶暴な父親の手から彼女を救いに駆けつけて、螺旋階段のようにのぼっていく抑えようのない肉欲と罪の世界に、きみにつれていかれることを待ち望んでいるんですよ」

「ほんとですか？」

「百パーセント、まちがいなし」

「でも、もうぼくに会いたくないって、彼女が心にきめていたら？」

「ねえ、ダニエル。女性っていうのはね――あのご近所のメルセディータスみたいなめずらしい例外をのぞいてですが――われわれ男よりも、よほど賢いんです。すくなくとも、なにがやりたくて、なにをやりたくないか、自分の心にたいして、男よりずっと誠実ですからね。そのくせ、相手の男や、世間にむかって言うことは、また別なんだなあ。きみはねえ、ダニエル、いま自然の神秘に直面してるんです。女、混乱、迷宮……。彼女に考える時間をあたえたら、きみは負けだ。ほれ、思いだしてくださいな。心は熱く、頭は冷静に。これ、誘惑の鉄則ですからね」

　フェルミンが、誘惑術の特殊性や専門的な話に入りかけたとき、入り口のドアの鐘がチリンと鳴って、トマス・アギラールが店に入ってきた。ぼくは胸がどきんとした。天は、ぼくにベアをあたえてくれず、代わりに兄貴を送ってよこしたのだ。不吉な使者のお出ましだ、とぼくは思った。トマスは浮かない顔をして、やや落ちこんでいる感じだった。

「お葬式みたいな顔してるじゃないですか、トマスくん」とフェルミンが口にした。「せめて、お茶でもごちそうさせてくださいよ、ね？」

「ありがたくいただきます」と、例の遠慮がちな口調でトマスが言った。

フェルミンは、ポットに入っているブレンドティーを一杯用意した。シェリー酒に似た、妙な香りがただよってくる。

「なんかあったのか？」とぼくはきいた。

トマスは肩をすくめた。

「べつに。親父がきょうはずっと家にいるから、ちょっと外の空気をすいに出てきたんだよ」

ぼくは言葉をぐっと呑みこんだ。

「それって？」

「知るもんか。きのう、妹が午前さまだったんだ。親父はずっと起きて待っててさ。例のごとく、気がたってたんだろうな。ベアはベアで、どこに行ってたのか、誰といっしょだったか、ぜったい言おうとしなくて、それで、親父がめちゃくちゃ怒ったんだよ。朝の四時までどなりっぱなし。妹のことをふしだらな女だと言って、おまえみたいなやつは、女子修道院に入れてやる、もし、子どもでもつくって帰ってきたあかつきには、この家からたたき出してやるからって」

フェルミンは警戒の目で、ちらっとぼくを見た。背中に汗が走り、体温が何度もさがった気がした。

「けさなんてさ」とトマスがつづけた。「ベアは自分の部屋に閉じこもったまま、外に出てこないんだ。親父はＡＢＣ紙を読みながら、ラジオのボリュームをいっぱいにしてサルスエラなんか聴いて、ダイニングから動こうとしないしさ。それで、ぼく、『ルイサ・フェルナンダ』のちょうど幕間のところで、外に出てきたんだよ。頭がへんになりそうだったから」

「じゃあ、妹さんは、きっと彼氏といっしょにいたんでしょう。じゃないですか？」とフェルミンが口をはさんだ。「だって、そう考えるのが、自然ですよねえ」

ぼくは、カウンターのこちら側でフェルミンにけりを入れたが、彼は猫みたいにすばしっこく、ひょいとぼくの攻撃をかわした。

「ベアのボーイフレンドはいま召集されて軍隊にいるんです」とトマスが指摘した。「あと二週間もしなきゃ、休暇でこっちには来ませんよ。それに、彼と出かけるときは、遅くとも、夜の八時には家に帰ってきてますから」

「だったら、妹さんがどこにいたか、誰といっしょだったか、あなたには見当もつかないわけですか？」

「トマスは知らないって言ってるでしょ、フェルミン？」とぼくは割って入った。早く話題を変えたくて仕方なかった。

「じゃあ、お父上もご存じじゃない?」と、フェルミンはしつこく食いさがった。すっかり楽しんでいるみたいだ。

「もちろんです。でも、ぜったいにそいつの正体をつきとめて、誰かわかったら、頭から足から八つ裂きにしてやるって言ってますけど」

ぼくの顔から血の気がひいた。フェルミンは黙ってブレンドティーを一杯いれてくれた。ぼくはそれをいっきに飲みほした。生ぬるいガソリンの味がした。トマスは黙ってぼくを観察している。刺すような、暗い目つきだ。

「あら、きこえましたか?」と、突然フェルミンが言った。「宙返りをするときのドラムの音みたいでしょ」

「いや」

「てまえの腹の虫ですわ。ほら、急に腹がすいてきたもんだから……。おふたりに失礼して、なにか甘いペストリーでも買いに、ベーカリーに行ってきてもいいですかね? いえ、じつは、レウス出身の新米従業員も目当てのうちなんですが。なんせ超美人で、食べたくなるような娘《こ》なんですわ。マリア・ビルトゥーデスっていうんだが、貞節《ビルトゥーデス》なんて名字の意味とは反対に、これがまた、なかなか不良の顔をしてましてねえ……。ってなわけで、わたし、ちょっと失礼しますんで、おふたりでお話をつづけてくださいよ。ね?」

おやつのパンと店の女の子をお目当てに、フェルミンは十秒とたたないうちに、煙のように姿を消した。トマスとぼくは、ふたりきりになった。スイスのフラン硬貨より重い沈黙が、ぼくらをつつんでいた。

「なあ、トマス」と、ぼくは切りだした。口のなかがカラカラに渇いていた。「ゆうべ、おまえの妹といっしょにいたのは、ぼくなんだ」

　彼はほとんどまばたきもせずに、ぼくをじっと見つめた。ぼくはごくんとつばを呑みこんだ。

「なんか言ってくれよ」とぼくは言った。

「おまえ、正気か?」

　一分ほどたった。通りのざわめきがきこえてくる。トマスはティーカップをにぎったままだ。ひと口も飲んでいない。

「本気なのか?」と彼はきいた。

「いちど会っただけだよ」

「それじゃ、答えになってない」

「おまえの知ったことか?」

　彼は肩をすくめた。

「自分でなにやってるか、わかってるんだろうな。もし、ぼくが頼んだら、それだけで、もう妹に会うのはやめてくれるか?」

「やめる」とぼくは嘘をついた。「でも、頼まないでくれ」

トマスは目をふせた。

「おまえは、ベアのことを知らないんだよ」と彼はつぶやいた。

ぼくは黙った。ふたりとも言葉を口にしないまま、また何分かやりすごした。ショーウインドー越しに店内をのぞいている陰気くさい通行人をながめながら、誰かしら、なかに入ってきて、この毒々しい沈黙からぼくらを救ってくれる気にならないだろうかと願いつづけた。しばらくすると、トマスはカウンターにティーカップをおいて、店のドアにむかった。

「もう行くのか？」

彼はうなずいた。

「あした、ちょっと会えるか？」とぼくは言った。「映画にでも行こうよ。フェルミンもいっしょにさ。昔みたいに」

彼は出口のところで立ちどまった。

「いちどしか言わないから、よくきいておけよ、ダニエル。妹を苦しめるな」

トマスが店を出るとき、まだ温かいペストリーを袋にいっぱいかかえたフェルミンとすれちがった。夕闇のなかに消えていくトマスの後ろ姿を見守りながら、フェルミンは首を横にふった。カウンターに袋をおき、焼きたての渦巻きパイ《エンサイマーダ》をぼくにすすめてくれたが、ぼくは遠慮した。アスピリン一錠だって、呑みこめそうになかった。

「すぐ過ぎますよ、ダニエル。見ててごらんなさい。こういうことは、友だちのあいだじゃ、ふつうのことなんだから」

「わかんない」とぼくはつぶやいた。

十一

フェルミンとぼくは、カフェ・カナレータスで、日曜の朝七時半に落ち合った。フェルミンは、カフェ・コン・レチェとブリオッシュをおごってくれたが、ブリオッシュのほうは、表面にぬられたバターの具合といい、どことなく軽石に似ていた。ぼくらに給仕したのは、襟もとに右翼ファランヘ党のバッヂを輝かせて、細い口ひげを生やしたウェイターだった。鼻歌を歌いつづけているので、なぜそんなに機嫌がいいのかきいてみたら、きのう父親になったのだと教えてくれた。ぼくらがお祝いの言葉をかけると、どうしても一本ずつ葉巻のファリアをプレゼントしたいという。きょうのうちにこれを吸って、自分の長男の健康を祈ってほしいからと、彼は言うのだ。かならずそうしますと、ぼくらは約束した。フェルミンが眉をひそめて横目でウェイターを見ているので、ぼくは、彼がまたなにかたくらんでいるんじゃないかと思った。

朝食をとりながら、フェルミンは謎の全体像を描きだすことで、きょうという探偵日の口火を切った。

「すべての発端は、ふたりの少年の純粋な友情だった。フリアン・カラックスと、ホルヘ・アルダヤです。ふたりは子どものころからのクラスメートでした。ちょうど、きみとトマスくんみたいなもんですな。何年ものあいだ、問題はなにもなかった。この先の生涯も離れることのない、友人同士のはずだった。ところが、あるとき争いがおこり、ふたりの友情は壊れてしまった。サロンの劇作家にならって言いかえるなら、争いには女性の名があり、その名はペネロペといった。じつにホメロス的ドラマですな。ここまでは、いいですね？」

ぼくの頭にうかんだのは、きのうの夕方、うちの店でトマス・アギラールが最後に残していった言葉だけだった。

『妹を苦しめるなよ』――

ぼくは気分が悪くなった。

「一九一九年、かの俗人オデュッセイアのごとく、フリアン・カラックスは、パリに発ちました」とフェルミンはつづけた。「ペネロペのサインが入った手紙を、彼はついに受けとることがなかった。手紙の内容は、若い彼女が当時自宅に監禁され、家族に拘束されていたことを明らかにしているが、その理由は、いまひとつはっきりしない。おまけに、ペネロペの言葉によれば、兄のホルヘが彼女にむかって、もし旧友フリアンに会うようなことがあれば、やつをかならず殺してやる、と誓ったという。単なる友情の終わりにしては、過激すぎるせりふであります。争いの直接的原因は、ペネロペとフリアン・カラックスの関係によるものである――そのような推論は、パストゥールほどの学識者でなくとも、みちびきだせましょう」

ひたいが冷たい汗でびっしょりになった。さっきのコーヒーと、むりやり呑みこんだブリオッシュ四個が、喉もとまであがってくるのを感じた。

「以上からして、ペネロペの身に起こったことを、カラックスは知らずにいたと推測せざるをえません。手紙は彼の手には届かなかったのですから。フリアン・カラックスの姿はパリの霧のなかに消えた。その後に、サロンでピアノを弾いて稼ぎながら、売れない小説家としての破滅的な日々を送る、まぼろしのような彼の人生が展開されていきます。このパリでの数年は、まったく謎につつまれています。当時の痕跡を残すのは彼の文学作品だけだが、これも人から忘れられ、事実上、消滅してしまいました。ある時期、フリアン・カラックスが、自分より倍も年上で、財産もちの、さる謎の婦人との結婚を決意したことがわかっています。証言にしたがうとすれば、この婚姻の本質は、ロマンチックなアバンチュールというよりも、どうやら、病身の女性側からカラックスによせられた慈愛、または友情の行為と考えられます。いずれにせよ、この後見人の女性は、自分が目にかけているフリアン・カラックスの経済的な行く末を案じて、彼に財産を遺し、自分のほうは、芸術援護者として最高の快楽を味わいながら、この世と別れを告げることにきめたのでしょう。パリジェンヌというのは、そういう種族ですからな」

「もしかしたら、純愛だったかも……」と、消えいりそうな声で、ぼくは指摘した。

「ねえ、ダニエル、だいじょうぶですか？　きみ、顔が真っ青だし、滝のように汗をかいてるじゃないですか」

「絶好調ですよ」とぼくは嘘をついた。

「では話をつづけますよ。愛というのは、まあ言うなれば、肉の加工品みたいなものなんですねえ。エンブチャードのような硬い燻製系もあれば、モルタデラのようにソフトなハム系もある。すべて、しかるべき場所と役目があるというわけです。フリアン・カラックスは、自分が人を愛するに値しないと感じていることを宣言しているし、事実、パリでの数年間に、彼のロマンスに関する記録はなにもない。もちろん、娼館のサロンが仕事場だったわけだから、もしかしたら、職場の同僚とのあいだで、友愛的な方法でもって、本能からくる原始的熱情を処理していたかもしれません。ボーナスみたいなもの、いや、もっと的確な表現をつかえば、クリスマスの宝くじといったところだが、いずれにしても、これはまったくの憶説にすぎません。さて、フリアン・カラックスと後見人との婚姻が明らかになった段階に、話をもどすことにしましょう。このころ、不可解な一件の舞台上にふたたび姿をあらわしたのが、ホルヘ・アルダヤです。小説家カラックスの居所を調べるために、ホルヘがバルセロナの出版社に電話したという話を、われわれはきいています。その後、当のフリアン・カラックスは、結婚式当日の朝に、正体不明の男とパリのペール・ラシェーズ墓地で決闘し、行方が知れなくなってしまった。結婚式は、ついにおこなわれませんでした。それ以降の話は判然としません」

フェルミンは、ドラマチックな効果をねらって、わざとそこでひと息ついた。そして、謎にみちたまなざしを、ぼくのほうに向けた。

「フリアン・カラックスは、どうやら、国境をわたったらしい。そして、一九三六年、まさに内戦のはじまる前後に、バルセロナにもどってきたものと思われます。またしても彼らしい絶妙なタイミングです。ただ、バルセロナで彼がなにをしていたのか、どこに潜伏していたかは、明らかではありません。ひと月ほど市内にいたようだが、その間、知り合いの誰とも連絡をとっていない。自分の父親とも、ヌリア・モンフォルトともです。一カ月後、フリアン・カラックスは死んで発見されました。バルセロナの街角で、何者かに撃たれて殺されたのでした……。その後まもなく、ある不気味な人物が登場します。ライン・クーベルト――フリアン・カラックス最後の小説の登場人物から借りた名だが、あろうことか、それは地獄の王子にほかならない。『悪魔』とおぼしきこの人物は、亡きフリアン・カラックスのわずかな痕跡をもこの世から消し、彼の本をすべて、永遠に葬り去ろうと言うのです。しかも、メロドラマを仕上げるがごとく、炎で変形した顔のない男としてあらわれてくる。暗いゴシックオペラからぬけでたかのような、この悪役を、ヌリア・モンフォルトがホルヘ・アルダヤの声に一致させていることが、事をさらに混乱させている……」

「でも、ヌリア・モンフォルトが、ぼくになにか隠してたってことも、忘れないで」とぼくは言った。

「おっしゃるとおり。ただ、ヌリア・モンフォルトがきみを偽ったといっても、どっちかといえば、言うべきことを言わずにおいた、つまり、実際にあったことから自分を切り離すための方便だった可能性もありますよね。いずれにしても、彼女には、真実を話す理由はほとんどない。だが嘘を言う理由はいくらでもある。ねえ、ほんとにだいじょうぶなんですか？

きみ、ガリシアのおっぱいチーズ《テティージャ》みたいな顔色ですよ」

ぼくは首を横にふってから、トイレに駆けこんだ。

朝食と、きのうの夕食と、たまっていた怒りのほとんどを吐きだした。洗面台の冷たい水で顔を洗い、くもった鏡に映る自分の顔を見つめた。誰かが鏡に、クレヨンで《ファシスト、ヒロン、クソったれ》と書きつけている。テーブルにもどると、フェルミンがカウンターで支払いをすませながら、さっきぼくらを給仕したウエイターと、サッカーのことで言いあいをしていた。

「気分、よくなりました?」とフェルミンがきいた。

ぼくはうなずいた。

「低血糖になったんでしょ」と彼は言った。「ほら、スグスをなめなさいよ。これでスッキリしますから」

カフェを出たとたん、フェルミンは、聖ガブリエル学園までタクシーに乗ろうと言いだした。きょうは記念壁画を見ているように美しい日和だし、トンネルなんてドブネズミ用だから、地下鉄はこのつぎにしようと言ってきかないのだ。

「でも、山の手のサリア地区までタクシーで行ったら、とんでもない料金になるじゃないですか」とぼくは反対した。

「腰抜け互助基金のご招待ですよ」とフェルミンがさえぎった。「さっきの愛国主義者がお釣りをまちがって、余分によこしてねえ。で、儲かっちゃったってわけです。それに、きみだって、地下を旅できるような体調じゃないし」

　こうして、ぼくらは不正資金を手に、ランブラ・デ・カタルーニャ通りがはじまるあたりの角に立って、タクシーが来るのを待った。空車を何台もやりすごした。タクシーに乗ることなんてめったにないんだから、せめてスチュードベイカーぐらいに乗りたいと、フェルミンが主張したからだ。

　十五分もたってから、やっと気にいる車にでくわし、フェルミンは派手に手をふって車をとめた。彼は助手席にすわるといってきかず、おかげで、タクシーの運転手とのあいだで、モスクワの黄金とスターリンにまつわる話について、激しいやりとりを展開させることになった。この運転手はスターリンの熱烈な崇拝者で、彼を遠くにいる精神的指導者とみなしていた。

「スペイン共産党の女性書記長ドローレス・イバルリ、闘牛士のマノレーテ、そして、ソビエトのヨシフ・スターリンといえば、今世紀の三大偉人ですよ」と運転手が宣言した。輝かしき同志スターリンの聖人録ともいえる逸話を、くわしく乗客にきかせてやろうという意気ごみだ。

　ふたりの退屈なおしゃべりをよそに、ぼくは後部座席にくつろいで旅をし、窓をいっぱいにあけて新鮮な空気を楽しんだ。スチュードベイカーに乗って機嫌をよくしたフェルミンは、運転手をおだてて話をさせながら、ソビエトの指導者の愛すべき横顔について男がコメントする先から、歴史学的にはかなり疑わしいエピソードをさしはさんだ。

「でも、わたしがきいた話では、スターリン同志はビワの種を呑みこんで以来、前立腺の具合がひどく悪くて、誰かがそばで『インターナショナル』をハミングしないと小便ができないってききましたがねえ」と、フェルミンはさりげなく口にした。

「そんなのは、ファシストのプロパガンダだ！」と、運転手は崇拝の念をいっそう強めて弁明した。「同志は牡牛《おうし》みたいに小便しますよ。あれほどすごい量じゃ、ボルガ川だって、うらやむでしょうよ」

アウグスタ通りを山の手にむかって走るあいだも、彼らふたりのあいだでは、高レベルの政治論争がずっとつづいた。朝空が白み、さわやかなそよ風が、ぬけるような空の青をまとっている。ガンドゥシェル通りまで来ると、運転手は右に曲がり、車はボナノバ通りをめざして、ゆるやかな坂をあがりはじめた。ボナノバ通りをぬけてから、せまく蛇行する通りをさらにのぼっていくと、木立にかこまれた高台に出た。その林のまんなかに立つのが、聖ガブリエル学園だった。建物の正面に、短剣の刃形にくりぬかれた窓がならんでいる。赤レンガ造りの宮殿建築で、ゴシック様式の大聖堂をイメージさせる小塔やアーチがプラタナスの林のうえにのぞいていた。

ぼくらはタクシーを降りて、鬱蒼とした庭に足をふみ入れた。庭のあちこちに、苔むした智天使像《ケルビム》の立つ噴水が見られ、木立を縫うように敷かれた石の小道が、敷地内に何本もつづいていた。正面玄関にむかう道すがら、フェルミンは、社会史を講義する例の教師ふうの口ぶりで、この学校の背景について説明してくれた。

「いまのきみには、ここがラスプーチンの霊廟みたいに思えるかもしれないが、聖ガブリエル学園といえば、かつては、バルセロナの名門中の名門、特権階級だけに門戸のひらかれた学校だったんですよ。もっとも、共和制の時代には、経営不振におちいりましてね。名字が成り金くさいという理由で息子の入学を断られた新富裕階級、つまり新興の事業主や銀行家連中が、自分たちに敬意をもって待遇する学校を新しく創設したからなんです。こんどは自分たちのほうで、他家の息子の入学を拒否してやろうって寸法ですよ。まったく、金ってやつは病原体《ウイルス》とおなじですな。いったん根をおろした魂が腐りはじめるや、またも新しい血をさがして動いていく。この世界じゃ、新しい名字なんて、砂糖焼アーモンドほども長もちしやしませんよ。まあ、それはともかく、全盛期、つまり一八八〇年から一九三〇年にかけて、聖ガブリエル学園は、古くさい家柄でたっぷり金のある、最上層階級のぼっちゃんばかり受けいれていた。ホルヘ・アルダヤとその仲間たちは、このいまわしい学校に寄宿生として入学し、同窓のぼうやたちと親しく交わり、ミサにあずかり、人生を学んだ。こうして、胸クソ悪い歴史がくり返されるというわけです」

「でも、フリアン・カラックスは、そういう家の息子じゃなかったでしょ」と、ぼくは指摘した。

「ええ、ただ、こういう有名校ではねえ、ひとりかふたり、貧しい家庭の子弟たちに奨学金を提供して、入学を許可することがあったんですよ。そうやって、キリスト教的寛大さと、崇高な精神をしめそうというわけですな」とフェルミンが答えた。「貧乏人をおとなしくさせるのに、いちばん効果的なのは、彼らが金持ちの真似をしたくなるように教えてやることですからね。こういう毒のせいで無分別な資本主義が……」

「ねえ、フェルミン、いまここで政治的な演説をはじめないほうがいいんじゃない？　そのへんの神父さんにでもきかれたら、ぼくたち、ここからたたきだされますよ」と、ぼくは彼をさえぎった。学校の正面玄関につづく石階段のうえのほうから、聖職者がふたり、物珍しさと警戒心のまざったような目でぼくらをじっと見ているのに気づいたからだ。いまの話をきかれやしなかったかと、内心考えた。

神父のひとりが、いかにもという感じで胸のところで手を組んで、慇懃な笑顔を見せながら、こちらのほうにやってきた。年ごろ五十ぐらいだろう。細身の体格で、頭髪が薄いので、猛禽みたいな印象をあたえる。鋭い目つきをして、さわやかなオーデコロンと、ナフタリンのにおいを体からただよわせていた。

「おはようございます。わたし、司祭のフェルナンド・ラモスと申しますが」と彼が告げた。「どんなご用ですか？」

フェルミンが片手をさしだした。神父は冷たい笑顔をくずさずに、ちょっと状況を見はからってから、その手をにぎりかえした。

「フェルミン・ロメロ・デ・トーレスと申します。『センペーレと息子書店』で書籍アドバイザーを担当しておるものですが、いとも信仰篤き神父さまに、こうしてお目にかかれて、誠に光栄のいたりです。わたしめの横におりますのは、わが協力者にして友人のダニエルと申し、このうえなく熱心なキリスト教信者であり、きわめて前途有望な青年です」

　フェルナンド神父がぼくらをじっと観察している。ぼくは、穴があったら入りたかった。

「こちらこそ光栄ですよ、ロメロ・デ・トーレスさん」と、丁重に神父が答えた。「して、これほどすばらしいおふたりが、こんなみすぼらしい学びやにお越しとは、いったいどんなわけか、おきかせ願えますか?」

　フェルミンがこの神父に、またなにかとんでもないことを言いだして、ほうほうのていで逃げだすことになるまえに、ぼくは口をはさむことにした。

「フェルナンド神父さま、ぼくたちは、この聖ガブリエル学園にいた昔の生徒ふたりの居場所をさがしているんです。ひとりはホルヘ・アルダヤ、もうひとりはフリアン・カラックスというんですけど」

　フェルナンド神父は、くちびるをすぼめて、眉をつりあげた。

「フリアンはもう十五年以上まえに亡くなりましたし、ホルヘはアルゼンチンに行きましたよ」と、つきはなすように神父は言った。

「ふたりをご存じなんですか?」とフェルミンがきいた。

　答えるまえに、神父は刺すような目で、ぼくらを交互に見すえた。

「ふたりはわたしの同級生でしたよ。なぜ、そんなことに興味をおもちなのか、お話し願えますか?」

　質問にどう答えようかと考えあぐねているうちに、フェルミンに先を越された。

「つまりですね、先に名をあげたふたりに属する、あるいはかつて属した――じつは、このあたりの法的解釈はあいまいなんですが――一連の所持品が、われわれの手もとにとどいておりまして」

「その所持品というのは、いったいどんな性質のものなんでしょうか？　おききしても、おさしつかえなければですが」

「それについては、どうか、お答えを勘弁願いたく存じます。良心と個人の秘密にかかわる問題が、本件には山のようにございまして。ただそれは、神父さまにたいして、また、かくも気高く献身的に御身をささげておいでの修道会にたいして、われわれが抱く揺るぎない信頼感とはまったく関係ないことで」と、フェルミンは息もつかせず、いっきにしゃべった。

フェルナンド神父は、ほとんど言葉を失ったまま、彼を見つめていた。フェルミンが呼吸をととのえるまえに、ぼくは、もういちど会話の舵をとることにした。

「ロメロ・デ・トーレスさんが言う所持品というのは、家族に関するものや、思い出の品とか、純粋に感傷的価値しかない小物とかいった、ごく個人的性質のものなんです。ぼくたちがお願いしたいのは、神父さま、もしご迷惑にならなければですが、学生時代のフリアンとホルヘについて覚えていらっしゃることを、お話しいただければと思って……」

フェルナンド神父は、あいかわらず、いぶかしげにこちらを見ている。ぼくたちの興味を正当化して彼の協力をあおぐには、これまでの説明ではじゅうぶんでないことが、相手の表情にはっきり見てとれた。

「あなた、若いころのフリアンに、ちょっと似てますね。ご存じでしたか？」と、フェルナンド神父が突然言った。

フェルミンの目が輝いた。さあ来るぞ、とぼくは思った。ぼくらの運は、すべてこの切札にかかっていた。

「いやあ、神父さまは、じつに鋭いお方だ」と、いかにも驚いたふうに、フェルミンが声をあげた。「あなたの洞察力は、われわれの正体を容赦なく暴いてしまわれた。御身は、すくなくとも大司教、いや、ローマ法王《パパ》にだってなられるでしょう」

「いったい、なにをおっしゃってるんです？」

「火を見るより明らかじゃないですか、猊下《げいか》？」

「はっきり言って、わかりかねますね」

「告解の秘密はお守りいただけますよね？」

「ここは庭ですよ。告解室じゃない」

「聖職者としてのご配慮さえいただければよろしいんですが」

「それなら、おまかせなさい」

フェルミンは深く息をすって、物憂げな目でぼくを見た。

「ねえ、ダニエル、この聖なるキリストの兵士どのを、これ以上、偽りつづけるわけにはいかんですよ」

「そうですね……」と、ぼくは相槌をうったが、じつは、すっかりうろたえていた。

フェルミンは神父に近づいて、秘密をうちあけるように、低い声でささやいた。

「神父さま。じつは、われわれには、この友人ダニエルが亡きフリアン・カラックスの隠し子だと確信するにじゅうぶんな、石のごとく揺るぎない理由がありまして。そんなわけで、過去を再構築し、死という運命が哀れなこの少年から無理やり奪っていった、いまは亡き偉大な人物の記憶を、なんとか回復したいと考えているのです」

フェルナンド神父の目が、ぼくにくぎづけになった。あ然としている。

「ほんとうなんですか？」

ぼくはうなずいた。フェルミンは悲しげな表情で、ぼくの背をたたいた。

「このかわいそうな子を、ごらんくださいよ。亡くした父親をさがして、記憶という霧のなかをさまよっているんです。これほど悲しい話がほかにあるでしょうか？　どうか、おっしゃってくださいよ、猊下どの」

「あなたがたの言うことを裏づける、なにか証拠でもあるんですか？」

フェルミンは、ぼくのあごをつかんで、これがその代わりだと言わんばかりに、神父にぼくの顔をつきだしてみせた。

「わが師よ、この顔よりほかに、どんな証拠がほしいとおっしゃるんです？　父性についての事実を明かす、まったく疑う余地のない、無言の証人ではないですか」

神父はどうやら疑っているようだ。

「助けていただけますか、神父さま？」と、ぼくは抜けめなく嘆願した。「どうか、お願いします……」

フェルナンド神父はため息をついた。居心地が悪そうだ。

「まあ、かまわないと思いますがね」と、ついに彼は言った。「で、なにをお知りになりたいんです？」

「ぜんぶです」とフェルミンが言った。

十二

フェルナンド神父は、ミサの説教でもするような口調で、記憶にあることを順番に語りはじめた。彼のつくりだす文章は、正確で簡素な教師ふうの文体で、リズムをつけた語りのなかに、実現できそうもない教訓をこめているように思えた。彼の長年の教師生活が、説得力のある、教育者的な語り口を身につけさせたのだろう。人にきかれることには慣れているが、耳をかたむけてくれているかどうかは確信がないといった話しぶりだった。

「記憶にまちがいがなければ、フリアン・カラックスは、一九一四年に聖ガブリエル学園に入学しています。わたしは、すぐ彼と親しくなりました。ふたりとも、裕福な家庭の息子でない、少数派の学生のグループに入っていたからです。わたしたちは〝空腹部隊〟と呼ばれていました。そして、ひとりひとりに特別な人生の物語がありました。この学校の調理場で二十五年働いていた父のおかげで、わたしは、奨学生の枠に入れてもらえました。フリアンのほうは、父親が経営する帽子店の得意客だったアルダヤ氏の口ききで、入学を許可されました。もちろん、いまとはちがう時代の話ですよ。当時はまだ、名門の家柄や支配者層に権力が集中していましたからね。あれは、もう消えた世界です。共和制の到来とともに、最後の残骸も一掃された。たぶん、それでよかったのだろうと、わたしは思います。あのころのもので残っているのは、企業や、銀行や、得体の知れない協会のレターヘッドについた名前だけですよ。他の歴史都市の例にもれず、バルセロナも廃墟の累積です。宮殿、工場、歴史建造物、われわれが何者かをしめす表徴《エンブレム》……、人びとが自慢にした大いなる栄光の数々は、消滅した文明の屍《しかばね》、あるいは残骸でしかありません」

ここまで話すと、フェルナンド神父は、わざと、ものものしい間《ま》をとった。修道会の下手なラテン語の返答か、さもなければ、ミサの最中に会衆の答えを待つみたいな間だった。

「アーメンとおっしゃってください、わが神父さま。まったく、おっしゃるとおりです」と、気まずい沈黙を救うように、フェルミンが声をかけた。

「ぼくの父が入学した最初の年の話をなさってるんですね、神父さま」と、やんわりぼくは指摘した。

フェルナンド神父はうなずいた。

「フリアンの父方の名字はフォルトゥニーだが、当時はもう、自分からカラックスと名乗っていました。そのせいで、ほかの少年たちにからかわれもした。もちろん〝空腹部隊〟の仲間だったせいもあります。わたしも、調理人の息子だというので、ばかにされましたよ。おわかりでしょ?　子どもなんて、そんなもんですから。神は、子どもたちの心を、情け深さでみたされた。しかし、子どもというのは、家で耳にすることを外でくり返すのです」

「小さな天使だ」とフェルミンが評価した。

「ぼくの父について、どんなことを覚えていらっしゃいますか?」

「そうですね、もうだいぶ昔のことですから……。当時、あなたのお父さんがいちばん親しかったのは、ホルヘ・アルダヤではなくて、ミケル・モリネールという少年でした。ミケルは、アルダヤ家とおなじくらい金持ちの子息だったが、この学園創設以来、もっとも変わりものの生徒と言ってもさしつかえないでしょう。当時の学園長からして、ミケルを悪魔つき呼ばわりしていましたよ。ミサの最中に、ドイツ語でマルクスを暗唱していたからです」

「明らかに、とりつかれているしるしですな」とフェルミンが念をおした。

「ミケルとフリアンは、とても気があっていました。昼食後の休み時間がきて、たまに三人で集まると、フリアンは物語をきかせてくれました。自分の家族のことや、アルダヤ家のことを話してくれたこともありました……」

　神父がためらっているふうに見えた。

「卒業したあとも、ミケルとわたしは、しばらく連絡をとりつづけました。フリアンは、そのころすでにパリに行っていましたよ。ミケルが、フリアンをなつかしく思っているのが、わたしにはよくわかりました。彼は、よくフリアンの話題をもちだしました。もう何年もまえにフリアンにうちあけられたという話についても、思いだしたりしていました。その後、わたしが神学校に入ると、ミケルは冗談まじりに、わたしが敵側にまわったと言っていました。でも、実際の話、われわれはそのころから疎遠になってしまったのです」

「ミケルがヌリア・モンフォルトという女性と結婚したのは、ご存じでしたか?」

「意外でしたか?」

「ミケルが結婚?」

「そう思うべきではないんでしょうが……、わかりません。事実、もう何年も、ミケルとは音信不通のままですから。内戦のはじまる前後からです」

「ヌリア・モンフォルトの名前を、彼からおききになったことはありますか?」

「いえ、いちどもありませんね。結婚するつもりだとか、フィアンセがいるとか、そんな話はなにも……。ちょっと、よろしいですか? じつは、あなたがたに、こういう話をぜんぶするべきかどうか、わたしは自信がないんだが。これは、フリアンとミケルが個人的に話してくれたことなんですよ。われわれのあいだだけの秘密として……」

「父親の過去を知る唯一のチャンスなのに、神父さま、まさか、ここにいる息子に知らせないっておっしゃるんですか?」とフェルミンがきいた。

ためらう気持ちと、過去を想いつつ、失われたあの日々をとりもどしたいと願う気持ちのあいだで、フェルナンド神父が揺れているように、ぼくには思えた。

「もう何十年もたってしまったことだから、きっとかまわないでしょう。フリアンがアルダヤ家と知りあったいきさつ、そして、本人も気づかぬうちに、彼の人生がどれほど変わってしまったか、フリアン自身の口からきいた日のことを、わたしは、いまでもよく覚えていますよ……」

＊

《……一九一四年、十月のある午後、目撃した多くの人が車輪つきの大神殿《パンテオン》に見まちがえたという大仕掛けの装置が一台、ロンダ・デ・サンアントニオ通りにある「フォルトゥニーと息子帽子店」の正面にとまった。なかから姿をあらわしたのは、居丈高で、堂々として、傲然とかまえたリカルド・アルダヤだった。当時のアルダヤ氏は、バルセロナではもちろん、スペインでも最大級の資産家で、一族の一大繊維産業帝国は、城塞やコロニーを川沿いに形成しながら、カタルーニャ地方全域にひろがっていた。彼の右手は、銀行業界とバルセロナ県の半分におよぶ地所の手綱をにぎり、左手のほうも休みなく、県庁、市庁、国の官公庁、教会、それに港湾の税関部門を巧みにあやつっていた。

ひたいをむきだしにし、立派なもみあげと豊かな口ひげをたくわえたこの男の顔を見て、萎縮しない人間はまずいない。そんなアルダヤが、その日の午後必要としたのは、帽子だった。彼はアントニ・フォルトゥニーの店に入った。店内をざっと見まわしたあと、店主とその助手、つまり若き日のフリアンを横目でうさんくさそうに見てから、こう言った。

「ここはひどい店構えだが、バルセロナでいちばんの帽子をつくる店だときいて、来てみたんだ。鬱陶しい秋の気配だから、シルクハットを六個、それに山高帽と、狩猟用のハンチングと、マドリードの議会に出席するときに着用できそうな、なにか適当な帽子を十二個ずつ注文したいんだが。ちゃんとノートをとってもらったかね？　それとも、もういちどくり返してほしいかな？」

仕事はきついが、儲けの大きい帽子づくりの日々は、このときからはじまった。

フォルトゥニーの父子は、リカルド・アルダヤの注文品を完成させるべく、一致協力して作業にとりくんだ。いつも新聞に目をとおしているフリアンは、アルダヤの社会的地位の高さをよく承知し、いまの父親には自分の助力が欠かせないし、家業の未来を左右する決定的な時期なんだと、心に言いきかせた。いっぽうのフォルトゥニーは、あの大事業家が店に入ってきたときから、宙を歩くように有頂天になっていた。もし帽子の仕上がりが気にいったら、自分の知り合いぜんぶにこの店のことを紹介してやると、アルダヤが彼に約束したからだ。それは、「フォルトゥニーと息子帽子店」が、人に恥じることこそなけれ、ほそぼそとした商売に甘んじてきた一個人商店から、一躍、最高級の帽子店にまで格上げされることを意味した。国会議員から各市長、枢機卿から大臣にいたるまで、大きな頭も、小さな頭も、彼のつくった帽子をかぶることになるのだ。

その週は、またたくまにすぎさった。フリアンは学校を休んで、日に十八時間から二十時間、店の奥にある仕事場にこもって作業に徹した。父親はすっかり有頂天で、時どき息子を抱きしめたり、自分でも気づかぬうちに、親愛のキスをすることもあった。妻のソフィーにも、結婚以来十四年めにして、はじめて新しい服と靴を買ってやることまでした。フォルトゥニーは人が変わったようだった。日曜の教会のミサに行くのを忘れ、その日の午後には、優越感にひたって、フリアンを両手で抱きかかえ、目にいっぱい涙をためて言ったものだ。

「おじいさんが生きていたら、おまえとわたしのことを、さぞ自慢に思うだろう」

いまは過去のものとなった帽子製造術の過程で、技術の点でも、客とのかかわりにおいても、いちばんやっかいな仕事のひとつに、サイズを測る作業があった。リカルド・アルダヤは、フリアンに言わせると、表面がでこぼこの、ほとんどメロンみたいな頭蓋をしていた。この大事業家の頭をちらっと見ただけで、フォルトゥニーは、作業がいかに難しいかを察した。そして、その日の夜、フリアンが「アルダヤさんの頭を見ると、モンセラットの岩山の断片を思いだす」と言ったとき、フォルトゥニーは、思わず同意せずにはいられなかった。

「お父さん、怒らないできいてほしいんだけど、サイズを測るのは、ぼくのほうがいいと思うんです。お父さんは、きっとあがってしまいますよ。ぼくにまかせてください」

フォルトゥニーは快く息子の言うことをきいた。翌日、アルダヤがメルセデス・ベンツで店にやってきたとき、フリアンが彼を出迎えて、作業場まで案内した。アルダヤは、十四歳の少年がサイズを測ると知って、いきなり怒りだした。

「いったいどういうことだ？　こんなガキにやらせるのか？　きみたちは、このわたしをなめようって魂胆か？」

フリアンは、この客が社会的にどれだけ重要な人物か、よく心得ていたが、そのために怖気を感じることはまったくなく、アルダヤに平気で言いかえした。

「アルダヤさん。このてっぺんの丸い部分なんて髪がほとんどないから、なめるにはちょうどいいんですけど、これって、アレーナス闘牛場みたいでしょ。早いとこ帽子をつくらなきゃ、あなたの頭蓋骨も、まちがってバルセロナの都市拡張計画に組み入れられちゃいますよ」

　息子のこの言葉をきいたとき、フォルトゥニーは死ぬかと思った。だがアルダヤは落ち着きはらってフリアンをじっと見すえ、驚いたことに、いきなり大笑いをはじめたのだ。数年来、アルダヤがこれほど笑ったことはなかった。

「この子は、たいした人間になるぞ。フォルトゥナートくん」と、アルダヤは断言した。店主の名字をまだ覚えていなかったのだ。

　リカルド・アルダヤが、周囲の人間にたいして、いいかげんうんざりしていることが知れたのは、そんな経緯からだった。誰もがこの男のことを恐れて、お世辞をたれ、足拭き用のドアマットにでもなった気分で、彼の行く先々でひれ伏した。アルダヤは、おべっか使いも小心者も、それに肉体的なことだろうが、精神や意志の面だろうが、弱さを見せる人間のことも軽蔑していた。ところが、まだ見習いの分際でしかないのに、自分をからかうだけの大胆さとユーモアをもった質素な育ちの少年に出会ったとき、アルダヤは、ようやく理想の帽子店を見つけたと判断し、注文量を二倍にふやしたというわけだ。

その週は、毎日約束の時間になると、機嫌よく店に足をはこんで、フリアンに頭のサイズを測らせたり、見本を試させたりした。アントニ・フォルトゥニーは、息子が言う冗談や作り話をききながら、カタルーニャ上流社会の第一人者が大笑いしている姿を見てあっけにとられた。自分にとっては知らないにひとしい息子、話をしたこともなければ、ユーモアのセンスがあるなんて、長いあいだ人に見せもしなかった息子である。

週末がくると、アルダヤは、フォルトゥニーをつかまえて店のすみにつれていき、内密に話をはじめた。

「おい、フォルトゥナート、きみの息子には才能がある。なのに、きみときたら、あの子をこのつまらん店に閉じこめて、死ぬほど退屈させているじゃないか」

「でも、この商売は悪くないですよ、アルダヤさん。それに、息子は、わりとこの仕事にむいてるんです。まあ、怠け癖はありますけど」

「くだらんな。どこの学校に入れてるんだ？」

「はい、何某学校でして……」

「あそこじゃ、教育らしい教育はしとらんぞ。まだ若くて、才能と素質のある子は、そのまま放っておいたら、道をそれて、人生をむだに消耗してしまう。ちゃんと方向づけをしてやらなきゃいかんよ。支えてやるんだ。わかるかね、フォルトゥナート？」

「あなたは、うちの息子をよくご存じないんですよ。素質なんてこれっぽっちもない。地理で及第点をとるのがやっとなんですから……。もう教師からも言われてるんですよ。あの子はいつも気が散っているし、素行にも、とても問題があるんだそうです。母親に似たんですね。でもこの店にいれば、すくなくとも、まっとうな仕事には事欠かないですし……」

「なあ、フォルトゥナート、きみの話はききあきたよ。きょう、ちょうど聖ガブリエル学園の理事会に顔をだすことになっているから、うちの長男のホルへとおなじクラスに、きみの息子を入れさせるように話をしようじゃないか。せめて、それぐらいはしてやらんとな」

フォルトゥニーは皿のように目をまるくした。聖ガブリエル学園といえば、上流社会の選りすぐりの子息を養育するところだ。

「でも、アルダヤさん、わたしには、そんな学費はとても……」

「誰が金を払えと言ったかね？　教育費はわたしがもつ。きみは父親として承諾すればいいだけだ」

「そりゃ、もちろんですよ。当然です。しかし……」

「じゃあ、もうそれ以上、なにも言わんことだな。もちろん、フリアンがこの話を受けいれたらだがね」

「息子は、言われたことなら、なんでもききますよ。当然です」

ちょうど会話がここまできたとき、フリアンが店の奥から顔をのぞかせた。手に帽子の型をもっている。

「アルダヤさん、もしよろしかったら……」

「なあ、フリアン。きょうの午後は、なにかしなきゃいけないことがあるのか？」と、アルダヤがきいた。

　フリアンは、父親と事業家を交互に見た。

「ええ、店で父を手伝わなきゃいけないです」

「それ以外は？」

「図書館に行こうかと思ってました」

「きみ、本が好きなんだな？」

「はい、好きです」

「コンラッドは読んだことがあるかね？　『闇の奥』とか？」

「三回読みました」

　フォルトゥニーは眉をひそめた。話がまったく見えていなかった。

「そのコンラッドってのは誰なんだ？　きいてもいいかね？」

　アルダヤは、有無を言わせない表情で、フォルトゥニーを黙らせた。株主総会でさんざん鍛えられた顔つきらしい。

「うちにも図書室があってな、一万四千冊ほど本がそろっているんだよ、フリアン。わたしも、若いころはずいぶん本を読んだものだが、最近はもう時間がない。そういえば、コンラッドが個人的にサインしてくれた本が三冊あるよ。息子のホルヘは、図書室に入ろうともしない。うちの人間で、物を考えたり、本を読んだりするのは、娘のペネロペだけだ。だから、あの本はみんな、本来の価値をなくしつつあるということだ。きみ、うちの本を見たいかね？」

フリアンはうなずいた。驚いて言葉もない。かたやフォルトゥニーは、この場にいあわせて、説明しようのない不安を感じていた。彼らの話に出てくる固有名詞で、ききおぼえのあるものは、なにひとつない。小説なんて、女たちや、ひまをもてあました人間が読むものだと誰もが知っている。しかも、『闇の奥』などという名は、すくなくとも死罪の響きがあった。

「フォルトゥナート、きみの息子をつれていくぞ。うちの息子のホルヘに会わせたいんだ。心配するな、あとでちゃんと、ここまで送ってよこすから。なあ、ぼうや、きみはメルセデス・ベンツに乗ったことがあるかい？」

フリアンは、この企業家が言っているのは、彼があちこち移動するときに乗っている、あの皇帝なみの大装置のことだろうと想像した。少年は首を横にふった。

「じゃあ、ちょうどいいチャンスだな。あれに乗ると、天国に行くみたいな気分だぞ。ただし、そのために死ぬ必要なんかないがね」

アントニ・フォルトゥニーは、超高級車で息子とアルダヤが去っていくのをながめていた。そして、自分の気持ちをじっくり見つめたとき、そこにあるのは悲しみだけだった。その晩、ソフィーと夕食をとりながら、――ソフィーは新しい服を着て新しい靴をはき、殴られた痕も傷痕もほとんど残っていなかった――こんどは、いったいなにをまちがってしまったのだろうかと、心に問いかけた。神がやっと息子を返してくれたと思ったら、その先からアルダヤに奪っていかれたのだ。

「おい、そんな服を着るのはやめろ。淫売女みたいだぞ。それに、このワインも食卓にはもうだすな。ワインなんてもんは、水で薄めたやつでたくさんだ。強欲は、最後には人間を腐らせる」

　フリアンは、これまでいちどもディアゴナル通りをわたったことがなかった。あの街路樹の並木、建設用の敷地や、都市の拡張を待ちかまえる宮殿の数々は、フリアンにとって、禁じられた境界線だった。ディアゴナルのむこう側には、小村や丘陵、謎と、財宝と、伝説の土地がひろがっていた。アルダヤから聖ガブリエル学園の話をきかされた。これまで会ったこともない友人、実現しえないと思っていた将来についての話もきかされた。

「なあ、フリアン、きみは、なにになりたいんだ？　つまり、きみの人生においてだがね」

「さあ。たまに、物書きになりたいと思うことがあります。小説家です」

「コンラッドみたいにかね？　え？　きみはまだ若すぎるからな、当然だ。なあ、銀行の仕事に興味をもつことはないのか？」

「わかりません。正直言って、銀行なんて考えたこともありませんでした。いっぺんに三ペセタ以上、見たこともないですから。金融とかって、ぼくにはまるで謎です」

　アルダヤは笑った。

「謎なんてものはないんだよ、フリアン。秘訣はな、三ペセタに三ペセタを足すようなケチな話じゃなくて、三百万ペセタと三百万ペセタをいっしょにすることにある。そうしたら、謎なんてなくなるんだ。父と子と聖霊の三位一体でさえ、謎じゃない」

その日の午後、ティビダボ通りの坂をのぼりながら、フリアンは天国のとびらをくぐった心地がした。大聖堂なみの豪邸が通り沿いにならんでいる。通りのなかほどで運転手は方向を変えて、大邸宅のひとつの鉄門をとおりぬけた。さっそく使用人の一団が動きだして、この家の主人を迎えに出てきた。

フリアンの目には、四階建ての堂々たる館しか映らなかった。実在する人間がこんな場所に住んでいるなんて、それまで考えたこともなかったのだ。ひきずられるようにして玄関ロビーに入り、円蓋天井のホールをとおった。ビロードのカーテンに仕切られた大理石の階段が上階へとつづいている。そのホールをぬけて、広々としたサロンに足をふみ入れた。壁という壁が書物で埋まっていた。床から、目のとどかないほどの天井の高みまで、ともかく本でびっしりだった。

「どうだ?」とアルダヤがきいた。

フリアンの耳には、彼の声がほとんど入らなかった。

「ダミアン、ホルヘにすぐ図書室までおりてくるように言いなさい」

顔に表情がなく、物音ひとつたてない使用人たちは、主人にひと言命令されただけで、すべるように動きだした。むだのない従順なその動きは、よく調教された昆虫の体を連想させた。

「きみには着るものがもっといるな、フリアン。外観だけで人を判断する物知らずがたくさんいるからな……。ハシンタに言って、そろえさせよう。きみはなにも心配しなくていいぞ。それと、きみの親父さんには、あまりいろんなことを言わんほうがいいだろう。よけいな気をつかわせてはいかんからな。ほら、ホルへがきた。ホルへ、すばらしい子を紹介しよう。おまえの新しいクラスメートになる子だぞ。フリアン・フォルトゥ……」

「フリアン・カラックスです」とフリアンが言いなおした。

「フリアン・カラックスだ」と、アルダヤが満足げにくり返した。「いい名前だな。こいつが、息子のホルへだ」

フリアンが片手をさしだすと、ホルへ・アルダヤがその手をにぎった。ホルへの手は、力のない、生温かい感触だった。彫像みたいに目鼻立ちのくっきりした、蒼白い顔をしている。人形の世界で育てられたことが顔ににじみでているのだ。彼が身につけている服や靴を見て、フリアンは小説に出てくる人物を想起した。ホルへの目には虚勢と傲慢さがただよい、相手を軽蔑しつつも、どこかで取り入るような慇懃さが感じられた。豪勢な環境という殻に隠されたホルへの不安と、恐れと、虚しさを読みながら、フリアンは屈託なくほほ笑みかけた。

「きみ、ほんとに、ここにある本を一冊も読んだことがないの？」

「本なんて退屈じゃないか」

「本は鏡とおなじだよ。自分の心のなかにあるものは、本を読まなきゃ見えない」

リカルド・アルダヤはまた笑った。

「よし、おたがいのことが、もっとよくわかるように、おまえたちふたりだけにしてやろう。

なあフリアン、ホルヘはこんなふうに、甘やかされた、わがままっ子の顔をしておるが、見た目ほどばかじゃないことが、きみにもすぐわかる。父親ゆずりのところも、多少はあるからな」

アルダヤの言葉は、少年の心に鋭くつき刺さったようだった。しかし、ホルヘはわずかもほほ笑みをくずさない。フリアンは、自分が返した言葉に後悔し、少年のことを気の毒に思った。

「きみ、帽子店の息子だろ?」と、ホルヘが悪気なく言った。「父が最近、きみの話ばっかりしてるからさ」

「それは初耳だな。できれば、あまり気にしないでほしいけどね。ぼく、こんなふうにでしゃばりで、知ったかぶりの顔してるけど、見た目ほどまぬけじゃないぜ」

ホルヘは、にこりとした。友だちがいない人間の笑い方だな、とフリアンは思った。相手に感謝しているのだ。

「来いよ。うちのなかを案内してやるから」

ふたりは図書室をあとにして、庭に出るために玄関のほうにむかった。

大理石の階段があるホールを通りしなに、フリアンが視線をあげると、手すりにつかまりながら階段をのぼっていく人影がちらっと目をかすめた。フリアンは、自分がまぼろしにすいこまれたような気がした。少女は十二、三歳ぐらいだろう。いかにもお付きという感じの、小柄で赤ら顔をした年配の女性にともなわれている。少女は青いサテンのドレスを着ていた。

髪はアーモンド色で、肩と細い首筋の肌が、陽に透けそうに白い。彼女は階段のうえで立ちどまって、ちょっとふり返った。一瞬、フリアンと目があい、少女はかすかに微笑をうかべた。お付きの女性が彼女の肩に手をまわし、廊下の入り口のほうにみちびいて、そこでふたりは姿を消した。フリアンは視線をおとして、ホルヘのところにもどった。

「妹のペネロペだ。そのうち、きみにも会わせるよ。ちょっとへんなところがあるんだ。一日じゅう本ばっかり読んでるからな。さあ、来いよ。地下の礼拝室を見せてやる。調理人たちは、あそこに幽霊が出るって言うんだよ」

　フリアンはホルヘに素直にしたがった。だが、彼の心は上《うわ》の空だった。リカルド・アルダヤのメルセデス・ベンツに乗って以来、フリアンは、いまようやく、来るべきものを理解した。これまでに何度、彼女の夢を見たか知れなかった。あの階段で、あのおなじドレスを着て、あんなふうにふり返って、物憂い視線で自分を見た少女。ただ、フリアンには、夢のなかの少女が誰かも、なぜ彼女がほほ笑みかけるのかも、いままでわからなかったのだ。

　庭に出てから、ホルヘに言われるままに、車置き場や、はるか向こうにひろがるテニスコートまで歩いていった。そのときはじめて、フリアンは後ろをふり返った。そして、三階の窓辺に、彼女の姿を認めた。かろうじてシルエットが見えただけだった。それでも、フリアンには、彼女がほほ笑んでいるのがわかった。そして、なにかの形で、彼女も自分のことを知っていたのだと確信した。

　階段の高みにいたペネロペ・アルダヤの、あのはかない映像が、聖ガブリエル学園に入学した最初の数週間、フリアンにずっとついてまわった。彼の新しい世界には、かなり表裏があり、いつも楽しいことばかりとはかぎらなかった。聖ガブリエル学園の生徒たちは、高慢で、いばりくさった王子みたいにふるまっているし、教師たちのほうは、従順で教養のある使用人と変わりないのだ。

ホルヘ・アルダヤ以外で、フリアンが最初に友だちになったのは、フェルナンド・ラモスという少年だ。学校の調理人の息子であるこの少年が、いつの日か司祭服を身につけて、かつて学んだ教室で教鞭をとることになろうとは、当時の誰も予想しなかった。みんなはフェルナンドを〝飯炊き小僧〟と呼んで、召し使いあつかいした。明晰な頭脳をもっているのに、彼には、同級生の友だちがほとんどいない。ミケル・モリネールというエキセントリックな少年がフェルナンドのたったひとりの友人で、このミケルが、そのうちに、フリアンにとって学校で唯一の、最高の友だちになった。

ミケル・モリネールは、ありあまる知性をもちながら、忍耐力には欠けていた。教師たちを怒らせるのが楽しみで、鋭い才覚と、ヘビのような残虐さをのぞかせる詭弁術をつかって、教師たちの主張に端から疑問をなげかけていった。ほかの学生は、彼の辛辣な話しぶりに恐れをなし、ミケルを別人種のように考えていた。見方によっては、あながち外れた評価でもない。ボヘミアン的風貌で、貴族らしさとは縁遠い態度だが、ミケルはじつは、武器製造の追い風にのって、想像を絶する巨富を築いた大事業家の息子だったのだ。

「カラックスだったよな？　おまえの親父さん、帽子をつくるってきいたけど」と、フェルナンド・ラモスがフリアンを紹介したとき、ミケルは言った。

「フリアンだよ。よろしく。きみのお父さんは、大砲をつくるんだって?」

「売ってるだけだよ。親父につくれるものなんて、金しかない。おれの友だち、といっても、こっちから友だちだと認めてるのは、ニーチェと、ここにいる同級生のフェルナンドだけだけど、ともかく、みんなは、おれのことをミケルと呼んでいる」

ミケル・モリネールは悲しい少年だった。死とか死者にかかわるいっさいのテーマに病的な執着心を抱いていて、それを考察することに、自分の時間と才能のほとんどをつぎこんでいた。彼の母親は、その三年まえに、家のなかで起こった奇妙な事故で死んだ。あえて自殺と判断する軽はずみな医者たちもいたらしい。近郊のアルヘントーナにある避暑用の別邸で、井戸の水底に輝いている母の死体を発見したのは、ミケル当人だった。ロープで死体をひきあげたとき、故人が着ていたコートのポケットに石がいっぱいつまっていた。彼女の母国語であるドイツ語で書かれた手紙もみつかった。ミケルの父、モリネール氏は、これまでドイツ語を学ぼうとしたこともなく、その日の午後、誰にも読ませないまま、妻の手紙を火にくべてしまった。ミケル・モリネールは、まわりじゅうに死を見ていた。落ち葉に、巣から落ちた小鳥に、老人に、そして、すべてを運び去る雨のなかに。彼には線画の特殊な才能があって、炭筆を片手に、何時間でも夢中になって描きつづけた。彼の描く絵はきまって、靄につつまれた、誰もいない海岸にたたずむひとりの女性だった。フリアンは、ミケルが自分の母親を描いているのだろうと想像した。

「なあ、ミケル、大人になったら、なにになりたい?」

「おれは、大人になんかならないぜ」と、ミケルは謎めいた口調で言った。

線画を描くことと、人に片っぱしから反論して歩く以外に、ミケルがいちばん熱をそそいだのは、不可思議な、あるオーストリア人医師の著書を読むことだった。のちに有名になるジグムント・フロイトだ。ミケル・モリネールは、亡き母のおかげで、ドイツ語の読み書きが完璧にできるうえ、このウィーンの医者の著書を何巻も所蔵していた。彼の好きな分野は、夢の分析だった。どんな夢を見たか、人にきいてまわっては、そのあとに診断をくだすのを習慣のようにしていた。自分は若死にすることになるが、それでもかまわないと、彼はいつも口にした。ミケルがあまり死のことばかり考えているので、しまいには、生きることよりも、死ぬことに人生の意味を見いだしたんじゃないかと、フリアンは思ったほどだった。

「おれが死んだら、おれのものは、ぜんぶおまえにやるよ、フリアン」とミケルは事あるごとに言った。「夢以外はな」

フェルナンド、ミケル、ホルへのほかに、フリアンはまもなく、別の少年とも友だちになった。内気で、あつかいにくい、ハビエルという名の少年で、聖ガブリエル学園の守衛のひとり息子だった。一家は、学校の庭の入り口にある粗末な平屋に住んでいた。生徒たちはハビエルのことを、フェルナンド同様、望ましからぬ下僕ぐらいにしか考えず、そんなわけで、この少年は、学園の敷地内にある庭園や中庭《パティオ》をひとりでぶらつき、誰とも接触しなかった。

さんざん構内をうろつきまわるうちに、ハビエルは、建物のすみずみまで知りつくし、地下のトンネルや、塔にのぼる細い通路や、もう誰の記憶にもない迷宮の奥まった空間をすべて熟知していた。それは彼の秘密の世界であり、隠れ場所だった。父親の引き出しからくすねた小刀をいつももち歩き、これで木を彫って小さな像をつくるのが楽しみで、彫った像は鳩小屋に隠しておいた。

ハビエルの父親、守衛のラモンは、米西戦争でキューバに行った古参兵で、戦時中に片手と——すくなからぬ悪意をこめて、まことしやかにささやかれたうわさによれば——右の睾丸を失った。コチーノス湾の急襲中に散弾をあびたせいだが、彼を撃った人物とは、ほかでもない、セオドア・ルーズヴェルトだったらしい。学生たちから〝片キンのラモン〟とあだ名されたこの人物は、ひまをもてあますことこそ諸悪の根源だと固く信じ、噴水の中庭《パティオ》や松林に散らばる枯れ葉を拾って、袋に集める仕事を息子に義務づけた。ラモンは人のいい男だが、野暮なうえ、相棒にめぐまれないという宿命を背負っていた。その最悪の相手というのが妻だった。

片キンのラモンが結婚したのは、自分のことを、下働きの格好をしたお姫さまだと思いこんでいる、無教養な大柄の女だった。自分の息子や学園の生徒のまえで、わざと透けた服を着て気をそそろうとするので、少年たちにとっては、それがまた一週間分のばか騒ぎや大笑いの種になるというわけだ。洗礼名はマリア・クラポンシアだが、彼女は人に〝イヴォンヌ〟と呼ばせていた。そのほうがもっと上品に思えたからだ。イヴォンヌは、息子をつかまえては、自分たち家族の社会的身分をひきあげてくれそうな友人がいないのかどうか問いつめた。

彼女は、自分の息子が、バルセロナ社会の名門の子息たちと交流しはじめていると信じこんでいた。それで、この家の子はどう、あの家の子はどう、と他人の財産について探りを入れながら、絹のドレスでおしゃれして、上流家庭の広いサロンでパイ菓子つきのお茶の席に招かれている自分の姿を想像した。

ハビエルは、できるだけ家にいる時間を短くしたかった。だから、いくらきつくても、父親に強制される仕事に感謝していた。ひとりでいられれば、そして、秘密の世界に逃避して、木の像が彫れるなら、どんな口実でもよかったのだ。学生たちは少年の姿を遠くに認めると、ばかにして笑ったり、石を投げたりした。ある日、フリアンは、投げられた石でひたいに裂傷を負い、瓦礫のなかに倒れこむハビエルを目撃した。それで、少年を気の毒に思い、助けに駆けつけて、友だちになろうと声をかけた。はじめハビエルは、他の連中が大笑いするなかで、フリアンが自分にとどめを刺しにきたのだろうと思った。

「ぼく、フリアンっていうんだ」と言って、フリアンは片手をさしだした。「友だちと松林でチェスをやるんだけど、きみ、よかったらいっしょに来ないかと思って」

「チェスなんて、やったことがないよ」

「ぼくも二週間まえまで知らなかったんだ。でも、ミケルが上手に教えてくれるから……」

少年は不審の目をむけて、いつ何時、からかいの言葉か、不意討ちがくるかと待ちかまえていた。

「でも、きみの友だちが、ぼくを仲間に入れてくれるかどうか……」

「みんなのアイディアなんだよ。どうだい？」

その日以来、ハビエルは、言いつけられた仕事がおわると、たまに彼らと合流するようになった。たいていは黙ったままで、話に耳をかたむけながら、友人たちをじっと観察していた。

ホルへは、ハビエルをすこし怖がっていた。フェルナンドは貧しい家の出のせいで、ほかの学生から受ける軽蔑を身をもって知っていたので、この得体の知れない少年に、できるかぎり親切をつくした。チェスの基本を教えながら、鋭い目で少年を監視しているミケル・モリネールは、仲間うちでいちばん懐疑的だった。

「あいつ、やっぱりへんだぜ。猫や鳩をつかまえて、ナイフで何時間も痛めつけてさ。それから、松林に埋めてるんだ。快感ってわけさ！」

「誰がそんなこと言ったんだ？」

「自分で言ってたよ。このあいだ、ナイトの駒をとびこす方法を教えてやってる最中にな。それに、やつのおふくろは、たまに自分のベッドにあいつをひきずりこんで、手でさわったりするんだってよ」

「おまえを、からかってるんじゃないのか？」

「さあね。いずれにしても、やつはまともじゃないよ、フリアン。本人のせいじゃないだろうけど」

フリアンは、ミケルの警告と予言を忘れようとした。だが、守衛の息子とつきあうのは、たしかに簡単ではなかった。おまけにハビエルの母親が、フリアンのことも、フェルナンドのことも、あまりよく思っていなかった。全在校生のうち、そのふたりだけが貧しい家庭の息子だからだ。フリアンの父親はつましい帽子店主だし、母親のほうも、ただの音楽教師以上のものではない。

「あの人たち、身分も低いし、お金もなければ、品もないのよ、ぼうや」と母は息子に言いきかせた。「あなたにふさわしいのは、ホルヘくんだわ。あの子は、とてもいいおうちのおぼっちゃまですもの」

「わかりました、お母さま」と息子は答えた。「ぼく、お母さまの言うとおりにします」

そのうちに、ハビエルは、新しい仲間たちを信用しはじめたようだった。たまに口をきくようになり、チェスの手ほどきをしてくれた感謝のしるしに、ミケル・モリネールにチェスの駒をひと組彫っていた。ある日、誰も予想もしなかったし、そんなことはありえないと思っていたのに、仲間たちは、ハビエルが笑っているのに気がついた。すてきで無邪気な笑い、少年の笑いだった。

「見たろ？　どこにでもいる、ふつうのやつじゃないか」とフリアンは主張した。

ミケル・モリネールは、しかしまだ完全には納得せず、このどこか変わった少年を、熱心に、不安なまなざしで、ほとんど科学的なほど厳密に観察しつづけた。

「ハビエルは、おまえに執着してるんだよ、フリアン」と、ある日ミケルが言った。「やることなすこと、おまえに気にいられようとしているんだ」

ちだよ」

「ばか言うなよ！　あいつには、ちゃんと父親も母親もいるじゃないか。ぼくはただの友だちだよ」

「無頓着なのは、おまえのほうだよ。あいつの親父なんて、クソをするのに自分の尻の場所もわからないような、かわいそうな男だし、おふくろは、ノミ程度の脳みそしかない強欲な女だ。自分を大女優のマリア・ゲレーロかなんかと思いこんでさ。いや、ほんとはもっとひどいが、そこまでは、おれも口にしたくない。あの子が親の代わりをさがすのも無理はない。だぜ。下着姿で、誰かといかにも偶然遭ったようなひとり芝居をして、毎日すごしているんで、おまえが、救世の天使のように天から落ちてきて、やつに手をさしのべた。〝噴水の聖フリアン、貧しきものたちの守護聖人〟ってとこだな」

「フロイト先生は、おまえの頭を腐らせてるよ、ミケル。誰だって友だちが必要じゃないか。おまえだってそうだろ」

「やつには友だちなんていないし、この先もできないだろうさ。ハビエルは蜘蛛みたいな魂の持ち主だよ。いまわからなくても、そのうちにわかる。あいつがどんな夢を見るのか、知りたいもんだ……」

さすがのミケル・モリネールも、フランシスコ・ハビエルの夢が、自分の想像したほかのどんな夢より、友人フリアンが見る夢に似ていたとは、考えもしなかった。

フリアンが入学する数カ月まえ、ハビエルが噴水の中庭《パティオ》で落ち葉を拾っているときに、リカルド・アルダヤが豪華な車でやってきたことがあった。その日、アルダヤには同伴者がいた。まぼろしが彼につきそっていたのだ。絹のドレスに身をつつみ、宙を舞うような光の天使。その天使はほかでもない、娘のペネロペだった。

彼女はメルセデスから降りて、日傘をひらひらさせながら、噴水のところまで歩いてきた。そこで立ちどまり、水のなかに手を入れて、バシャバシャと水をはね散らした。いつものように、お付きのハシンタがきちんとそばに控えて、ペネロペの一挙一動に目を配っていた。だが、アルダヤの使用人の軍団が何人随行しようと関係ない。ハビエルの目には、少女の姿しか映らなかった。まばたきをしたら、あのまぼろしが消えてしまいそうな気がした。そこにじっとしたまま、息をころして、幻影をこっそり見つめつづけた。

少年がそこにいて、自分を盗み見ているのを直感したのか、しばらくして、ペネロペが彼のほうに視線をあげた。少女の顔の美しさは、彼に強い痛みをあたえた。耐えられないほどの美しさだった。彼女の口もとに、かすかに微笑がうかんだように思えた。ハビエルはすっかり度を失い、校舎の屋上までいっきに駆けのぼって、鳩小屋のそばの貯水タンクに隠れた。お気に入りの隠れ場所だ。彫刻用の道具をとりあげる手が、まだふるえていた。ハビエルは新しい像を彫りはじめた。いま目にしたばかりの面立ちに似せた像をつくりたかったのだ。

その夜、いつもより遅い時間に家にもどると、母親が待ちかまえていた。半裸の姿で激怒している。少年は目をふせた。母親に目を見られたら、水際の少女のイメージを自分の瞳の奥に認め、自分がなにを考えていたか、すぐ見抜かれてしまうだろうと思ったからだ。

「どこに行ってたのさ、このクソったれめ」

「ごめんなさい、お母さま。どこにいるか、わからなくなって……」

「あんたは、生まれたその日から、どっかに行っちまってるんだよ」


それから歳月がたち、捕虜の口のなかにピストルをつっこんで引き金をひくたびに、フランシスコ・ハビエル・フメロ刑事部長は、母親の頭蓋が熟れたスイカのように砕け散るのを見た日のことを思い出した。

あれは、ラス・プラナスのピクニックエリアのすぐそばだった。彼はなにも感じなかった。死んだものにたいして、ひどい退屈をおぼえただけだった。

銃声をきいた管理人から通報をうけた治安警備隊は、少年が岩のうえに腰かけて、まだ熱をおびた猟銃をひざにかかえている姿を見た。マリア・クラポンシア、通称イヴォンヌの、虫におおわれた、頭のない体を、少年は冷然とながめていた。警察官が近づいてくるのを見て、彼は肩をすくめただけだった。疱瘡にかかったみたいに、顔じゅうに血の斑点が飛び散っていた。すすり泣く声のほうにつられて行くと、現場から三十メートルほど先にある木のそばの茂みで、片キンのラモンが身をちぢこめていた。子どものようにブルブルふるえ、なにを言っているのかききとれない。

治安警備隊の分隊長は、状況を熟慮したのちに、この出来事は悲劇的な事故だったと裁断をくだし、調書にもそのとおり記したが、それは、彼自身の良心に従う判断ではなかった。少年に、なにかしてほしいことはないかとたずねると、フランシスコ・ハビエル・フメロは、

この古い猟銃をこのままもっていてもいいか、ときき返した。大人になったら、兵士になりたいからだと……》

＊

「ロメロ・デ・トーレスさん、だいじょうぶですか?」

フェルナンド神父の話にフメロが突然登場して、ぼくは全身が凍った。だが、フェルミンにあたえたショックは電撃的だった。顔から血の気が失せ、手がブルブルふるえている。

「低血糖なんです」とフェルミンは消えいりそうな声で、とっさに思いついたことを口にした。「カタルーニャの気候は、南の地方からきた人間の体に、時にはこたえましてね」

「水を一杯おもちしましょうか?」と、神父がとても心配そうにきいた。

「もし、おさしつかえなければ。それか、ひょっとして、チョコレートでもありますでしょうか?　あの、ぶどう糖入りの……」

神父がコップについできてくれた水を、フェルミンはごくごくと飲みほした。

「ここにあるのは、ユーカリのドロップだけなんだが。それでもよろしいですか?」

「ありがたく、ちょうだいいたします」

フェルミンはドロップをひとつかみ、ほとんど丸呑みした。すこしすると、いくらか顔色をとりもどしたようだ。

「その少年、植民地を死守するために華々しく陰嚢を失った守衛の息子ですが、ほんとうにフメロですか？　フランシスコ・ハビエル・フメロという名前なんですか？」

「ええ、まちがいありませんよ。ひょっとして、お知りあいですか？」

「いいえ」と、ぼくらはふたりで和声を奏でた。

フェルナンド神父は眉をひそめた。

「まあ無理もない。フランシスコ・ハビエルは、有名人物になりましたからね。悲しいことに」

「おっしゃる意味が、よくわかりませんが……」

「おききになったとおりですよ。フランシスコ・ハビエル・フメロは、バルセロナ警察本部犯罪捜査班の刑事部長で、わたしどものように、校内から一歩も外に出ない人間の耳にもとどくほど、彼の評判は広く知れわたっていますよ。あなただって、彼の名前をきいただけで、体が何センチかちぢんだように見えましたがね」

「神父さまにあらためてそう言われると、なんとなく、聞き覚えのある名前のような気がしないでもないが……」

フェルナンド神父は、いぶかしげな目で、ぼくらふたりを見た。

「この子はフリアン・カラックスの息子さんじゃないでしょ。ちがいますか？」

「精神上の息子です、猊下。気持ちのうえでは、ほんもの以上ですよ」

「あなたがた、いったい、なんの厄介ごとに巻きこまれているんです？　誰に言われて、ここに来られたんですか?」

このままでは、司祭の執務室からたたきだされるにちがいない、そう確信したぼくは、フェルミンを黙らせて、はじめて嘘偽りのないカードをしめすことにした。

「おっしゃるとおりです、神父さま。ぼくはフリアン・カラックスの息子なんかじゃありません。でも、誰かの手先でもないんです。じつは、ぼく、子どものころ、偶然カラックスの本にでくわしたんです。消滅したと思われていた本でした。そのときから、あの作家について調べはじめて、それで、彼が死んだときの状況を、なんとか明らかにしたいと思っているんです。ロメロ・デ・トーレスさんが手をかしてくれて……」

「どの本です?」

「『風の影』です。お読みになりましたか?」

「フリアンの小説はぜんぶ読みましたよ」

「本は、まだおもちですか?」

神父は首を横にふった。

「その本がどうなったのか、おききしてもいいですか?」

「何年もあとだが、わたしの部屋に入った人間がいて、燃やされてしまいました」

「犯人の心当たりはありますか?」

「もちろんです。フランシスコ・ハビエル・フメロですよ。あなたがた、それでここに来られたんじゃないんですか?」

フェルミンとぼくは、当惑して視線をかわした。

「フメロ刑事ですか？　なんでまた、その刑事が、フリアンの本なんか燃やすんだろう？」

「彼以外に誰がいます？　わたしたちがこの学校でいっしょにすごした最後の年に、フメロは、父親の猟銃でフリアンを殺そうとしたんですよ。ミケルがあのとき止めに入らなかったら……」

「なぜ、殺そうとなんかしたんです？　フリアンは彼のたったひとりの友人だったじゃないですか」

「ペネロペ・アルダヤのことが頭から離れなかったんですよ。誰も知りませんでしたがね。ペネロペ本人も、そんな少年の存在になんか気がつかなかったと思いますよ。フメロは何年も自分の気持ちを隠していたんです。フリアンに気づかれないように、ずっとあとをつけていたらしい。それで、フリアンがペネロペにキスしているのを目撃したんだと思います。わかりません。ただ、わたしにわかっているのは、真っ昼間にフリアンを殺そうとしたことですよ。ミケル・モリネールは、フメロのことを最後まで信用していなかった。それで、フメロに躍りかかって、寸前で殺人を食い止めたんです。そのときの銃弾の痕が、いまだに正門のそばに残っていましてね。そこを通るたびに、あの日のことを思いだしますよ」

「フメロは、その後どうなったんですか？」

「守衛の一家は学校から追いだされました。フメロは、一時期、どこか寄宿学校に入れられていたんだと思います。それから二年ほどたつまで、彼がどうなったかわかりませんでした。

彼の母親が狩猟中の事故で死ぬまでです。でも、事故なんかじゃなかったんですよ。ミケルの言うことは、最初から正しかった。フランシスコ・ハビエル・フメロは殺人者です」

「もし、わたしの話をおききになったら、きっと……」とフェルミンがつぶやいた。

「おっしゃりたいことがあれば、どうぞ。ただ、どうせなら、ほんとうの話をお願いしますよ」

「本を燃やした犯人は、顔が焼けただれた男に、百パーセントまちがいないです。ライン・クーベルトと名乗る男ですよ」

「それって、あの……」

　ぼくはうなずいた。

「カラックスの小説の登場人物の名前です。悪魔ですよ」

　フェルナンド神父はひじ掛け椅子にもたれかかった。神父も、ぼくらとおなじくらい混乱している。

「こうしてみると、ペネロペ・アルダヤがすべての中心にいることが、ますますはっきりしてきた。しかも、彼女のことが、いちばんわかっていない」とフェルミンが指摘した。

「その点について、わたしがご協力できることは、あまりないと思います。彼女を見たこともほとんどない。せいぜい二、三度、それも遠くからでした。彼女のことを知ったのは、フリアンが話をしてくれたときだが、たいした話ではなかった。あと、ペネロペの名前をわたしのまえで何度も口にした人が、ひとりだけいますがね。ハシンタ・コロナドです」

「ハシンタ・コロナド?」

「ペネロペのお付きの女性ですよ。ホルヘもペネロペも、彼女に育てられたんです。ハシンタは、このふたりをとても愛していました。とくに、ペネロペのことは溺愛していましたよ。ハシンタは、ホルヘを迎えに、たまに学校に来ていました。リカルド・アルダヤが、たとえ一瞬でも、家の者の監視下から息子たちが離れるようなことを、ぜったいに許さなかったんですね。ハシンタは天使みたいな人でしたよ。わたしも、フリアンとおなじように、つましい家庭の息子だと誰かからきいたらしくて、われわれが腹をすかしていると思ったんでしょう、いつもなにかしら、おやつをもってきてくれました。父が調理人をしているので、食べ物に困ることはないから、どうか心配しないでくださいと、わたしは彼女に言うんですが、それでも、もってくるんですね。わたしは、たまに彼女が来るのを待って、いろいろ話をしたものです。あれほど善良な女性には会ったことがありませんよ。子どももいないし、恋人もいないみたいでした。ほかに身寄りがなくて、アルダヤ家の子どもたちを育てるのに全身全霊をかけていたんです。ペネロペを心から愛していました。いまでも、ペネロペの話をするんです……」

「いまもハシンタとお会いになっているんですか?」

「サンタルシア養老院にいるので、たまに訪ねてあげるんですよ。彼女には誰も頼れる人がいないもんでね。われわれ人間の理解力ではとどかない理由によるのでしょうが、神は、われわれが生きているあいだに、かならずしも努力に報いてくださるとはかぎらない。ハシンタはもうだいぶお年ですが、これまでとおなじく、いまだにひとりぼっちでいるんです」

フェルミンとぼくは目配せしあった。

「では、ペネロペはどうしたんです？　いちどもハシンタを訪ねていないんですか？」

フェルナンド神父のまなざしが井戸の深みのような翳《かげ》りをおびた。

「ペネロペがどうなったのか、誰も知りません。あの少女はハシンタの命でした。アルダヤ一家が南米に発ってから、彼女はペネロペの行方を知らないんです。ハシンタは、すべてを失ってしまったんですよ」

「家族がつれていったんじゃないんですか？　ペネロペも家族のみんなといっしょに、アルゼンチンに行ったんでしょう？」とぼくはきいた。

神父は肩をすくめた。

「わかりません。一九一九年以後、ペネロペのことを見た人は誰もいないんです」

「カラックスがパリに発った年ですね」とフェルミンが気づいて言った。

「あなたがた、あのかわいそうな老婦人のところには行かないと、わたしに約束してくださいよ。彼女のつらい思い出を、いまさら掘りおこさないでくださいね」

「ああ師よ、われわれを何者だとお考えです？」と、フェルミンは怒ったように言った。

これ以上話せることもないと思ったのだろう、フェルナンド神父は、なにか新しい事実が判明したら、かならず自分にも知らせるようにと、ぼくらに約束させた。フェルミンは、神父を安心させるために、彼の書斎机のうえにある新約聖書に手をのせて誓いたいと、あくまでも言い張った。

「まあ、福音書はそっとしておきましょう。あなたの言葉さえあれば、わたしは、それでじゅうぶんですから」

「さすがですねえ、神父さま！　あなたは、なにもかもお見とおしってわけだ。でしょ？」

「さあ、さあ、門までお送りしましょうか」

　神父はぼくらの先に立ち、庭をぬけて、槍形の高い鉄柵門のそばまできてくれた。そして、出口からやや距離をおいたところで立ちどまり、現実の世界にむかっておりていく蛇行した道をながめていた。あと数歩先に進んだら、自分が消えてしまうのを恐れているかのようだった。フェルナンド神父がこの聖ガブリエル学園の外に出たのは、いつが最後だったのだろうと、ぼくは心のなかで考えた。

「フリアンが亡くなったと知ったときは、とても悲しかったですよ」と、かすかな声で神父は言った。「その後にいろんなことがありましたし、時とともに疎遠になってしまったが、わたしたちはいい仲間でした。ミケル、ホルヘ、フリアン、わたし。そして、あのフメロさえもです。この仲間たちとはずっと離れることがないだろうと、いつも思っていましたが、人生は、われわれの知りえないことを知っているらしい。彼らのような友だちをもつことは、あれ以来ありませんでした。これからも二度とないでしょう。あなたのさがしているものがみつかることを願っていますよ、ダニエル」

十三

ボナノバ通りについたとき、すでに正午近かった。

フェルミンもぼくも、それぞれの考えにふけっていた。この件に不吉な姿をあらわしたフメロ刑事のことで、フェルミンの頭がいっぱいなのは疑いようもない。ちらりと横目でうかがうと、不安の影をおびた苦しげな表情をしていた。

薄黒い雲のベールが流れる血のように空にひろがり、朽ち葉色の光をまばらに散らしている。

「急がないと、ひと雨きそうですよ」とぼくは言った。

「まだ、だいじょうぶ。この雲は夜の顔をしているもの。あざみたいでしょ。待っている雲ですよ」

「まさか、雲のことまでくわしいんですか？」

「ホームレスの生活をしていると、知りたいと思う以上のことを教えられるもんです。ああ、フメロのことを考えただけで、すげえ腹がすいてきましたよ。ねえ、サリア広場のバルによって、玉ねぎたっぷりの卵焼《トルティージャ》き入りボカディージョを二個かぶりつく、なんていうのはどうです？」

ぼくたちは広場にむかった。老人が数人かたまって、鳩の群れと戯れている。パン屑をやって遊ぶのと、なにかを待つことに、彼らの人生は集約されているのだ。

ぼくらはバルの入り口に近いテーブルについた。フェルミンはさっそく、ボカディージョをふたつ、自分のぶんと、ぼくのぶんを平らげてしまい、それからビールを一杯に、チョコレートを二枚、ラム酒を三杯、腹に流しこんだ。デザートは、スグスのキャラメルだ。隣のテーブルの男が、ひろげた新聞のむこうから、フェルミンをちらちら観察している。きっと、ぼくとおなじことを考えているのだろう。

「これだけ食べたのが、いったい、どこに入っちゃうんです、フェルミン?」

「わたしの家族は、みんな新陳代謝が速いんですよ。姉のヘスサなんてね、もう天に昇っちまったが、血詰ソーセージ《モルシージャ》とニンニクの茎が入った卵六個分のトルティージャをひとつ、午後のおやつに平らげたあと、夕食でたらふく食っても、けろっとしてましたよ。〝フォアグラちゃん〟なんて呼ばれてさ。口臭がひどかったもんでね。かわいそうに。姉さん、わたしと瓜二つだったですよ。おんなじ顔して、筋肉質で脂肪のないこの体形もおんなじ。カセレス県のある医者がね、いちど、おふくろにこう言ったことがありましたよ。『ロメロ・デ・トーレスさん一家は、はるか昔に失われた、人間と撞木鮫《シュモクザメ》を繋ぐ鎖ですね』って。なんせ体の組織の九十パーセントが軟骨で、しかも、そのほとんどが鼻と耳殻に集中しているって言うんです。ヘスサ姉さん、村の人によくわたしとまちがえられてさ。ついに胸はふくらまなかったし、ひげなんて、わたしより早くから剃りはじめてましたからね。肺結核にかかって、二十二歳で死んじまいました。永遠の処女です。聖人ぶった司祭にひそかに恋していたんだが、こいつが道で姉さんと会うと、いつも言うんですよ。『やあ、フェルミン。きみは、もういっぱしの男だな』人生の皮肉ってやつですな」

「離れていて、さびしくないですか?」

「家族と?」

フェルミンは肩をすくめ、郷愁のほほ笑みをうかべた。

「さあね。思い出はいつも美しいもんですから。さっきの神父さんをごらんなさいよ……。きみは? お母さんがいなくて、さびしいですか?」

ぼくは目をふせた。

「すごく」

「うちのおふくろのことで、いちばんなつかしいことって、なんだか知ってます?」と、フェルミンが言った。「においですよ。おふくろはいつも清潔なにおいがしていた。甘いパンのにおいです。畑で一日じゅう働いて、一週間もおなじボロを着ているのにね。うちのおふくろったら、この世にある善良なものをぜんぶ集めたようなにおいがしたんだ。粗っぽい女でしたよ。ひどく口が悪くてさ。でも、においだけは、おとぎ話に出てくるお姫さまみたいだった。すくなくとも、わたしはそう感じたんです。きみは? お母さんのことで、なにがいちばんなつかしいですか、ダニエル?」

ぼくはちょっとためらった。なんとか言葉をさがそうとするのに、その先から言葉が逃げていく。

「なにもないんです。母のこと、もう長いあいだ思いだせないでいるんです。顔も、声も、においも覚えていない。フリアン・カラックスのことを知った日に、母の思い出が消えてしまって、それからもう二度ともどってこないんです」

フェルミンは、気づかうような目で、ぼくを見つめた。つぎの言葉をどうかけようか、考えあぐねているようだった。

「お母さんの写真はないんですか？」

「あるけど、見たくない」とぼくは言った。

「どうして？」

いままで誰にも話したことがなかった。父にも、トマスにも言ったことがない。

「怖いから。母の写真を見て、知らない人を見てるみたいに思うのが怖いんです。おかしいと思われるかもしれないけど」

フェルミンは首を横にふった。

「だからなんですね？　もしフリアン・カラックスの謎が解明できて、過去に葬られてしまったあの作家を救いだすことができたら、お母さんの面影も、きみのところにもどってくると思ってるんでしょ？」

ぼくは、なにも言わずに彼を見た。彼の瞳には、皮肉も、勝手な判断もない。ぼくは、その瞬間、フェルミン・ロメロ・デ・トーレスが、この宇宙でいちばん賢くて、聡明な男に思えた。

「たぶん」と、口をついて出たままに、ぼくは言った。

昼ぎりぎりの時間に、ぼくたちは旧市街方面行きのバスに乗りこんだ。ふたりとも前方の席にすわった。運転手席のすぐ後ろだったので、フェルミンはこの状況に乗じて、世の中の進歩ぶりについて、さっそく運転手と討論をはじめた。彼が最後に公共の陸上輸送を利用したのは一九四〇年ごろで、そのころとくらべると、技術面でもデザイン面でも、画期的に進歩していることに気づいたのだ。とくに目についたのは標示標識で、そのひとつにこんな文字が読めた。

《つばを吐くことと、みだらな言葉は、固く禁ずる》

フェルミンは怪訝《けげん》な目でこの張り紙をじっくり観察し、それから標示に敬意を表する意味で、思いきり大きな音をだして痰をはらった。祈禱書を一冊ずつたずさえて後方の席にすわっている、いかにも信心深げな中年女性の三人組が、さっそく怒りに燃えた視線をこちらにむけた。

「野蛮人」と、東側の女性がつぶやいた。ジャゲ将軍の肖像画の顔に驚くほどよく似ている。

「そら、来たぞ」とフェルミンが言った。「聖女コウマンチキ、聖女カマトト、聖女ネコカブリ。スペインの三聖女ですよ。われわれみんなして、この国を冗談にしちまったんですねえ」

「おっしゃるとおり!」と運転手が同意した。「アサーニャ元大統領の共和政権のほうが、なんぼよかったことか。交通事情はなおさらですよ。まったく腹がたつ」

後方の席の男が笑っていた。フェルミンと運転手の意見交換を楽しんでいるふうだった。たしか、さっきのバルで隣のテーブルにすわっていた男だ。フェルミンに味方して、彼があの女性たちを怒らせるのを、どこかで期待している表情に見えた。一瞬、ぼくと目があった。男は軽く会釈して、また新聞に目をおとした。

ガンドゥシェル通りについたとき、フェルミンがレインコートのしたで身をちぢめて、口をぽっかりあけ、天使のような顔でうたた寝をしているのに気づいた。バスは、サンジェルバシ地区の豪奢な一帯を、すべるように走っていった。フェルミンが突然目をさましたのは、そのときだ。

「わたし、フェルナンド神父の夢を見てましたよ」と彼はぼくに言った。「ただね、わたしの夢の神父さんは、レアルマドリードのセンターフォワードのユニフォームを着てるんです。リーグの優勝カップがそばにあって、純金みたいにピッカピカに光ってたなあ」

「それって、なんだろう?」

「フロイトが正しければ、もしかしたら、あの神父がわれわれにゴールを入れた、つまり、あざむいているかもしれないって意味ですよ」

「でも、正直な人に見えたけど」

「それはそうなんです。たぶん、正直すぎるんだな。ただし彼自身のためにですよ。ほんとの聖人みたいな神父さんなんて、いずれ教会の手で、慈善活動のために海外の僻地にとばされることになりますよ。教会にしてみりゃ、そこで蚊にさされるか、ピラニアにでも食われてもらって、うまく片をつけてやろうって魂胆だ」

「まさか、そこまでは……」

「ああ、ダニエル、きみって、どこまでお人よしなんでしょうねえ。言われたことを、ぜんぶ素直に信じてしまうんだなあ。たとえばですよ、ヌリア・モンフォルトにきかされたミケル・モリネールのお話とかさ。その牝犬は、バチカンの新聞『オブセルバトーレ・ロマーノ』の社説よりよっぽど派手なホラを、きみに吹いたんじゃないかと思いますがね。ふたをあけてみりゃ、ホルヘ・アルダヤやフリアン・カラックスの同級生と結婚していたとくる。なにをか言わんやですな。もうひとつ、ペネロペのお付きの女性、善良なるハシンタの物語がありますよ。たぶん実話でしょうが、それにしても、アレハンドロ・カソーナふう悲劇の最後のシーンをあまりにも彷彿させます。あげくのはてに、殺し屋役のフメロが彗星のごとく登場するというわけだ」

「じゃあ、フェルナンド神父が、ぼくらに嘘を言ったと思ってるんですか？」

「いいえ。あの神父さんが正直な人だろうという、きみの評価に賛成ですよ。ただ、あの人の場合は、あまりにも司祭服にしばられている。そのために、まあ言うなれば、ロザリオの連禱をこっそり数節とばすみたいなことをしたんでしょう。もしわれわれを偽ったとすれば、それは、知ってることを言わずにおいたり、体裁をつくろうためとかで、意地悪や悪意からやったことじゃないと思いますよ。それに、あの神父は、嘘を考えだせるような人にはみえませんから。もし嘘が上手なら、いまごろ代数とかラテン語の授業なんかしていない。もうとっくに司教館にいて、枢機卿なみの執務室でふんぞりかえって、コーヒーといっしょに甘い菓子かなんか食ってますよ」

「じゃあ、ぼくらは、これからどうすればいいんだろう?」

「遅かれ早かれ、わたしたちは、天使のごときおばあちゃんの墓を掘りおこさなきゃいけません。それで、ミイラのくるぶしをつかんで、逆さにして振ったら、いったいなにが落ちてくるか、ですな。とりあえず、わたしのほうは、いくつかの線をひっぱってみて、そのミケル・モリネールとかいう男について探りを入れてみますよ。それに、ヌリア・モンフォルトにも用心しておく必要がある。彼女はどうやら、うちの死んだおふくろが言ってた牝ギツネになりそうですから」

「あなたは、彼女のことを誤解してますよ」とぼくは主張した。

「きみは、オッパイがしっかりついてる女性を見れば、それだけで聖女テレサ・デ・ヘススを見たような気になっちまう。きみの年じゃ、それも仕方ないことですわ。まあ、まかせてくださいよ、ダニエル。わたしは、もうきみみたいに、女性の永遠の香りに惑わされたりしませんから。われわれぐらいの年になるとねえ、血液は、体の軟らかい部分に流れるよりも、ちゃんと頭のほうに流れていくんです」

「よく言うよ!」

フェルミンは小銭入れをとりだして、金を数えはじめた。

「けっこう金持ちじゃないですか」とぼくは言った。「それ、ぜんぶ、けさのお釣りのまちがいなんですか?」

「多少はね。でも、残りは公正な金ですよ。きょうはベルナルダと出かけることになってるもんでね。わたし、あの女性になんか言われたら、断れないんですよ。必要なら、スペイン中央銀行だって襲撃しちゃいますよ。それで、彼女のほしがるもんをぜんぶ買ってやるんだ。ところで、きみのほうは、きょうこれからどうするんです?」

「べつに、予定はないです」

「あの女の子は?」

「どの女の子です?」

「ほら、あのかわいこちゃんですよ。ほかに誰がいるんです? トマスくんの妹のさ」

「わからない」

「わからない、なんて、ほんとはわかってるくせに。きみにないのはね、ズバリ言って、キンタマですよ。牡牛の角を正面からガッチリつかむような、男の勇気がないんだなあ」

そのとき、疲れた顔つきの車掌が近づいてきた。つまようじを、サーカスの曲芸みたいにあざやかに、歯のあいだで行き来させたり、ひっくり返したりしている。

「お客さん、失礼ですが、あそこにいるご婦人方が、もっと品のある言葉をつかってくれ、とおっしゃってるんですがねえ」

「クソくらえ!」とフェルミンが大きな声で言いかえした。

車掌は三人の中年女性のほうにふり返り、肩をひょいとすくめてみせた。できるだけのことはやったが、言葉づかいの問題ごときで、殴り合いのけんかに巻きこまれるつもりはない、と態度で伝えたのだ。

「ひまな人間はね、いつでも他人の生活に首をつっこんでいないと、気がすまないんですよ」とフェルミンが口のなかでもごもご言った。「で、なに話してたんですっけ？」

「ぼくに勇気がないってことです」

「そのとおり。慢性病ですな。いいから、わたしの言うとおりになさい。きみの彼女をむかえにいってあげなさい。人生なんて、あっというまにすぎちまう。とくに、生きるに値する時期はなおさらですよ。神父さんの言ったことをきいたでしょ。光陰矢のごとしですからね」

「でも、彼女はぼくの彼女じゃないよ」

「じゃあ、ほかのやつにつれていかれるまえに、口説きなさいよ。とくに、しつこい軍人ぼうやより先にです」

「ベアのことを、まるでトロフィーみたいに言うじゃないですか」

「いやちがう、天の恵みのように言ってるんです」とフェルミンが言い直した。「いいですか、ダニエル。運命はね、いつも道の曲がり角にいるんです。スリや、男の袖を引く女や、宝くじ売りみたいにですよ。人の求めに応じる三つの権化《ごんげ》です。ただし、家までは来ちゃくれない。こっちから出向かなきゃいけないんだ」

　この哲学的金言についてじっくり考えながら、残りの道のりをすごした。フェルミンは、またひと眠りはじめている。ナポレオン的才覚をもつ人間には、こういう睡眠が欠かせないのだろう。

グランビア通りとグラシア通りの交差点で、ぼくらはバスを降りた。光を呑みこんだ灰色の空がひろがっている。レインコートのボタンを喉もとまでしめて、フェルミンは、下宿に大急ぎで帰らせてもらいます、と宣言した。ベルナルダとのデートのまえに、きちんと身づくろいをしたいのだという。

「わかってくださいよ。わたしみたいに、見てくれがぱっとしない男は、身づくろいに九十分はかかるんです。見かけがよくなきゃ、中身も役に立たない。虚勢の時代の悲しい現実ですな。虚しき罪の世なり《ヴァニタス・ペカタ・ムンディ》」

ぼくはフェルミンを見送った。グランビア通りを歩いて去っていく彼の姿は、小柄な男のぼやけた輪郭でしかなく、身をつつむ灰色のレインコートが、風ですり切れた旗のように翻《ひるがえ》っていた。ぼくは家にむかった。いい本を一冊確保して、外界から逃れて家にこもるつもりだった。

プエルタ・デル・アンヘル通りからサンタアナ通りへの角を曲がったとき、胸がどきんと高鳴った。いつもながら、フェルミンの言うことは正しかった。運命は、店のまえで、ぼくを待っていたのだ。グレイのウールのスーツを着て、絹のストッキングと、新品の靴をはき、ショーウインドーに反射する自分の姿をじっくり点検している。

「父は、わたしが十二時のミサに行ってると思っているの」と、ガラスに映る自分のイメージから目を離さずに、ベアは言った。

「ミサに出てるのとおなじじゃない？　サンタアナ教会はここから二十メートルも離れてないんだから。朝の九時から毎時間ミサをやっているし」

ショーウインドーのまえで偶然出くわした、知らないもの同士みたいに話をしながら、ぼくらはふたりとも、ガラスに映る相手の視線をさがしあった。

「冗談じゃすまないわ。わたし、きょうのミサのお説教がどんな内容か知るために、『教会会報《オハ・ドミニカル》』をもらってこなくちゃならなかったのよ。くわしい内容を要約しろって、あとで父に言われるから」

「きみのお父さんは、細かいことまで、しっかり押さえているんだな」

「あなたの足をひき裂いてやるって、父は言ってたわ」

「そのまえに、ぼくの正体を調べなきゃならないだろ。いまならまだ、きみのお父さんより速く走れるぜ」

吹きぬける風とともに、ぼくらの背後を通りすぎる灰色の通行人を肩ごしに見ながら、ベアは緊張したまなざしで、ぼくを見つめた。

「なぜあなたが笑うのか、わからない」と彼女は言った。「父は本気で言ってるのよ」

「笑ってなんかいないよ。死にそうに怖いんだから。でも、きみに会えてうれしい」

彼女はかすかな笑みをうかべた。はかなく、落ち着かないほほ笑みだ。

「わたしもよ」とベアが認めた。

「病気のことでも話してるみたいに言うね」

「病気よりひどいわ。お日さまのしたであなたと会えば、理性がもどるだろうと思ったのよ」

それって、お世辞なんだろうか、罰なんだろうかと、ぼくは心のなかで考えた。

「ふたりでいるところを、誰にも見られちゃいけないのよ、ダニエル。こんなふうに道のまんなかで、あなたといっしょにはいられないの」

「よかったら、店に入ってもいいよ。奥にコーヒーメーカーもあるし……」

「だめよ。ここに入ったり出たりするのを、誰にも見られたくないの。いま、あなたと話しているのを誰かに見られたら、兄の親友に偶然会ったんです、って言い訳できるでしょ。でも、いっしょにいるところを二度見られたら、もう疑われるわ」

ぼくはため息をついた。

「でも、誰がぼくたちを見るんだよ。ぼくらがなにをやろうと、誰にも関係ないだろ?」

「世間の人って、自分と関係ないことにいつも目を光らせているのよ。それに、父はバルセロナの半分の人と知り合いだしね」

「じゃあ、きみはなんでここまで来て、ぼくのことを待ってたんだ?」

「あなたのことを待つために来たんじゃないわ。わたし、ミサにあずかりにきたのよ。覚えてないの? それに、あなただって自分で言ったじゃない。ここから二十メートルのところに教会が……」

「きみが怖いよ、ベア。きみはぼくなんかより、ずっと嘘がうまい」

「あなたは、わたしのことを知らないのよ、ダニエル」

「きみの兄さんもそう言ってたよ」

ガラスのなかで、ベアとぼくの目があった。

「あなた、このあいだの夜、わたしが見たことのないものを見せてくれたでしょ」とベアがつぶやいた。「だから、こんどはわたしの番よ」

ぼくは眉をひそめた。なんだか謎めいている。彼女はバッグをあけて、半分に折った厚手の小さな紙をとりだすと、ぼくにさしだした。

「バルセロナのミステリーを知ってるのは、あなたひとりじゃないのよ、ダニエル。あなたをびっくりさせてあげるわ。きょうの四時、ここに書いてある住所のところで、あなたを待ってるから。でも、わたしたちがそこで会うことを、誰にも知らせちゃだめよ」

「そこが正確な場所だって、どうやって、ぼくにわかるんだ？」

「ぜったいわかるわ」

ぼくは、ベアにからかわれていることを願いながら、彼女をちらっと盗み見た。

「もし、あなたが来なかったら、わたし……」とベアが言った。「わたし、あなたがもう二度とわたしに会いたくないんだって理解するわ」

ぼくがなにか言いかえす余裕もあたえずに、ベアはくるりと向きを変えて、速足でランブラス通りのほうに立ち去ってしまった。ぼくは手に紙片をにぎりしめ、口に言葉をとどめたまま、その場に立ちつくした。そして、彼女のシルエットが、大雨を予告する灰色の薄闇に溶けてしまうまで、ずっと目で追いつづけた。

二つ折りの紙をひらいた。なかには、青いインクで住所が書いてあった。ぼくのよく知っている住所だった。

《ティビダボ通り三十二番地》

十四

大雨は、日暮れを待たずに歯をむきだした。二十二番のバスに乗ってすぐ、ぼくは最初の稲妻に不意討ちされた。バスがモリナ広場をまわって、バルメス通りの坂をのぼりはじめたころ、都市はすでに、ビロードみたいな液体のカーテンのしたで輪郭をなくしていた。用心のために傘の一本ももってこなかったことを、そのときになって思いだした。

「勇気がいるね」

停車してほしいと、ぼくが頼んだら、運転手がつぶやくように言った。

午後四時十分をまわったころ、バスは、バルメス通りの終わりあたりで、どしゃ降りの雨のなかにぼくを放りだした。鉛色の空のしたで、正面にあるティビダボ通りが、大水の蜃気楼に溶けて消えかかっていた。ぼくは一、二の三と数えてから、いっきに雨のなかを走りだした。骨の髄にまで雨水がしみ、寒さにふるえながら、数分後に家の軒下に雨宿りして、呼吸をととのえた。残りの道のりをよく見定めた。凍るように冷たい大雨の息が、灰色のベールをひきずりながら、霧に沈む屋敷群の不気味な輪郭を飲みこんでいく。アルダヤ家の館の塔が陰鬱に、ひときわ高くぬきんでていた。激しい風雨に波打つ木々にかこまれて、建物はびくともしない。目のまえに落ちてくる、ぬれた髪をかきあげてから、ぼくは人気《ひとけ》のない通りを横ぎって、アルダヤ家のほうに走りだした。

正門の鉄柵が風でゆらゆら揺れている。そのむこうに蛇行した小道がつづき、屋敷までのぼっていた。ぼくは門のすきまから体をくぐらせて、敷地のなかに入りこんだ。雑草の茂みのあいだに、無惨に取り壊された彫像の台座がある。彫像のひとつ、熾天使《セラフイム》の像が、庭の中央を飾る噴水池に捨てられているのが目についた。水盤からあふれる薄膜の水面下で、黒ずんだ大理石像のシルエットが幽霊みたいに輝いていた。火の天使の手が、水のなかからニュッと突きだしている。なにかを告発するような指、銃剣みたいに鋭くとがった指先が、屋敷の正面玄関をさしていた。

彫刻のほどこされたオーク材のとびらが半分ほどあいている。ドアを手で押して、洞穴みたいな玄関ロビーに数歩足をふみ入れてみた。ろうそくのやさしい炎が、ゆらゆらと壁面に波打っている。

「来ないかと思ったわ」とベアが言った。

闇にくぎづけにされた廊下に、彼女の姿がぼんやりうかんだ。奥に見える回廊の消えいりそうな光が背景にある。彼女は壁を背にして、椅子に腰かけていた。足もとに、ろうそくが一本おいてある。

「ドアを閉めて」と、椅子から立たずに、ベアが指図した。「鍵は錠にさしたままにしてあるわ」

ぼくは言われたとおりにした。錠が墓場のように不気味なきしみを反響させた。ベアがぼくの背後に近づいてくる足音がする。ぬれた服に、彼女がふれるのを感じた。

「あなた、ふるえてるわね。怖いの、それとも寒いの？」

「まだ、どっちかきめてないよ。ぼくたち、なんでここにいるんだ？」

彼女は闇のなかでほほ笑んで、ぼくの手をとった。

「わからないの？　とっくに見抜いてると思ってたんだけど……」

「ここはアルダヤの家だよ。ぼくが知ってるのはそれだけだ。どうやってここに入れたんだい？　どうして、ここのことを知ったんだ？……」

「こっちに来て。火をつければ、暖かくなるから」

彼女は先に立って廊下をぬけ、中庭《パティオ》に面した回廊のほうに、ぼくをみちびいた。大理石の太い柱にかこまれたサロンがひろがり、ところどころ崩れた装飾天井の高みにむかって、むきだしの壁がはいあがっている。かつて壁を飾っていたらしい額縁や鏡の跡が見うけられ、大理石の床にもおなじように、家具のおかれた跡が残っていた。

サロンの端に暖炉があり、なかに薪《まき》がおいてあった。古新聞の山が、火かき棒のそばに積んである。暖炉の吐きだす空気が、焚いたばかりの火と、燃えた木のにおいをただよわせていた。ベアは暖炉のまえにひざをつき、薪のあいだに新聞紙を何枚もおきはじめた。マッチをすって火をつけると、王冠のような炎がたちまちひろがった。彼女が、巧みな、慣れた手つきで薪を動かしている。好奇心と、秘密を知りたいもどかしさで、ぼくの心がいっぱいにちがいないと、ベアは思っているはずだ。だから、ぼくは、かえって落ち着いた態度を見せることにした。こんな謎めいたやりかたで、こちらを試そうとしても、そうは問屋が卸さないということを、ベアに思い知らせてやろうと考えたのだ。

彼女は勝ち誇ったような、得意げな笑みをうかべた。手がふるえているせいで、ぼくの落ち着いた見せかけも、まるで効果がないらしかった。

「ここによく来るの？」とぼくはきいた。

「きょうがはじめてよ。不思議？」

「まあな」

彼女は火のまえにひざをついて、キャンバス地のバッグからとりだした新しい毛布を床に敷いた。ラベンダーのにおいがした。

「さあ、ここにすわって。火の近くに来たら？　わたしのせいで肺炎になんかならないでよ」

火の暖かさのおかげで、ぼくは生きかえった心地がした。ベアは、魔法にでもかかったようにうっとりと、黙って炎を見つめている。

「秘密を教えてくれないの?」と、ぼくは、とうとうきいてしまった。

ベアはため息をついて、そこにある椅子のひとつに腰かけた。ぼくは、火のそばに体をよせ、霊魂が逃げていくみたいに、自分のぬれた服から蒸気があがっていくのをながめていた。

「あなたが〝アルダヤの宮殿〟と呼んでいる家は、ほんとうは、正式な名前があるの。〈靄の天使〉っていうのよ。でも、それを知っている人はほとんどいないわ。父の不動産会社が、もう十年以上もまえから、この物件を売ろうとしているんだけど、いまだに買い手がないのよ。わたし、おととい、あなたからフリアン・カラックスとペネロペ・アルダヤの話をきいたときには、まだ気がつかなかったんだけど、夜、家に帰ってから、いろいろ思いあたることがでてきて、そういえば父が何度か、〝アルダヤ家〟っていう名前と、この屋敷のことを口にしたことがあったなって思いだしたの。それで、きのう父の事務所に行ってみたら、秘書のカサスが、この家の歴史を話してくれたというわけ。ここって、アルダヤの本宅じゃなくて、夏用の別邸だったんですって。知っていた?」

ぼくは首を横にふった。

「アルダヤ家の本邸というのは、いまのブルック通りとマジョルカ通りが交差するあたりにあったのよ。集合住宅を建設するので、一九二五年に取り壊されちゃったけど。ペネロペとホルヘのおじいさまにあたるシモン・アルダヤ氏の依頼で、ガウディとならぶ大建築家のプッチ・イ・カダファルクが設計した豪邸だったそうよ。屋敷が建てられた一八九六年当時、あのへんには、畑と灌漑《かんがい》用水路ぐらいしかなかったらしいわ。いまのこの家はね、長老シモンの長男、リカルド・アルダヤが、今世紀のはじめに、とても不思議な人物から買いとったんですって。それも、ただみたいな値段でよ。家の評判が悪かったからなの。父の秘書のカサススがね、この家は呪われているんだって、わたしに言うのよ。販売の担当者でさえも屋敷のなかを案内しにこない、あれこれ言い訳をつくっては、ここに来るのを避けてとおっているんですって……」

十五

暖炉の火で体の温もりをとり返すあいだに、ベアは、〈靄の天使〉がどういう経緯でアルダヤ家の手にわたったのか、ぼくにきかせてくれた。それは、まさにフリアン・カラックスの筆からぬけだしたような、メロドラマふうの気味の悪い物語だった。

館の建設は、一八九九年、ナウリ、マルトレル、ベルガダ三氏の共同建築事務所に依頼された。依頼主は、当時事業で成功をおさめていたカタルーニャの投資家で、かなりの変わり者と評判のサルバドール・ハウサなる人物だった。もっとも、その人物がここに住んだのは、事実上、一年ほどにすぎなかった。

貧しい家の出で、六歳のときに両親を亡くしたこの有力者は、自己資産のほとんどをキューバとプエルトリコで築いた。スペインが最後の植民地を失った米西戦争で、キューバ喪失という陰謀の裏に存在した多くの黒い手のひとつに、この人物の手もあったと言われていた。

彼が新大陸からもち帰ったのは、財産だけではなかった。フィラデルフィアの上流社会に育った高貴な女性で、スペイン語をひと言もしゃべらない、蒼白く、病弱なアメリカ人の妻。キューバに住みはじめた最初のころから、メイドとして彼に仕えてきた混血女性《ムラータ》。それに、このメイドが檻に入れてつれてきた道化師姿の短尾サル《マカク》と、大型トランク七個も、ハウサといっしょにバルセロナにやってきた。彼らは当初、カタルーニャ広場のホテル・コロンに部屋をいくつも確保して、ハウサ自身の趣味と好みを満足させる住居がみつかるまで、そこに待機することにした。

ハウサのメイドは黒い肌の美貌にめぐまれ、当時の記録者によれば、あのまなざしとスタイルを見ただけで心拍数があがってしまうほど魅力的だったという。その女性が、事実上ハウサの愛人で、雇い主を不倫の限りない悦楽へとみちびいていることは、誰の目から見ても明らかだったし、おまけに妖術使いで魔女であると、もっぱらの評判だった。この女は、名をマリセラといった。ハウサがそう呼んでいたからだ。

彼女の存在と謎めいた風貌は、良家のご婦人方の集まりで、早くもお気に入りの話題になった。婦人たちはメレンゲ菓子《メリンドレ》をつまみながら、スキャンダルに話の花を咲かせ、ひまをつぶしたり、更年期ののぼせを解消していたのだ。こうしたおしゃべりの会でひろがった未確認のうわさによると、アフリカの血が流れるその女性は、地獄から直接インスピレーションを得て、男にまたがって姦淫する、つまり、さかりのついた牝馬のような激しさで男に乗りかかるという。それは、すくなくとも五つか六つの、死を免れない大罪を犯していることになる。穢れない雪のごとき魂をもつバルセロナの名門が、この手のいまわしい影響から守られるように、特別な庇護の祈りをささげてほしいと、司教座あてに請願書を送りつける人まていたらしい。さらに恥ずべきことに、ハウサは、毎日曜の午前中、妻とマリセラをいっしょに馬車に乗せて散歩に出るという傍若無人ぶりで、教会の十一時のミサにあずかるためにグラシア通りを行く無垢な子どもたちの目のまえで、これみよがしな堕落の見世物をさらしていた。黒い肌の女性の、高慢で、誇り高い目つきについては、新聞にまでとりあげられ、バルセロナの民衆をながめる彼女の姿は、さながら「ジャングルの女王のようだ」と評されたものだった。

その時代のバルセロナは、すでに近代主義《モデルニスモ》の熱につつまれていた。しかしハウサは、契約をかわした建築事務所にたいして、自分の新居はもっとちがう建て方をしてほしいと、はっきり指示をだしていた。彼の辞書では、「ちがうこと」が最高の形容表現だったのだ。アメリカの産業が急速な発展を遂げた時代に頭角をあらわした財閥の豪邸が、ニューヨーク、セントラルパークの東側、五番街の五十八番から七十二番にかけての一区画に集中している。ネオゴシック様式の大邸宅がつらなるその界隈を何年も行き来して、アメリカンドリームにすっかり魅了されたハウサは、バルセロナでいま流行《はや》りの近代様式を新居にとりいれては、との進言にまったく耳をかさなかった。リセウ劇場のボックス席にすわってオペラをきくという、当時の富裕階級の習慣を、「あんなのは耳の悪い人間のバベルの塔か、望ましからぬ人間の蜂の巣だ」とこきおろして拒絶したのとおなじ理由だった。

彼は都心から離れたところに家をもちたいと思っていた。そのころのティビダボ通りは、まだ比較的さびれた場所だった。遠くからバルセロナをながめたいんだ、とハウサは言った。人里離れた場所にこの男が唯一望んだのは、天使像のある庭園で――マリセラに入れ知恵された――彼の指示によると、庭に七つの頂点をもつ星を描いて、その頂点に天使像を一体ずつ立てなければならない。七つよりひとつ多くても、すくなくてもいけないという。

気まぐれを満足させるにじゅうぶんな、ありあまる資金力を背景に、サルバドール・ハウサはいよいよ計画に着手することにきめ、豪華絢爛たる建物の数々を調査させる目的で、建築家たちを三カ月ニューヨークに派遣した。船舶と鉄道事業のヴァンダービルト、毛皮貿易商のジョン・ジェイコブ・アスター、鉄鋼王アンドリュー・カーネギーはじめ、五十にのぼる財閥を住まわせた豪邸ばかりだ。建築様式と技法については、マッキム、ミード&ホワイト社のものをとりいれるよう指示をだし、悪趣味な設計図をもって、わざわざ訪ねてくるようなことはするなと、建築家に警告した。

一年後、三人の建築家は、ホテル・コロンの豪奢な部屋におもむいて、新居の設計図を提示した。ハウサはマリセラを同席させて、黙って三人の報告をきいたのち、六カ月で完成させるには費用がいくらかかるかとたずねた。共同建築事務所の筆頭メンバーであるマルトレルは、咳ばらいをひとつしたあとで、礼儀上、紙に数字を書いてさしだした。ハウサは表情ひとつ変えずに、その場で小切手を切り、ろくなあいさつもせずに三人を退出させた。

その七カ月後、一九〇〇年七月に、ハウサと妻とマリセラは新居にうつった。同年八月、ふたりの女性の死体とともに、書斎のアームチェアで死にかけているハウサが警察に発見された。彼は全裸で手錠をかけられていた。事件を担当した刑事部長の調書によると、家じゅうの壁という壁が血まみれで、庭をかこむ天使の彫像は体が切断され——顔はみな仮面ふうに色が塗りたくられて——、台座には黒いろうそくの跡が見られたという。捜査は八ヵ月つづいた。そのころ、ハウサはすでに口がきけなくなっていた。

捜査結果は以下のとおりだった。ハウサと彼の妻は、植物から抽出された毒物をもられていた。これはマリセラが夫妻にあたえたもので、彼女の部屋からフラスコに入ったエッセンスが見つかった。なんらかの理由でハウサは生きのびた。だが、毒物の後遺症は恐ろしく、彼はしゃべる能力と聴覚を失ったうえ、激しい痛みで体の一部が麻痺し、残りの生涯、その痛みにさいなまれるという責め苦を負うことになった。ハウサ夫人のほうは、部屋で発見された。宝石とダイヤモンドのブレスレット以外、一糸まとわぬ姿で、ベッドのうえに横たわっていた。警察の推定によると、マリセラは犯行におよんだのち、ナイフで自分の手首を切り裂いて、家じゅうの廊下や部屋の壁に血をまきちらして歩き、屋根裏の部屋に行きついて、そこで息絶えたという。犯行の動機は「嫉妬」とされた。有力者の夫人は、死亡当時、どうやら妊娠していたらしい。マリセラは、夫人のむきだしになった腹のうえに熱した赤いろうそくをたらして、頭蓋骨の絵を描いたという。

事件はハウサの口同様、それから一、二ヵ月後に完全に封印された。バルセロナの歴史はじまって以来、こんな恐ろしい事件は経験したことがない、アメリカで金持ちになった屑みたいな人間や、海のむこうから来たくだらない連中が、スペインの揺るぎない道徳心を堕落させているのだと、上流社会の人びとはコメントした。サルバドール・ハウサの異常な素行もこれで終わりだろうと、陰で喜ぶ者もすくなくなかった。しかし、いつもながら、予想は裏切られた。ハウサがほんとうの異常さを見せるのは、じつは、それからだったからだ。

警察とハウサの弁護士は事件を解決ずみのものとしたが、にわか成り金のハウサは、まだ自分なりの捜査をつづけるつもりでいた。ちょうどそのころ知り合ったのが、リカルド・アルダヤだった。女好きでバイタリティーにあふれた、やり手の事業家として、当時すでに勇名をはせていたアルダヤは、ハウサの邸宅を買いとりたいと申しでた。ティビダボ一帯の土地があぶくのように急騰しはじめたので、館を取り壊し、敷地に相当な高値をつけて売りにだしてやろうという魂胆だった。ハウサは売却を拒んだが、科学的、霊的実験と称するものを見せたいからと言って、リカルド・アルダヤを自宅に招いた。警察の捜査が終了して以来、屋敷に足をふみ入れたものは誰もいない。家のなかをひと目見たアルダヤは、全身凍る思いがした。ハウサは完全に正気を失っていた。マリセラの血痕が、いまだに黒く屋敷の壁をおおいつくしていた。

ハウサはそれより以前に、当時の新技術、映画製作の草分け的人物を呼びだしていた。このフルクトゥオス・ヘラベルトなる男は、ハウサの要求に応じ、その代わりに、近郊のバジェスに映画の撮影スタジオを設営するための資金援助を約束させた。二十世紀には「動画」が宗教祭事にとってかわることを、ヘラベルトは確信していたからだ。ハウサはどうやら、黒い肌をしたマリセラの霊魂が、家のどこかにいると信じこんでいるらしい。彼女の存在感、声や、においや、暗闇のなかで自分にふれる肌まで感じるのだと主張した。主人の話をきいた使用人たちは、これほど神経を張りつめなくても仕事のできる場所があるはずだと、一目散にこの家から逃げていった。自分たちでバケツに水をくんだり、靴下を繕うこともできないような裕福な家庭の屋敷が、隣のサリア地区に行けば、いくらでもあったからだ。

こうして見えない亡霊にとりつかれたまま、ハウサは家にひとり残った。そのうちに、不可視のものを見えるようにすることが鍵なのだと思いついた。アメリカ帰りの成り金は、かつてニューヨークで「映画」という発明の効果を見る機会にめぐまれ、被写体の魂も、それを観る者の魂も、カメラに吸収されるはずだという見解を、亡きマリセラと共有していた。この論理にもとづいて、彼はフルクトゥオス・ヘラベルトに、〈靄の天使〉の廊下を端から端まで、一メートルごとにフィルムにおさめてほしいと依頼した。そうすることで、あの世の形跡や、幻影を見つけだそうとしたのだ。しかし、撮影の指揮をとるヘラベルトの〝実り《フルク》ある《トゥオス》〟という名とは逆に、この試みは、それまでのところ、なんの実りももたらさなかった。

ところが、ヘラベルトのところに、ニュージャージー州メンロパークにあるトマス・エディソン研究所から新製品の高感度フィルムが送られてきたとき、すべての事情が一変した。この新しいフィルムは、きわめて弱い光の条件でも映像をとりこむことができるという、かつてきいたこともない画期的なものだった。どのような技法によったのか、ついに明らかにならなかったが、ヘラベルトの現像助手のひとりが、あるとき、バルセロナの南郊ペネデス産の白のハレロ・ワインを、うっかり現像用トレイにこぼしてしまった。すると、化学反応がおこって、現像したフィルムに奇妙な形があらわれだした。リカルド・アルダヤをティビダボ通り三十二番地の幽霊屋敷に招いた夜、ハウサがアルダヤに見せようとしたのは、まさにこのフィルムだった。

　アルダヤはその話をきいて、おそらく、ハウサからとりつけた援助資金が取り消されることを危ぶんだヘラベルトが、こんなふうに時間つぶしの策略をつかって、パトロンの興味をひきつけておこうとしたのだろうと憶測した。ところが、当のハウサは、結果の信憑性にわずかな疑問も抱いていなかった。それどころか、ほかの人間の目には、なにかの形や影にしか見えないものが、彼の目には霊魂に見えた。遺骸布をまとったマリセラのシルエットが識別できると、ハウサは断言した。オオカミに形を変え、後ろ脚で立って歩いている彼女の影が見えるというのだ。リカルド・アルダヤには、映像に大きなしみしか認められなかった。おまけに、映写機のフィルムからも、映写技師の体からも、ワインだのリキュールだの酒臭いにおいがプンプンただよってくる。それでも、腕利きのビジネスマンらしく、アルダヤはこうした状況がいずれ自分に有利に働くだろうと直感した。正気を失い、天涯孤独で、心霊体《エクトプラズム》をつかまえることに執着する億万長者などとは、まさに理想的な犠牲者のイメージではないか。そんなわけで、彼はハウサの言うことに同意をしめし、この実験をつづけるように励ました。

数週間にわたり、ヘラベルトと助手は、何キロメートルにもおよぶフィルムをつかって撮影をつづけた。そして現像用の化学溶液に、〈モンセラットの香り〉や、ニノットの教区教会のミサ用赤ワインや、タラゴナ一帯でつくられたカタルーニャ産スパーリングワイン、カバを溶かしこんだ何種類ものタンクで、そのフィルムを現像した。当のハウサは、映写と映写の合間をぬって、リカルド・アルダヤに権利を移譲し、認可の署名をし、財政資金の管理をそっくりゆだねていった。

ハウサは、十一月のある夜、暴風雨のさなかに姿を消した。彼がどうなったか知る者はいない。ヘラベルトの特製フィルムをひと巻き、自分で映写している最中に、どうやら事件が起こったらしい。リカルド・アルダヤはヘラベルトに、問題のフィルムを回収するよう依頼した。そして、ひとりで映像を見たのちに、みずからの手でそれを火にくべ、相手に有無を言わせないほどべらぼうな額面の小切手をヘラベルトに手わたして、この件はいっさい忘れるようにすすめた。アルダヤ自身は、そのころすでに、失踪したハウサが有した資産のほとんどの名義人におさまっていた。

死んだマリセラがもどってきて、ハウサを地獄につれていったのだと言う人がいた。また、消えた億万長者によく似た男が何カ月もシウダデラ公園の周辺で寝起きしていたが、ある昼のさなかに、窓をカーテンでとざした黒い馬車に追突され、馬車のほうは、そのまま立ち去ったと証言する人もいた。時すでに遅し。屋敷の「黒い伝説」は、都市のダンスホールに入りこんだカリブ音楽のように、しっかり定着してしまったのである。

数ヵ月後、リカルド・アルダヤは、家族をティビダボ通りの豪邸にうつした。その二週間後に、アルダヤ夫妻のひとり娘、ペネロペが生まれた。娘の誕生を記念して、アルダヤはこの館を〈ヴィラ・ペネロペ〉と改名した。新しい名は、しかし、最後まで親しまれなかった。屋敷には強力な個性があって、新たな家主の影響に左右される気配をすこしもみせようとしないのだ。

ここに住みはじめた者たちは、夜になると、どこからともなく音がきこえてきたり、壁をたたく音がすると苦情を言った。腐ったような悪臭が突然ただよってくるし、冷たい空気がスーッとながれてきて、番兵が何人も家のなかをうろついている感じがする。

館はミステリーにみちていた。

地下室は二重構造になっており、下部にはまだつかわれたことのない納骨室《クリプタ》が、上部には礼拝室《カピージャ》がある。彩色された大きなキリストの磔刑像が礼拝室内に掲げられているが、使用人らの目に映るこのキリストは、当時勇名をはせたラスプーチンに気味悪いほどよく似ていた。図書室では、行くたびに本の順番が入れかわったり、逆さになっている。四階には誰もつかわない寝室がひとつあった。湿気のせいか、壁に奇妙なしみがあらわれて、それがどれもみな「人の顔」に見えるからだ。生花をなかにもちこむと、数分とたたないうちにしおれてしまうし、いつ行ってもハエの羽音がするのに、飛んでいるところを見た者は誰もいない。

調理人たちの証言によれば、砂糖などの貯蔵品がいきなり食料保管庫から消えたり、毎月、新月の夜がくるたびに、牛乳が赤く染まってしまうという。時おり、どこかの部屋の入り口で、小鳥やネズミなどの小動物が死んでいる。そうかと思えば、たんすや引き出しにしまってある宝飾類や服のボタンがなくなっている。消えた小物が、何カ月もしてから突然、思いもよらない場所から出てきたり、庭に埋まっているのが見つかることもあった。しかし、それはごくまれな話で、たいていは、いちど消えたら二度とあらわれない。

　アルダヤにしてみれば、この手の出来事は、金持ち階級によくある思いすごしや、たわごとにすぎず、一週間も朝食をぬけば、自分の家族は怯えから解放されるだろうと考えた。ただ、妻の宝石が盗まれる事実には、彼も心穏やかではいられなかった。夫人の宝石箱からいくつも宝石が消え、メイドもすでに五人以上解雇された。もちろん、彼女たちは涙ながらに身の潔白を訴えた。社会の裏の事情に通じた人たちは、謎はただの口実で、ほんとうは、アルダヤの恥知らずな習慣のせいでメイドが犠牲になったのだろうと判断した。なにしろ、この家の主人は、夜な夜な若いメイドの寝室にしのびこみ、彼女たちと戯れて不倫行為をしようとする。その方面での彼の評判は、資産家としての評判に負けず劣らず広く知られ、あの男が手柄をたてる先から路上に残していく〝ご落胤《らくいん》〟ばかりで、労働組合のひとつも組織できるだろうとまでささやかれた。

　だが、消えたのは宝石だけでなかった。時とともに、家族の生きる歓びも消えていった。

　リカルド・アルダヤが疑わしい手口で入手した屋敷での日々は、彼の一家にとって、けっして幸せなものではなかった。アルダヤ夫人は、この家を売り払って市内の邸宅にうつりたい、プッチ・イ・カダファルクが一族の長老シモンの依頼で設計したあの豪邸にもどりましょうと、夫に懇願しつづけた。しかし、リカルド・アルダヤは、きっぱり妻の願いをはねつけた。彼は出張しているか、工場ですごす時間がほとんどなので、自宅の事情がどうであろうと、まったく問題にしなかったのだ。

あるとき、当時まだ幼かったホルヘが、家のなかで、八時間にもわたって姿を消したことがあった。母親と使用人たちが必死にさがしまわったが、見つからない。少年は、蒼ざめて茫然とした顔であらわれ、図書室で、肌の黒い女性とずっといっしょにいたのだと言った。その女性は、少年に昔の写真を見せながら、あなたの家族の女性はみんな、男性の罪をあがなうために、この館のなかで死ななければならないと語ったという。謎の女性は、幼いホルヘに、彼の母親が死ぬ日まで予言していた。一九二一年四月十二日……。家じゅうさがしても、この黒い肌の女性とおぼしき人物が見つからなかったことは、言うまでもない。

その十数年後、一九二一年四月十二日の夜明けに、アルダヤ夫人が寝室のベッドのうえで息絶えているのが見つかった。彼女の宝石はすべて消えていた。のちに中庭の井戸を排水したとき、使用人の若者が、井戸底の泥のなかに宝石があるのを発見した。そばには人形がひとつあった。娘ペネロペの人形だった。

妻を亡くした一週間後、リカルド・アルダヤは、この屋敷を手放すことにきめた。さしもの彼の繊維・金融帝国は、そのころもう致命的な状況にあった。すべては呪われた館に原因がある、あの家に住むものにはことごとく不幸が訪れるのだと、ひそかに言う者がいた。もっと慎重な人びとは、アルダヤが市場の変動をいちども理解せず、生涯をかけてやったことといえば、一族の長老シモンの立ちあげた事業を壊滅させたことだけだ、と述べるにとどめた。リカルド・アルダヤは、バルセロナをあとにして、家族とともにアルゼンチンに移住すると告げた。あちらでは一族の繊維事業がまさに絶好調だからだという。しかし、アルダヤが挫折と恥辱から逃げようとしているのだと解釈する人は、すくなくなかった。

一九二二年、〈霧の天使〉は、冗談のような安値で売りにだされた。病的な好奇心もあれば、ティビダボ地区の高級住宅地としての評判が高まりつつある事情もあって、当初は、購入にたいしてかなりの興味が集まった。だが、家を見学したあと、有力な買い手と思われた人たちの誰ひとりオファーをださなかった。一九二三年、屋敷は閉鎖され、権利書はアルダヤの債権者のひとつである不動産会社に譲渡された。同社はこの物件を売却するなり、いざとなれば取り壊すこともできた。ところが、ボテル・イ・ジョフレというこの会社は、一九三九年に倒産の危機に瀕した。共同経営者ふたりが投獄されたためだが、逮捕の理由は最後まで明らかにならなかった。

このふたりが、一九四〇年にサンビセンスの刑務所で事故死するという悲劇がおきたとき、不動産会社はマドリードの金融グループに吸収された。三名の将官と、スイスの銀行家が役員におさまり、アギラール氏が取締役社長に就任した。トマスとベアの父親だ。だが、宣伝努力のかいもなく、しかも市場価格よりかなり低い値をつけても、この物件に買い手はつかなかった。

以来、十年以上、屋敷に入ったものはいない。

「そう、きょうまで誰ひとりもよ」とベアは言い、ふたたび沈黙のなかに身をおいた。

時がたてば、ぼくも、彼女の沈黙に慣れるのかもしれない。遠くでひとり閉じこもり、うつろな目をして、ひっそりした声でしゃべる彼女を見ることに。

「この場所をあなたに見せたかったの。わかる？ 驚かせたかったのよ。秘書のカサスの話をきいたとき、あなたをここにつれてこようと思ったの。だって、これは、あなたの物語の一部ですもの。カラックスとペネロペの物語のね。それで、父の事務所から鍵を借りてきたのよ。わたしたちがここにいることは、誰も知らないわ。だから、ふたりだけの秘密なのよ。わたし、この秘密を、あなたと分かちあいたかったの。あなたがほんとうに来るだろうかって、ずっと考えていたのよ」

「ぼくが来るって、きみにはわかっていたはずだよ」

ベアはうなずきながら、ほほ笑んだ。

「偶然に起こることなんて、なにもないように、わたしには思えるの。どんな物事にも、奥深いところに秘密の計画みたいなものがあって、ただ、わたしたちがそれを理解していないだけなのよ。たとえば、あなたが『忘れられた本の墓場』でフリアン・カラックスの小説を見つけたように。そして、いま、あなたとわたしが、ここにこうしているように。アルダヤ家の人たちが住んでいた、この館にいるようによ。すべてが、なにものかを形づくっている。わたしたちでは理解しきれないなにか。そのなにかに、わたしたちは所有されているのよ」

　ベアがしゃべるあいだ、ぼくの手は不器用に彼女のくるぶしまで動き、ひざのほうにあがっていった。彼女は、自分の脚をよじのぼる虫でも見ているような目で、ぼくの手をながめていた。フェルミンならこの瞬間どうするのだろう、とぼくは考えた。いちばん必要なこのときに、彼の叡知はどこにあるのか？

「あなたには、いままでひとりも彼女がいなかったって、トマスが言ってたわ」と、ベアが言った。まるで、それだけですべて説明がつくみたいな言い方だ。

　ぼくは手をひっこめて、目をふせた。打ちのめされた気分だった。ベアが笑っているような気がしたけれど、たしかめたいとは思わなかった。

「きみの兄貴、いままであんまり無口だったから、急におしゃべりになったんだな。で、その〃ニュース映画《ノー・ドー》〃のアナウンサーは、ほかに、ぼくのことをなんて言ってた？」

「年上の女性に何年も恋をしていて、その経験が、あなたの心を傷つけてしまったって」

「そのことで傷を負わされたのは、ぼくのくちびると、羞恥心だけだよ」

「それ以来、あなたは誰ともつきあおうとしなかった、いつもその女性とくらべてしまうからだって、トマスが言ってたわ」

　お人よしのトマスと、隠された彼の鉄拳だ。

「クララっていうんだ」と、ぼくのほうから言った。

「わかってるわ。クララ・バルセロでしょ」

「彼女のこと、知ってるの？」

「クララ・バルセロみたいな女性のことは、誰でも知ってるわ。名前なんて、知ったうちに入らない」

ふたりとも、しばらく口をつぐんで、火がパチパチ燃えるのをながめていた。

「おとといの夜、あなたと別れてから、パブロに手紙を書いたの」とベアが言った。

ぼくはぐっとこらえた。

「きみの彼氏の少尉？　なんで？」

ベアはブラウスのポケットから封筒をひとつとりだして、ぼくに見せた。きちんと封がしてあった。

「なるべく早く結婚したいって、この手紙に書いたの。できれば一カ月以内にって。それで、永久にこのバルセロナから離れたいってことも」

ぼくは、かすかにふるえながら、彼女の読みきれないまなざしと向きあった。

「なんで、そんなこと、ぼくに話すんだ？」

「わたしがこれを送ったほうがいいのかどうか、あなたに言ってほしいからよ。それで、きょう、あなたをここにつれてきたのよ、ダニエル」

賭けのサイコロみたいにベアの手のなかでくるくるまわっている封筒に、ぼくは目をそそいだ。

「わたしを見て」と彼女は言った。

ぼくは視線をあげて、彼女をじっと見つめた。どう答えていいかわからなかった。

ベアは目をふせて、回廊のほうに離れていった。ドアの先に大理石の手すりがあって、そのむこうに中庭《パティオ》がひろがっている。彼女のシルエットが雨に溶けるのが見えた。ぼくはあとを追って、彼女をひきとめると、手から封筒をもぎとった。雨が彼女の顔にたたきつけ、涙と怒りを洗いながしていった。屋敷の内部にもういちど彼女をひきいれて、暖かい火の近くまでつれてきた。彼女はぼくの目を見ようとしなかった。手のうちにある封筒を、ぼくは炎に投げこんだ。手紙が火のあいだで燃えていくのを、ふたりでながめた。便箋が一枚、また一枚と、渦巻状の青いけむりになって消えていく。

ベアは目に涙をためて、ぼくの横にひざまずいた。ぼくは彼女を抱きしめた。喉もとに、彼女の息づかいを感じた。

「わたしを誘惑しないで、ダニエル」と彼女はつぶやいた。

ぼくが知る最高の賢者、フェルミン・ロメロ・デ・トーレスが、いちど話してくれたことがある。人生で、はじめて女性の服をぬがせる経験に比較できるものはないと。知恵者の彼のことだから、ぼくに嘘などは言わない。でも、その彼も、真実をすべては教えてくれなかった。この不思議な手のふるえが、ボタンひとつ、ファスナーひとつはずすのを、超人的な仕事にしてしまうということを、彼は言ってくれなかった。あの透きとおるような、ふるえる肌の魔力も、くちびるがはじめてふれるときの、あの感触も、毛穴のひとつひとつが燃えるようなあの幻想も、彼は教えてくれなかった。彼は、そういうことをなにも話してくれなかった。なぜなら、奇跡はいちどしか起こらないと、彼は知っていたから。そして、奇跡が起こったとき、それは秘密の言葉で語りかけ、ベールがいったんはずされたあとは、永遠に消えさってしまうものだから。

ティビダボ通りの大邸宅で、世界を洗いながす雨の音をききながら、ベアとすごしたあの午後を、いったい、何度とりもどしたいと思っただろう。炎の熱にうばわれて、もうほとんどとり返せないイメージがぼんやり宿る、あの思い出に帰ってきてほしい、そのなかにもういちど埋没したいと、いったい何度思ったことだろう。ベア。裸のまま、雨にぬれて輝いていた彼女。火のそばに横たわり、真摯なまなざしをぼくにむけた彼女。そのまなざしが、以来、ぼくをずっと追いつづけている。

ぼくは彼女のうえにかがみ、指先で、彼女の腹部をそっとなでていった。ベアは目をとじて、ぼくにほほ笑んだ。たしかな、力強いほほ笑みだった。

「好きにしていいのよ」と彼女はささやいた。

十七歳のベアトリス。彼女の生命が、くちびるとともに、ぼくのまえにあった。

(下巻につづく)

集英社文庫

風《かぜ》の影《かげ》 上《じょう》

2006年7月25日 第1刷
2022年12月14日 第17刷

定価はカバーに表示してあります。

著 者 カルロス・ルイス・サフォン
訳 者 木村裕美《きむらひろみ》
発行者 樋口尚也
発行所 株式会社 集英社
東京都千代田区一ツ橋2-5-10 〒101-8050
電話 【編集部】03-3230-6095
【読者係】03-3230-6080
【販売部】03-3230-6393(書店専用)
印 刷 中央精版印刷株式会社 株式会社美松堂
製 本 中央精版印刷株式会社

フォーマットデザイン アリヤマデザインストア マークデザイン 居山浩二

ISBN978-4-08-760508-2 C0197